Anti-fautes de conjugaison

Anti-fautes de conjugaison

21, rue du Montparnasse 75283 Paris Cedex 06

ISBN 978 2 03 586 018-7

AVANT-PROPOS

L'Anti-Fautes de conjugaison est conçu pour apporter une réponse immédiate sur la conjugaison des verbes. Il constitue un mémento pratique, complet et utile au quotidien.

Il contient :

- 100 tableaux des verbes modèles comprenant :

- l'indication du verbe modèle, de son groupe et de son numéro de conjugaison

- la conjugaison exhaustive du verbe, c'est-à-dire à tous les modes et à tous les temps usités ainsi qu'à toutes les personnes (sauf pour certains défectifs)

- la mise en évidence des formes présentant une difficulté de conjugaison particulière.

- Un répertoire des verbes de la langue française comprenant :

- une liste alphabétique de 8000 verbes

- le numéro de renvoi au tableau de conjugaison du verbe modèle correspondant

- le ou les modes de construction

- l'auxiliaire permettant de former les temps composés (quand ce n'est pas « avoir »)

- les particularités d'orthographe et/ou d'emploi.

En tête d'ouvrage, l'annexe grammaticale présente les principales règles d'accord des participes.

SOMMAIRE

L'ACCORD DES PARTICIPES

L'ACCORD DU PARTICIPE PRÉSENT

Quand le participe présent exprime une action ou un état (il est alors le plus souvent suivi d'un complément d'objet ou d'un complément circonstanciel), il reste invariable : *des enfants* ***obéissant*** *à leurs parents.* Quand le participe présent exprime une qualité et joue le rôle d'adjectif, il s'accorde en genre et en nombre avec le nom auquel il se rapporte : *des enfants très* ***obéissants.***

L'ACCORD DU PARTICIPE PASSÉ

I. Le participe passé employé sans auxiliaire

Le participe passé employé *sans auxiliaire* s'accorde (comme l'adjectif) en genre et en nombre avec le nom ou le pronom auquel il se rapporte : *des fleurs* ***parfumées.***

II. Le participe passé employé avec « être »

Le participe passé des verbes passifs et de certains verbes intransitifs conjugués avec l'auxiliaire *être* s'accorde en genre et en nombre avec le sujet du verbe : *l'Amérique a été* ***découverte*** *par Christophe Colomb ; nos amis sont* ***venus*** *hier.*

III. Le participe passé employé avec « avoir »

Le participe passé conjugué avec l'auxiliaire *avoir* s'accorde en genre et en nombre avec le complément d'objet direct du verbe quand ce complément le précède : *je me rappelle l'****histoire*** *que j'ai* ***lue.***

Le participe passé reste invariable :

1. si le complément direct suit le verbe : *nous avons* ***lu*** *une* ***histoire*** *; elle a* ***reçu*** *de bonnes* ***nouvelles*** *;*

2. s'il n'a pas de complément d'objet direct (cas des verbes transitifs employés intransitivement, des verbes intransitifs et des verbes transitifs indirects) : *ils ont* ***lu*** *; elle a* ***abdiqué*** *; ces histoires nous ont* ***plu*** *; les enfants vous ont-ils* ***obéi*** *? ; ils nous ont* ***succédé.***

Remarque. Dans les phrases : *les nuits qu'ils ont* ***dormi****, les mois qu'il a* ***vécu***, les participes passés *dormi, vécu* sont invariables ; en effet, *que* représente un complément circonstanciel : les nuits **pendant lesquelles** ils ont dormi; les mois **pendant lesquels** il a vécu.

Toutefois, des verbes intransitifs avec un complément de prix, de quantité, de distance, etc., comme *coûter, valoir, peser, courir, vivre,* etc., peuvent devenir transitifs dans un autre sens et être précédés alors d'un complément d'objet direct : les efforts **que** ce travail m'a **coûtés** ; la gloire **que** cette action m'a **value** ; les dangers **que** j'ai **courus** ; les jours heureux **qu**'elle a **vécus** ici.

CAS PARTICULIERS

Le participe passé suivi d'un infinitif

1. Le participe passé suivi d'un infinitif est *variable* s'il a pour complément d'objet direct le pronom qui précède ; ce pronom est alors le sujet de l'action marquée par l'infinitif : *les fruits **que** j'ai **vus** mûrir.*
On peut dire : *les fruits que j'ai vus mûrissant.* C'étaient les fruits qui mûrissaient. *Que*, mis pour *fruits*, faisant l'action de mûrir, est complément direct de *ai vus.*

2. Le participe passé est *invariable* s'il a pour complément d'objet direct l'infinitif ; le pronom est alors complément d'objet direct de l'infinitif et non du verbe principal : *les fruits que j'ai vu **cueillir**.*
On ne peut pas dire : *les fruits que j'ai vu cueillant.* Ce n'étaient pas les fruits qui cueillaient. *Que*, mis pour *fruits*, ne faisant pas l'action de *cueillir*, est complément direct de *cueillir* et non de *vu.*

Remarque. Les participes qui ont pour complément d'objet direct un infinitif sous-entendu ou une proposition sous-entendue sont toujours invariables : *il n'a pas payé toutes les sommes qu'il aurait **dû*** (sous-entendu *payer*) ; *je lui ai rendu tous les services que j'ai **pu*** (sous-entendu *lui rendre*) ; *je lui ai chanté tous les morceaux qu'il a **voulu*** (sous-entendu *que je lui chante*).
Le participe passé *fait* suivi d'un infinitif est toujours invariable : *la maison que j'ai **fait bâtir**.*

Le participe passé des verbes pronominaux

Les verbes pronominaux se conjuguent dans leurs temps composés avec l'auxiliaire *être* ; mais cet auxiliaire *être* peut être remplacé dans l'analyse par l'auxiliaire *avoir* : *je me suis consolé* est équivalent de *j'ai consolé moi.* Le participe passé d'un verbe pronominal réfléchi ou réciproque s'accorde avec son complément d'objet direct si ce complément le précède : *les lettres* ***que*** *Paul et Caroline se sont* ***écrites*** *sont aimables.*

Il reste invariable si le complément d'objet direct le suit ou s'il n'a pas de complément d'objet direct : *Paul et Caroline se sont* ***écrit*** *des lettres aimables ; Paul et Caroline se sont* ***écrit****.*

Le participe passé d'un verbe toujours pronominal (*s'enfuir, s'emparer*, etc.) s'accorde avec le sujet du verbe : *ils se sont* ***emparés*** *de la ville.*

REMARQUE. Les participes passés des verbes transitifs indirects employés pronominalement restent toujours invariables : *ils* ***se sont ri*** *de mes efforts ; ils* ***se sont plu*** *à me tourmenter.*

Le participe passé des verbes impersonnels

Le participe passé des verbes impersonnels est toujours invariable : *les inondations qu'il y a* ***eu****.* Les verbes *faire, avoir* sont transitifs par nature, mais ils deviennent impersonnels quand ils sont précédés du pronom neutre *il* : *les chaleurs qu'****il*** *a* ***fait****.*

Le participe passé et les pronoms « le », « en »

Le participe passé conjugué avec *avoir* et précédé de *le (l')*, complément d'objet direct représentant toute une proposition, reste invariable : *la chose est plus sérieuse que nous ne l'avions* ***pensé*** *d'abord* (c'est-à-dire *que nous n'avions pensé* ***cela****, qu'elle était sérieuse*).

Le participe passé précédé de *en* reste invariable : *tout le monde m'a offert des services, mais personne ne m'****en*** *a* ***rendu****.* Cependant, le participe varie si le pronom *en* est précédé d'un adverbe de quantité, *plus, combien, autant*, etc. : *autant d'ennemis il a attaqués,* ***autant*** *il* ***en*** *a* ***vaincus****.* Mais le participe passé reste invariable si l'adverbe suit le pronom *en* au lieu de le précéder : *quant aux belles villes, j'****en*** *ai* ***tant visité...***

Le participe passé précédé d'une locution collective

Lorsque le participe passé a pour complément d'objet direct une locution collective (adverbe de quantité précédé d'un article indéfini ou mot collectif suivi d'un complément), s'il s'accorde soit avec l'adverbe ou le mot collectif, soit avec le mot complément, selon que l'on attache plus d'importance à l'un ou à l'autre : *le grand* ***nombre*** *de* ***succès*** *que vous avez* ***remporté*** *(ou* ***remportés****) ; le* ***peu*** *d'****attention*** *que vous avez* ***apporté*** *(ou* ***apportée****) à cette affaire.*

Les tableaux de conjugaison

1 ÊTRE

LES INDISPENSABLES 3e groupe

Indicatif

présent

je	**suis**
tu	**es**
il/elle	**est**
nous	**sommes**
vous	**êtes**
ils/elles	**sont**

imparfait

j'	**étais**
tu	**étais**
il/elle	**était**
nous	**étions**
vous	**étiez**
ils/elles	**étaient**

futur simple

je	**serai**
tu	**seras**
il/elle	**sera**
nous	**serons**
vous	**serez**
ils/elles	**seront**

passé simple

je	**fus**
tu	**fus**
il/elle	**fut**
nous	**fûmes**
vous	**fûtes**
ils/elles	**furent**

passé composé

j'	**ai**	**été**
tu	**as**	**été**
il/elle	**a**	**été**
nous	**avons**	**été**
vous	**avez**	**été**
ils/elles	**ont**	**été**

plus-que-parfait

j'	**avais**	**été**
tu	**avais**	**été**
il/elle	**avait**	**été**
nous	**avions**	**été**
vous	**aviez**	**été**
ils/elles	**avaient**	**été**

futur antérieur

j'	**aurai**	**été**
tu	**auras**	**été**
il/elle	**aura**	**été**
nous	**aurons**	**été**
vous	**aurez**	**été**
ils/elles	**auront**	**été**

passé antérieur

j'	**eus**	**été**
tu	**eus**	**été**
il/elle	**eut**	**été**
nous	**eûmes**	**été**
vous	**eûtes**	**été**
ils/elles	**eurent**	**été**

Conditionnel

présent

je	**serais**
tu	**serais**
il/elle	**serait**
nous	**serions**
vous	**seriez**
ils/elles	**seraient**

passé

j'	**aurais**	**été**
tu	**aurais**	**été**
il/elle	**aurait**	**été**
nous	**aurions**	**été**
vous	**auriez**	**été**
ils/elles	**auraient**	**été**

Infinitif

présent	passé	
être	**avoir**	**été**

Participe

présent	passé	
étant	**été**	
	ayant	**été**

Impératif

présent	passé	
sois	**aie**	**été**
soyons	**ayons**	**été**
soyez	**ayez**	**été**

Subjonctif

présent		passé		
que je	**sois**	que j'	**aie**	**été**
que tu	**sois**	que tu	**aies**	**été**
qu'il/elle	**soit**	qu'il/elle	**ait**	**été**
que nous	**soyons**	que nous	**ayons**	**été**
que vous	**soyez**	que vous	**ayez**	**été**
qu'ils/elles	**soient**	qu'ils/elles	**aient**	**été**

imparfait		plus-que-parfait		
que je	**fusse**	que j'	**eusse**	**été**
que tu	**fusses**	que tu	**eusses**	**été**
qu'il/elle	**fût**	qu'il/elle	**eût**	**été**
que nous	**fussions**	que nous	**eussions**	**été**
que vous	**fussiez**	que vous	**eussiez**	**été**
qu'ils/elles	**fussent**	qu'ils/elles	**eussent**	**été**

2 AVOIR

LES INDISPENSABLES

3e groupe

Indicatif

présent		passé composé		
j'	**ai**	j'	**ai**	**eu**
tu	**as**	tu	**as**	**eu**
il/elle	**a**	il/elle	**a**	**eu**
nous	**avons**	nous	**avons**	**eu**
vous	**avez**	vous	**avez**	**eu**
ils/elles	**ont**	ils/elles	**ont**	**eu**

imparfait		plus-que-parfait		
j'	**avais**	j'	**avais**	**eu**
tu	**avais**	tu	**avais**	**eu**
il/elle	**avait**	il/elle	**avait**	**eu**
nous	**avions**	nous	**avions**	**eu**
vous	**aviez**	vous	**aviez**	**eu**
ils/elles	**avaient**	ils/elles	**avaient**	**eu**

futur simple		futur antérieur		
j'	**aurai**	j'	**aurai**	**eu**
tu	**auras**	tu	**auras**	**eu**
il/elle	**aura**	il/elle	**aura**	**eu**
nous	**aurons**	nous	**aurons**	**eu**
vous	**aurez**	vous	**aurez**	**eu**
ils/elles	**auront**	ils/elles	**auront**	**eu**

passé simple		passé antérieur		
j'	**eus**	j'	**eus**	**eu**
tu	**eus**	tu	**eus**	**eu**
il/elle	**eut**	il/elle	**eut**	**eu**
nous	**eûmes**	nous	**eûmes**	**eu**
vous	**eûtes**	vous	**eûtes**	**eu**
ils/elles	**eurent**	ils/elles	**eurent**	**eu**

Conditionnel

présent		passé		
j'	**aurais**	j'	**aurais**	**eu**
tu	**aurais**	tu	**aurais**	**eu**
il/elle	**aurait**	il/elle	**aurait**	**eu**
nous	**aurions**	nous	**aurions**	**eu**
vous	**auriez**	vous	**auriez**	**eu**
ils/elles	**auraient**	ils/elles	**auraient**	**eu**

Infinitif

présent	passé	
avoir	**avoir**	**eu**

Participe

présent	passé	
ayant	**eu/eue,**	**eus/eues**
	ayant	**eu**

Impératif

présent	passé	
aie	**aie**	**eu**
ayons	**ayons**	**eu**
ayez	**ayez**	**eu**

Subjonctif

présent		passé		
que j'	**aie**	que j'	**aie**	**eu**
que tu	**aies**	que tu	**aies**	**eu**
qu'il/elle	**ait**	qu'il/elle	**ait**	**eu**
que nous	**ayons**	que nous	**ayons**	**eu**
que vous	**ayez**	que vous	**ayez**	**eu**
qu'ils/elles	**aient**	qu'ils/elles	**aient**	**eu**

imparfait		plus-que-parfait		
que j'	**eusse**	que j'	**eusse**	**eu**
que tu	**eusses**	que tu	**eusses**	**eu**
qu'il/elle	**eût**	qu'il/elle	**eût**	**eu**
que nous	**eussions**	que nous	**eussions**	**eu**
que vous	**eussiez**	que vous	**eussiez**	**eu**
qu'ils/elles	**eussent**	qu'ils/elles	**eussent**	**eu**

ALLER

LES INDISPENSABLES

3e groupe

Indicatif

présent		passé composé		
je	**vais**	je	**suis**	**allé/ée**
tu	**vas**	tu	**es**	**allé/ée**
il/elle	**va**	il/elle	**est**	**allé/ée**
nous	**allons**	nous	**sommes**	**allés/ées**
vous	**allez**	vous	**êtes**	**allés/ées**
ils/elles	**vont**	ils/elles	**sont**	**allés/ées**
imparfait		**plus-que-parfait**		
j'	**allais**	j'	**étais**	**allé/ée**
tu	**allais**	tu	**étais**	**allé/ée**
il/elle	**allait**	il/elle	**était**	**allé/ée**
nous	**allions**	nous	**étions**	**allés/ées**
vous	**alliez**	vous	**étiez**	**allés/ées**
ils/elles	**allaient**	ils/elles	**étaient**	**allés/ées**
futur simple		**futur antérieur**		
j'	**irai**	je	**serai**	**allé/ée**
tu	**iras**	tu	**seras**	**allé/ée**
il/elle	**ira**	il/elle	**sera**	**allé/ée**
nous	**irons**	nous	**serons**	**allés/ées**
vous	**irez**	vous	**serez**	**allés/ées**
ils/elles	**iront**	ils/elles	**seront**	**allés/ées**
passé simple		**passé antérieur**		
j'	**allai**	je	**fus**	**allé/ée**
tu	**allas**	tu	**fus**	**allé/ée**
il/elle	**alla**	il/elle	**fut**	**allé/ée**
nous	**allâmes**	nous	**fûmes**	**allés/ées**
vous	**allâtes**	vous	**fûtes**	**allés/ées**
ils/elles	**allèrent**	ils/elles	**furent**	**allés/ées**

Conditionnel

présent		passé		
j'	**irais**	je	**serais**	**allé/ée**
tu	**irais**	tu	**serais**	**allé/ée**
il/elle	**irait**	il/elle	**serait**	**allé/ée**
nous	**irions**	nous	**serions**	**allés/ées**
vous	**iriez**	vous	**seriez**	**allés/ées**
ils/elles	**iraient**	ils/elles	**seraient**	**allés/ées**

Infinitif

présent	passé	
aller	être	allé/ée/és/ées

Participe

présent	passé	
allant	allé/ée,	allés/ées
	étant	allé/ée/és/ées

Impératif

présent	passé	
va	sois	allé/ée
allons	soyons	allés/ées
allez	soyez	allés/ées

Subjonctif

présent		passé	
que j'	aille	que je	sois allé/ée
que tu	ailles	que tu	sois allé/ée
qu'il/elle	aille	qu'il/elle	soit allé/ée
que nous	allions	que nous	soyons allés/ées
que vous	alliez	que vous	soyez allés/ées
qu'ils/elles	aillent	qu'ils/elles	soient allés/ées

imparfait		plus-que-parfait	
que j'	allasse	que je	fusse allé/ée
que tu	allasses	que tu	fusses allé/ée
qu'il/elle	allât	qu'il/elle	fût allé/ée
que nous	allassions	que nous	fussions allés/ées
que vous	allassiez	que vous	fussiez allés/ées
qu'ils/elles	allassent	qu'ils/elles	fussent allés/ées

4 VENIR

LES INDISPENSABLES — 3e groupe

Indicatif

présent		passé composé		
je	viens	je	suis	venu/ue
tu	viens	tu	es	venu/ue
il/elle	vient	il/elle	est	venu/ue
nous	venons	nous	sommes	venus/ues
vous	venez	vous	êtes	venus/ues
ils/elles	viennent	ils/elles	sont	venus/ues
imparfait		**plus-que-parfait**		
je	venais	j'	étais	venu/ue
tu	venais	tu	étais	venu/ue
il/elle	venait	il/elle	était	venu/ue
nous	venions	nous	étions	venus/ues
vous	veniez	vous	étiez	venus/ues
ils/elles	venaient	ils/elles	étaient	venus/ues
futur simple		**futur antérieur**		
je	viendrai	je	serai	venu/ue
tu	viendras	tu	seras	venu/ue
il/elle	viendra	il/elle	sera	venu/ue
nous	viendrons	nous	serons	venus/ues
vous	viendrez	vous	serez	venus/ues
ils/elles	viendront	ils/elles	seront	venus/ues
passé simple		**passé antérieur**		
je	vins	je	fus	venu/ue
tu	vins	tu	fus	venu/ue
il/elle	vint	il/elle	fut	venu/ue
nous	vînmes	nous	fûmes	venus/ues
vous	vîntes	vous	fûtes	venus/ues
ils/elles	vinrent	ils/elles	furent	venus/ues

Conditionnel

présent		passé		
je	viendrais	je	serais	venu/ue
tu	viendrais	tu	serais	venu/ue
il/elle	viendrait	il/elle	serait	venu/ue
nous	viendrions	nous	serions	venus/ues
vous	viendriez	vous	seriez	venus/ues
ils/elles	viendraient	ils/elles	seraient	venus/ues

Infinitif

présent	passé		
venir	être	venu/ue,	venus/ues

Participe

présent	passé	
venant	venu/ue,	venus/ues
	étant	venu/ue/us/ues

Impératif

présent	passé	
viens	sois	venu/ue
venons	soyons	venus/ues
venez	soyez	venus/ues

Subjonctif

présent		passé		
que je	vienne	que je	sois	venu/ue
que tu	viennes	que tu	sois	venu/ue
qu'il/elle	vienne	qu'il/elle	soit	venu/ue
que nous	venions	que nous	soyons	venus/ues
que vous	veniez	que vous	soyez	venus/ues
qu'ils/elles	viennent	qu'ils/elles	soient	venus/ues

imparfait		plus-que-parfait		
que je	vinsse	que je	fusse	venu/ue
que tu	vinsses	que tu	fusses	venu/ue
qu'il/elle	vînt	qu'il/elle	fût	venu/ue
que nous	vinssions	que nous	fussions	venus/ues
que vous	vinssiez	que vous	fussiez	venus/ues
qu'ils/elles	vinssent	qu'ils/elles	fussent	venus/ues

Indicatif

présent		passé composé		
je	**fais**	j'	**ai**	**fait**
tu	**fais**	tu	**as**	**fait**
il/elle	**fait**	il/elle	**a**	**fait**
nous	**faisons**	nous	**avons**	**fait**
vous	**faites**	vous	**avez**	**fait**
ils/elles	**font**	ils/elles	**ont**	**fait**
imparfait		**plus-que-parfait**		
je	**faisais**	j'	**avais**	**fait**
tu	**faisais**	tu	**avais**	**fait**
il/elle	**faisait**	il/elle	**avait**	**fait**
nous	**faisions**	nous	**avions**	**fait**
vous	**faisiez**	vous	**aviez**	**fait**
ils/elles	**faisaient**	ils/elles	**avaient**	**fait**
futur simple		**futur antérieur**		
je	**ferai**	j'	**aurai**	**fait**
tu	**feras**	tu	**auras**	**fait**
il/elle	**fera**	il/elle	**aura**	**fait**
nous	**ferons**	nous	**aurons**	**fait**
vous	**ferez**	vous	**aurez**	**fait**
ils/elles	**feront**	ils/elles	**auront**	**fait**
passé simple		**passé antérieur**		
je	**fis**	j'	**eus**	**fait**
tu	**fis**	tu	**eus**	**fait**
il/elle	**fit**	il/elle	**eut**	**fait**
nous	**fîmes**	nous	**eûmes**	**fait**
vous	**fîtes**	vous	**eûtes**	**fait**
ils/elles	**firent**	ils/elles	**eurent**	**fait**

Conditionnel

présent		passé		
je	**ferais**	j'	**aurais**	**fait**
tu	**ferais**	tu	**aurais**	**fait**
il/elle	**ferait**	il/elle	**aurait**	**fait**
nous	**ferions**	nous	**aurions**	**fait**
vous	**feriez**	vous	**auriez**	**fait**
ils/elles	**feraient**	ils/elles	**auraient**	**fait**

Infinitif

présent	passé	
faire	avoir	fait

Participe

présent	passé	
faisant	fait/te,	faits/tes
	ayant	fait

Impératif

présent	passé	
fais	aie	fait
faisons	ayons	fait
faites	ayez	fait

Subjonctif

présent		passé		
que je	fasse	que j'	aie	fait
que tu	fasses	que tu	aies	fait
qu'il/elle	fasse	qu'il/elle	ait	fait
que nous	fassions	que nous	ayons	fait
que vous	fassiez	que vous	ayez	fait
qu'ils/elles	fassent	qu'ils/elles	aient	fait

imparfait		plus-que-parfait		
que je	fisse	que j'	eusse	fait
que tu	fisses	que tu	eusses	fait
qu'il/elle	fît	qu'il/elle	eût	fait
que nous	fissions	que nous	eussions	fait
que vous	fissiez	que vous	eussiez	fait
qu'ils/elles	fissent	qu'ils/elles	eussent	fait

METTRE

LES INDISPENSABLES

3e groupe

Indicatif

présent		passé composé		
je	**mets**	j'	**ai**	**mis**
tu	**mets**	tu	**as**	**mis**
il/elle	**met**	il/elle	**a**	**mis**
nous	**mettons**	nous	**avons**	**mis**
vous	**mettez**	vous	**avez**	**mis**
ils/elles	**mettent**	ils/elles	**ont**	**mis**
imparfait		**plus-que-parfait**		
je	**mettais**	j'	**avais**	**mis**
tu	**mettais**	tu	**avais**	**mis**
il/elle	**mettait**	il/elle	**avait**	**mis**
nous	**mettions**	nous	**avions**	**mis**
vous	**mettiez**	vous	**aviez**	**mis**
ils/elles	**mettaient**	ils/elles	**avaient**	**mis**
futur simple		**futur antérieur**		
je	**mettrai**	j'	**aurai**	**mis**
tu	**mettras**	tu	**auras**	**mis**
il/elle	**mettra**	il/elle	**aura**	**mis**
nous	**mettrons**	nous	**aurons**	**mis**
vous	**mettrez**	vous	**aurez**	**mis**
ils/elles	**mettront**	ils/elles	**auront**	**mis**
passé simple		**passé antérieur**		
je	**mis**	j'	**eus**	**mis**
tu	**mis**	tu	**eus**	**mis**
il/elle	**mit**	il/elle	**eut**	**mis**
nous	**mîmes**	nous	**eûmes**	**mis**
vous	**mîtes**	vous	**eûtes**	**mis**
ils/elles	**mirent**	ils/elles	**eurent**	**mis**

Conditionnel

présent		passé		
je	**mettrais**	j'	**aurais**	**mis**
tu	**mettrais**	tu	**aurais**	**mis**
il/elle	**mettrait**	il/elle	**aurait**	**mis**
nous	**mettrions**	nous	**aurions**	**mis**
vous	**mettriez**	vous	**auriez**	**mis**
ils/elles	**mettraient**	ils/elles	**auraient**	**mis**

Infinitif

présent	passé	
mettre	avoir	mis

Participe

présent	passé	
mettant	mis/ise,	mis/ises
	ayant	mis

Impératif

présent	passé	
mets	aie	mis
mettons	ayons	mis
mettez	ayez	mis

Subjonctif

présent

que je	**mette**
que tu	**mettes**
qu'il/elle	**mette**
que nous	**mettions**
que vous	**mettiez**
qu'ils/elles	**mettent**

passé

que j'	**aie**	**mis**
que tu	**aies**	**mis**
qu'il/elle	**ait**	**mis**
que nous	**ayons**	**mis**
que vous	**ayez**	**mis**
qu'ils/elles	**aient**	**mis**

imparfait

que je	**misse**
que tu	**misses**
qu'il/elle	**mît**
que nous	**missions**
que vous	**missiez**
qu'ils/elles	**missent**

plus-que-parfait

que j'	**eusse**	**mis**
que tu	**eusses**	**mis**
qu'il/elle	**eût**	**mis**
que nous	**eussions**	**mis**
que vous	**eussiez**	**mis**
qu'ils/elles	**eussent**	**mis**

7 POUVOIR LES INDISPENSABLES 3e groupe

Indicatif

présent		passé composé		
je	**peux/puis**	j'	**ai**	**pu**
tu	**peux**	tu	**as**	**pu**
il/elle	**peut**	il/elle	**a**	**pu**
nous	**pouvons**	nous	**avons**	**pu**
vous	**pouvez**	vous	**avez**	**pu**
ils/elles	**peuvent**	ils/elles	**ont**	**pu**
imparfait		**plus-que-parfait**		
je	**pouvais**	j'	**avais**	**pu**
tu	**pouvais**	tu	**avais**	**pu**
il/elle	**pouvait**	il/elle	**avait**	**pu**
nous	**pouvions**	nous	**avions**	**pu**
vous	**pouviez**	vous	**aviez**	**pu**
ils/elles	**pouvaient**	ils/elles	**avaient**	**pu**
futur simple		**futur antérieur**		
je	**pourrai**	j'	**aurai**	**pu**
tu	**pourras**	tu	**auras**	**pu**
il/elle	**pourra**	il/elle	**aura**	**pu**
nous	**pourrons**	nous	**aurons**	**pu**
vous	**pourrez**	vous	**aurez**	**pu**
ils/elles	**pourront**	ils/elles	**auront**	**pu**
passé simple		**passé antérieur**		
je	**pus**	j'	**eus**	**pu**
tu	**pus**	tu	**eus**	**pu**
il/elle	**put**	il/elle	**eut**	**pu**
nous	**pûmes**	nous	**eûmes**	**pu**
vous	**pûtes**	vous	**eûtes**	**pu**
ils/elles	**purent**	ils/elles	**eurent**	**pu**

Conditionnel

présent		passé		
je	**pourrais**	j'	**aurais**	**pu**
tu	**pourrais**	tu	**aurais**	**pu**
il/elle	**pourrait**	il/elle	**aurait**	**pu**
nous	**pourrions**	nous	**aurions**	**pu**
vous	**pourriez**	vous	**auriez**	**pu**
ils/elles	**pourraient**	ils/elles	**auraient**	**pu**

Infinitif

présent	passé
pouvoir	**avoir pu**

Participe

présent	passé
pouvant	**pu** **ayant pu**

Impératif

présent	passé
inusité	*inusité*

Subjonctif

présent		passé		
que je	**puisse**	que j'	**aie**	**pu**
que tu	**puisses**	que tu	**aies**	**pu**
qu'il/elle	**puisse**	qu'il/elle	**ait**	**pu**
que nous	**puissions**	que nous	**ayons**	**pu**
que vous	**puissiez**	que vous	**ayez**	**pu**
qu'ils/elles	**puissent**	qu'ils/elles	**aient**	**pu**

imparfait		plus-que-parfait		
que je	**pusse**	que j'	**eusse**	**pu**
que tu	**pusses**	que tu	**eusses**	**pu**
qu'il/elle	**pût**	qu'il/elle	**eût**	**pu**
que nous	**pussions**	que nous	**eussions**	**pu**
que vous	**pussiez**	que vous	**eussiez**	**pu**
qu'ils/elles	**pussent**	qu'ils/elles	**eussent**	**pu**

8 VOULOIR

LES INDISPENSABLES 3e groupe

Indicatif

présent		passé composé		
je	veux	j'	ai	voulu
tu	veux	tu	as	voulu
il/elle	veut	il/elle	a	voulu
nous	voulons	nous	avons	voulu
vous	voulez	vous	avez	voulu
ils/elles	veulent	ils/elles	ont	voulu
imparfait		**plus-que-parfait**		
je	voulais	j'	avais	voulu
tu	voulais	tu	avais	voulu
il/elle	voulait	il/elle	avait	voulu
nous	voulions	nous	avions	voulu
vous	vouliez	vous	aviez	voulu
ils/elles	voulaient	ils/elles	avaient	voulu
futur simple		**futur antérieur**		
je	voudrai	j'	aurai	voulu
tu	voudras	tu	auras	voulu
il/elle	voudra	il/elle	aura	voulu
nous	voudrons	nous	aurons	voulu
vous	voudrez	vous	aurez	voulu
ils/elles	voudront	ils/elles	auront	voulu
passé simple		**passé antérieur**		
je	voulus	j'	eus	voulu
tu	voulus	tu	eus	voulu
il/elle	voulut	il/elle	eut	voulu
nous	voulûmes	nous	eûmes	voulu
vous	voulûtes	vous	eûtes	voulu
ils/elles	voulurent	ils/elles	eurent	voulu

Conditionnel

présent		passé		
je	voudrais	j'	aurais	voulu
tu	voudrais	tu	aurais	voulu
il/elle	voudrait	il/elle	aurait	voulu
nous	voudrions	nous	aurions	voulu
vous	voudriez	vous	auriez	voulu
ils/elles	voudraient	ils/elles	auraient	voulu

Infinitif

présent	passé	
vouloir	avoir	voulu

Participe

présent	passé	
voulant	voulu/ue,	voulus/ues
	ayant	voulu

Impératif

présent	passé	
veux/veuille	aie	voulu
voulons/veuillons	ayons	voulu
voulez/veuillez	ayez	voulu

Subjonctif

présent		passé		
que je	veuille	que j'	aie	voulu
que tu	veuilles	que tu	aies	voulu
qu'il/elle	veuille	qu'il/elle	ait	voulu
que nous	voulions/veuillions	que nous	ayons	voulu
que vous	vouliez/veuilliez	que vous	ayez	voulu
qu'ils/elles	veuillent	qu'ils/elles	aient	voulu

imparfait		plus-que-parfait		
que je	voulusse	que j'	eusse	voulu
que tu	voulusses	que tu	eusses	voulu
qu'il/elle	voulût	qu'il/elle	eût	voulu
que nous	voulussions	que nous	eussions	voulu
que vous	voulussiez	que vous	eussiez	voulu
qu'ils/elles	voulussent	qu'ils/elles	eussent	voulu

Indicatif

présent		passé composé		
je	**sais**	j'	**ai**	**su**
tu	**sais**	tu	**as**	**su**
il/elle	**sait**	il/elle	**a**	**su**
nous	**savons**	nous	**avons**	**su**
vous	**savez**	vous	**avez**	**su**
ils/elles	**savent**	ils/elles	**ont**	**su**
imparfait		**plus-que-parfait**		
je	**savais**	j'	**avais**	**su**
tu	**savais**	tu	**avais**	**su**
il/elle	**savait**	il/elle	**avait**	**su**
nous	**savions**	nous	**avions**	**su**
vous	**saviez**	vous	**aviez**	**su**
ils/elles	**savaient**	ils/elles	**avaient**	**su**
futur simple		**futur antérieur**		
je	**saurai**	j'	**aurai**	**su**
tu	**sauras**	tu	**auras**	**su**
il/elle	**saura**	il/elle	**aura**	**su**
nous	**saurons**	nous	**aurons**	**su**
vous	**saurez**	vous	**aurez**	**su**
ils/elles	**sauront**	ils/elles	**auront**	**su**
passé simple		**passé antérieur**		
je	**sus**	j'	**eus**	**su**
tu	**sus**	tu	**eus**	**su**
il/elle	**sut**	il/elle	**eut**	**su**
nous	**sûmes**	nous	**eûmes**	**su**
vous	**sûtes**	vous	**eûtes**	**su**
ils/elles	**surent**	ils/elles	**eurent**	**su**

Conditionnel

présent		passé		
je	**saurais**	j'	**aurais**	**su**
tu	**saurais**	tu	**aurais**	**su**
il/elle	**saurait**	il/elle	**aurait**	**su**
nous	**saurions**	nous	**aurions**	**su**
vous	**sauriez**	vous	**auriez**	**su**
ils/elles	**sauraient**	ils/elles	**auraient**	**su**

Infinitif

présent	passé	
savoir	**avoir**	**su**

Participe

présent	passé	
sachant	**su/sue,**	**sus/sues**
	ayant	**su**

Impératif

présent	passé	
sache	**aie**	**su**
sachons	**ayons**	**su**
sachez	**ayez**	**su**

Subjonctif

présent

que je	**sache**
que tu	**saches**
qu'il/elle	**sache**
que nous	**sachions**
que vous	**sachiez**
qu'ils/elles	**sachent**

passé

que j'	**aie**	**su**
que tu	**aies**	**su**
qu'il/elle	**ait**	**su**
que nous	**ayons**	**su**
que vous	**ayez**	**su**
qu'ils/elles	**aient**	**su**

imparfait

que je	**susse**
que tu	**susses**
qu'il/elle	**sût**
que nous	**sussions**
que vous	**sussiez**
qu'ils/elles	**sussent**

plus-que-parfait

que j'	**eusse**	**su**
que tu	**eusses**	**su**
qu'il/elle	**eût**	**su**
que nous	**eussions**	**su**
que vous	**eussiez**	**su**
qu'ils/elles	**eussent**	**su**

LES INDISPENSABLES

3e groupe

Indicatif

présent		passé composé		
je	**dois**	j'	**ai**	**dû**
tu	**dois**	tu	**as**	**dû**
il/elle	**doit**	il/elle	**a**	**dû**
nous	**devons**	nous	**avons**	**dû**
vous	**devez**	vous	**avez**	**dû**
ils/elles	**doivent**	ils/elles	**ont**	**dû**
imparfait		**plus-que-parfait**		
je	**devais**	j'	**avais**	**dû**
tu	**devais**	tu	**avais**	**dû**
il/elle	**devait**	il/elle	**avait**	**dû**
nous	**devions**	nous	**avions**	**dû**
vous	**deviez**	vous	**aviez**	**dû**
ils/elles	**devaient**	ils/elles	**avaient**	**dû**
futur simple		**futur antérieur**		
je	**devrai**	j'	**aurai**	**dû**
tu	**devras**	tu	**auras**	**dû**
il/elle	**devra**	il/elle	**aura**	**dû**
nous	**devrons**	nous	**aurons**	**dû**
vous	**devrez**	vous	**aurez**	**dû**
ils/elles	**devront**	ils/elles	**auront**	**dû**
passé simple		**passé antérieur**		
je	**dus**	j'	**eus**	**dû**
tu	**dus**	tu	**eus**	**dû**
il/elle	**dut**	il/elle	**eut**	**dû**
nous	**dûmes**	nous	**eûmes**	**dû**
vous	**dûtes**	vous	**eûtes**	**dû**
ils/elles	**durent**	ils/elles	**eurent**	**dû**

Conditionnel

présent		passé		
je	**devrais**	j'	**aurais**	**dû**
tu	**devrais**	tu	**aurais**	**dû**
il/elle	**devrait**	il/elle	**aurait**	**dû**
nous	**devrions**	nous	**aurions**	**dû**
vous	**devriez**	vous	**auriez**	**dû**
ils/elles	**devraient**	ils/elles	**auraient**	**dû**

Infinitif

présent		passé	
devoir		**avoir**	**dû**

Participe

présent		passé	
devant		**dû/due,**	**dus/dues**
		ayant	**dû**

Impératif

présent		passé	
dois		**aie**	**dû**
devons		**ayons**	**dû**
devez		**ayez**	**dû**

Subjonctif

présent		passé		
que je	**doive**	que j'	**aie**	**dû**
que tu	**doives**	que tu	**aies**	**dû**
qu'il/elle	**doive**	qu'il/elle	**ait**	**dû**
que nous	**devions**	que nous	**ayons**	**dû**
que vous	**deviez**	que vous	**ayez**	**dû**
qu'ils/elles	**doivent**	qu'ils/elles	**aient**	**dû**

imparfait		plus-que-parfait		
que je	**dusse**	que j'	**eusse**	**dû**
que tu	**dusses**	que tu	**eusses**	**dû**
qu'il/elle	**dût**	qu'il/elle	**eût**	**dû**
que nous	**dussions**	que nous	**eussions**	**dû**
que vous	**dussiez**	que vous	**eussiez**	**dû**
qu'ils/elles	**dussent**	qu'ils/elles	**eussent**	**dû**

11 FALLOIR LES INDISPENSABLES 3e groupe

Indicatif

présent	passé composé
il **faut**	il **a fallu**
imparfait	**plus-que-parfait**
il **fallait**	il **avait fallu**
futur simple	**futur antérieur**
il **faudra**	il **aura fallu**
passé simple	**passé antérieur**
il **fallut**	il **eut fallu**

Conditionnel

présent	passé
il **faudrait**	il **aurait fallu**

Infinitif

présent	passé
falloir	**avoir fallu**

Participe

présent	passé
inusité	**fallu** **ayant fallu**

Impératif

présent	passé
inusité	*inusité*

Subjonctif

présent	passé
qu'il **faille**	qu'il **ait fallu**

imparfait	plus-que-parfait
qu'il **fallût**	qu'il **eût fallu**

Indicatif

présent		passé composé		
j'	**aime**	j'	**ai**	**aimé**
tu	**aimes**	tu	**as**	**aimé**
il/elle	**aime**	il/elle	**a**	**aimé**
nous	**aimons**	nous	**avons**	**aimé**
vous	**aimez**	vous	**avez**	**aimé**
ils/elles	**aiment**	ils/elles	**ont**	**aimé**
imparfait		**plus-que-parfait**		
j'	**aimais**	j'	**avais**	**aimé**
tu	**aimais**	tu	**avais**	**aimé**
il/elle	**aimait**	il/elle	**avait**	**aimé**
nous	**aimions**	nous	**avions**	**aimé**
vous	**aimiez**	vous	**aviez**	**aimé**
ils/elles	**aimaient**	ils/elles	**avaient**	**aimé**
futur simple		**futur antérieur**		
j'	**aimerai**	j'	**aurai**	**aimé**
tu	**aimeras**	tu	**auras**	**aimé**
il/elle	**aimera**	il/elle	**aura**	**aimé**
nous	**aimerons**	nous	**aurons**	**aimé**
vous	**aimerez**	vous	**aurez**	**aimé**
ils/elles	**aimeront**	ils/elles	**auront**	**aimé**
passé simple		**passé antérieur**		
j'	**aimai**	j'	**eus**	**aimé**
tu	**aimas**	tu	**eus**	**aimé**
il/elle	**aima**	il/elle	**eut**	**aimé**
nous	**aimâmes**	nous	**eûmes**	**aimé**
vous	**aimâtes**	vous	**eûtes**	**aimé**
ils/elles	**aimèrent**	ils/elles	**eurent**	**aimé**

Conditionnel

présent		passé		
j'	**aimerais**	j'	**aurais**	**aimé**
tu	**aimerais**	tu	**aurais**	**aimé**
il/elle	**aimerait**	il/elle	**aurait**	**aimé**
nous	**aimerions**	nous	**aurions**	**aimé**
vous	**aimeriez**	vous	**auriez**	**aimé**
ils/elles	**aimeraient**	ils/elles	**auraient**	**aimé**

Infinitif

présent	passé	
aimer	avoir	aimé

Participe

présent	passé	
aimant	aimé/ée,	aimés/ées
	ayant	aimé

Impératif

présent	passé	
aime	aie	aimé
aimons	ayons	aimé
aimez	ayez	aimé

Subjonctif

présent		passé		
que j'	**aime**	que j'	**aie**	**aimé**
que tu	**aimes**	que tu	**aies**	**aimé**
qu'il/elle	**aime**	qu'il/elle	**ait**	**aimé**
que nous	**aimions**	que nous	**ayons**	**aimé**
que vous	**aimiez**	que vous	**ayez**	**aimé**
qu'ils/elles	**aiment**	qu'ils/elles	**aient**	**aimé**

imparfait		plus-que-parfait		
que j'	**aimasse**	que j'	**eusse**	**aimé**
que tu	**aimasses**	que tu	**eusses**	**aimé**
qu'il/elle	**aimât**	qu'il/elle	**eût**	**aimé**
que nous	**aimassions**	que nous	**eussions**	**aimé**
que vous	**aimassiez**	que vous	**eussiez**	**aimé**
qu'ils/elles	**aimassent**	qu'ils/elles	**eussent**	**aimé**

13 JOUER

1er groupe

Indicatif

présent		passé composé		
je	**joue**	j'	**ai**	**joué**
tu	**joues**	tu	**as**	**joué**
il/elle	**joue**	il/elle	**a**	**joué**
nous	**jouons**	nous	**avons**	**joué**
vous	**jouez**	vous	**avez**	**joué**
ils/elles	**jouent**	ils/elles	**ont**	**joué**
imparfait		**plus-que-parfait**		
je	**jouais**	j'	**avais**	**joué**
tu	**jouais**	tu	**avais**	**joué**
il/elle	**jouait**	il/elle	**avait**	**joué**
nous	**jouions**	nous	**avions**	**joué**
vous	**jouiez**	vous	**aviez**	**joué**
ils/elles	**jouaient**	ils/elles	**avaient**	**joué**
futur simple		**futur antérieur**		
je	**jouerai**	j'	**aurai**	**joué**
tu	**joueras**	tu	**auras**	**joué**
il/elle	**jouera**	il/elle	**aura**	**joué**
nous	**jouerons**	nous	**aurons**	**joué**
vous	**jouerez**	vous	**aurez**	**joué**
ils/elles	**joueront**	ils/elles	**auront**	**joué**
passé simple		**passé antérieur**		
je	**jouai**	j'	**eus**	**joué**
tu	**jouas**	tu	**eus**	**joué**
il/elle	**joua**	il/elle	**eut**	**joué**
nous	**jouâmes**	nous	**eûmes**	**joué**
vous	**jouâtes**	vous	**eûtes**	**joué**
ils/elles	**jouèrent**	ils/elles	**eurent**	**joué**

Conditionnel

présent		passé		
je	**jouerais**	j'	**aurais**	**joué**
tu	**jouerais**	tu	**aurais**	**joué**
il/elle	**jouerait**	il/elle	**aurait**	**joué**
nous	**jouerions**	nous	**aurions**	**joué**
vous	**joueriez**	vous	**auriez**	**joué**
ils/elles	**joueraient**	ils/elles	**auraient**	**joué**

Infinitif

présent	passé	
jouer	**avoir**	**joué**

Participe

présent	passé	
jouant	**joué/ée,**	**joués/ées**
	ayant	**joué**

Impératif

présent	passé	
joue	**aie**	**joué**
jouons	**ayons**	**joué**
jouez	**ayez**	**joué**

Subjonctif

présent		passé		
que je	**joue**	que j'	**aie**	**joué**
que tu	**joues**	que tu	**aies**	**joué**
qu'il/elle	**joue**	qu'il/elle	**ait**	**joué**
que nous	**jouions**	que nous	**ayons**	**joué**
que vous	**jouiez**	que vous	**ayez**	**joué**
qu'ils/elles	**jouent**	qu'ils/elles	**aient**	**joué**

imparfait		plus-que-parfait		
que je	**jouasse**	que j'	**eusse**	**joué**
que tu	**jouasses**	que tu	**eusses**	**joué**
qu'il/elle	**jouât**	qu'il/elle	**eût**	**joué**
que nous	**jouassions**	que nous	**eussions**	**joué**
que vous	**jouassiez**	que vous	**eussiez**	**joué**
qu'ils/elles	**jouassent**	qu'ils/elles	**eussent**	**joué**

Indicatif

présent		passé composé		
je	**crée**	j'	**ai**	**créé**
tu	**crées**	tu	**as**	**créé**
il/elle	**crée**	il/elle	**a**	**créé**
nous	**créons**	nous	**avons**	**créé**
vous	**créez**	vous	**avez**	**créé**
ils/elles	**créent**	ils/elles	**ont**	**créé**
imparfait		**plus-que-parfait**		
je	**créais**	j'	**avais**	**créé**
tu	**créais**	tu	**avais**	**créé**
il/elle	**créait**	il/elle	**avait**	**créé**
nous	**créions**	nous	**avions**	**créé**
vous	**créiez**	vous	**aviez**	**créé**
ils/elles	**créaient**	ils/elles	**avaient**	**créé**
futur simple		**futur antérieur**		
je	**créerai**	j'	**aurai**	**créé**
tu	**créeras**	tu	**auras**	**créé**
il/elle	**créera**	il/elle	**aura**	**créé**
nous	**créerons**	nous	**aurons**	**créé**
vous	**créerez**	vous	**aurez**	**créé**
ils/elles	**créeront**	ils/elles	**auront**	**créé**
passé simple		**passé antérieur**		
je	**créai**	j'	**eus**	**créé**
tu	**créas**	tu	**eus**	**créé**
il/elle	**créa**	il/elle	**eut**	**créé**
nous	**créâmes**	nous	**eûmes**	**créé**
vous	**créâtes**	vous	**eûtes**	**créé**
ils/elles	**créèrent**	ils/elles	**eurent**	**créé**

Conditionnel

présent		passé		
je	**créerais**	j'	**aurais**	**créé**
tu	**créerais**	tu	**aurais**	**créé**
il/elle	**créerait**	il/elle	**aurait**	**créé**
nous	**créerions**	nous	**aurions**	**créé**
vous	**créeriez**	vous	**auriez**	**créé**
ils/elles	**créeraient**	ils/elles	**auraient**	**créé**

Infinitif

présent	passé
créer	avoir créé

Participe

présent	passé
créant	créé/créée, créés/créées
	ayant créé

Impératif

présent	passé
crée	aie créé
créons	ayons créé
créez	ayez créé

Subjonctif

présent		passé		
que je	**crée**	que j'	**aie**	**créé**
que tu	**crées**	que tu	**aies**	**créé**
qu'il/elle	**crée**	qu'il/elle	**ait**	**créé**
que nous	**créions**	que nous	**ayons**	**créé**
que vous	**créiez**	que vous	**ayez**	**créé**
qu'ils/elles	**créent**	qu'ils/elles	**aient**	**créé**

imparfait		plus-que-parfait		
que je	**créasse**	que j'	**eusse**	**créé**
que tu	**créasses**	que tu	**eusses**	**créé**
qu'il/elle	**créât**	qu'il/elle	**eût**	**créé**
que nous	**créassions**	que nous	**eussions**	**créé**
que vous	**créassiez**	que vous	**eussiez**	**créé**
qu'ils/elles	**créassent**	qu'ils/elles	**eussent**	**créé**

15 ÉTUDIER

1er groupe

Indicatif

présent		passé composé		
j'	étudie	j'	ai	étudié
tu	étudies	tu	as	étudié
il/elle	étudie	il/elle	a	étudié
nous	étudions	nous	avons	étudié
vous	étudiez	vous	avez	étudié
ils/elles	étudient	ils/elles	ont	étudié
imparfait		**plus-que-parfait**		
j'	étudiais	j'	avais	étudié
tu	étudiais	tu	avais	étudié
il/elle	étudiait	il/elle	avait	étudié
nous	étudiions	nous	avions	étudié
vous	étudiiez	vous	aviez	étudié
ils/elles	étudiaient	ils/elles	avaient	étudié
futur simple		**futur antérieur**		
j'	étudierai	j'	aurai	étudié
tu	étudieras	tu	auras	étudié
il/elle	étudiera	il/elle	aura	étudié
nous	étudierons	nous	aurons	étudié
vous	étudierez	vous	aurez	étudié
ils/elles	étudieront	ils/elles	auront	étudié
passé simple		**passé antérieur**		
j'	étudiai	j'	eus	étudié
tu	étudias	tu	eus	étudié
il/elle	étudia	il/elle	eut	étudié
nous	étudiâmes	nous	eûmes	étudié
vous	étudiâtes	vous	eûtes	étudié
ils/elles	étudièrent	ils/elles	eurent	étudié

Conditionnel

présent		passé		
j'	étudierais	j'	aurais	étudié
tu	étudierais	tu	aurais	étudié
il/elle	étudierait	il/elle	aurait	étudié
nous	étudierions	nous	aurions	étudié
vous	étudieriez	vous	auriez	étudié
ils/elles	étudieraient	ils/elles	auraient	étudié

Infinitif

présent	passé	
étudier	**avoir**	**étudié**

Participe

présent	passé	
étudiant	**étudié/ée,**	**étudiés/ées**
	ayant	**étudié**

Impératif

présent	passé	
étudie	**aie**	**étudié**
étudions	**ayons**	**étudié**
étudiez	**ayez**	**étudié**

Subjonctif

présent		passé		
que j'	**étudie**	que j'	**aie**	**étudié**
que tu	**étudies**	que tu	**aies**	**étudié**
qu'il/elle	**étudie**	qu'il/elle	**ait**	**étudié**
que nous	**étudiions**	que nous	**ayons**	**étudié**
que vous	**étudiiez**	que vous	**ayez**	**étudié**
qu'ils/elles	**étudient**	qu'ils/elles	**aient**	**étudié**

imparfait		plus-que-parfait		
que j'	**étudiasse**	que j'	**eusse**	**étudié**
que tu	**étudiasses**	que tu	**eusses**	**étudié**
qu'il/elle	**étudiât**	qu'il/elle	**eût**	**étudié**
que nous	**étudiassions**	que nous	**eussions**	**étudié**
que vous	**étudiassiez**	que vous	**eussiez**	**étudié**
qu'ils/elles	**étudiassent**	qu'ils/elles	**eussent**	**étudié**

Indicatif

présent		passé composé		
je	distingue	j'	ai	distingué
tu	distingues	tu	as	distingué
il/elle	distingue	il/elle	a	distingué
nous	distinguons	nous	avons	distingué
vous	distinguez	vous	avez	distingué
ils/elles	distinguent	ils/elles	ont	distingué
imparfait		**plus-que-parfait**		
je	distinguais	j'	avais	distingué
tu	distinguais	tu	avais	distingué
il/elle	distinguait	il/elle	avait	distingué
nous	distinguions	nous	avions	distingué
vous	distinguiez	vous	aviez	distingué
ils/elles	distinguaient	ils/elles	avaient	distingué
futur simple		**futur antérieur**		
je	distinguerai	j'	aurai	distingué
tu	distingueras	tu	auras	distingué
il/elle	distinguera	il/elle	aura	distingué
nous	distinguerons	nous	aurons	distingué
vous	distinguerez	vous	aurez	distingué
ils/elles	distingueront	ils/elles	auront	distingué
passé simple		**passé antérieur**		
je	distinguai	j'	eus	distingué
tu	distinguas	tu	eus	distingué
il/elle	distingua	il/elle	eut	distingué
nous	distinguâmes	nous	eûmes	distingué
vous	distinguâtes	vous	eûtes	distingué
ils/elles	distinguèrent	ils/elles	eurent	distingué

Conditionnel

présent		passé		
je	distinguerais	j'	aurais	distingué
tu	distinguerais	tu	aurais	distingué
il/elle	distinguerait	il/elle	aurait	distingué
nous	distinguerions	nous	aurions	distingué
vous	distingueriez	vous	auriez	distingué
ils/elles	distingueraient	ils/elles	auraient	distingué

Infinitif

présent	passé	
distinguer	avoir	distingué

Participe

présent	passé	
distinguant	distingué/ée,	distingués/ées
	ayant	distingué

Impératif

présent	passé	
distingue	aie	distingué
distinguons	ayons	distingué
distinguez	ayez	distingué

Subjonctif

présent

que je	distingue
que tu	distingues
qu'il/elle	distingue
que nous	distinguions
que vous	distinguiez
qu'ils/elles	distinguent

passé

que j'	aie	distingué
que tu	aies	distingué
qu'il/elle	ait	distingué
que nous	ayons	distingué
que vous	ayez	distingué
qu'ils/elles	aient	distingué

imparfait

que je	distinguasse
que tu	distinguasses
qu'il/elle	distinguât
que nous	distinguassions
que vous	distinguassiez
qu'ils/elles	distinguassent

plus-que-parfait

que j'	eusse	distingué
que tu	eusses	distingué
qu'il/elle	eût	distingué
que nous	eussions	distingué
que vous	eussiez	distingué
qu'ils/elles	eussent	distingué

(17) MANGER

1er groupe

Indicatif

présent		passé composé		
je	mange	j'	ai	mangé
tu	manges	tu	as	mangé
il/elle	mange	il/elle	a	mangé
nous	mangeons	nous	avons	mangé
vous	mangez	vous	avez	mangé
ils/elles	mangent	ils/elles	ont	mangé
imparfait		**plus-que-parfait**		
je	mangeais	j'	avais	mangé
tu	mangeais	tu	avais	mangé
il/elle	mangeait	il/elle	avait	mangé
nous	mangions	nous	avions	mangé
vous	mangiez	vous	aviez	mangé
ils/elles	mangeaient	ils/elles	avaient	mangé
futur simple		**futur antérieur**		
je	mangerai	j'	aurai	mangé
tu	mangeras	tu	auras	mangé
il/elle	mangera	il/elle	aura	mangé
nous	mangerons	nous	aurons	mangé
vous	mangerez	vous	aurez	mangé
ils/elles	mangeront	ils/elles	auront	mangé
passé simple		**passé antérieur**		
je	mangeai	j'	eus	mangé
tu	mangeas	tu	eus	mangé
il/elle	mangea	il/elle	eut	mangé
nous	mangeâmes	nous	eûmes	mangé
vous	mangeâtes	vous	eûtes	mangé
ils/elles	mangèrent	ils/elles	eurent	mangé

Conditionnel

présent		passé		
je	mangerais	j'	aurais	mangé
tu	mangerais	tu	aurais	mangé
il/elle	mangerait	il/elle	aurait	mangé
nous	mangerions	nous	aurions	mangé
vous	mangeriez	vous	auriez	mangé
ils/elles	mangeraient	ils/elles	auraient	mangé

Infinitif

présent	passé	
manger	avoir	mangé

Participe

présent	passé	
mangeant	mangé/ée,	mangés/ées
	ayant	mangé

Impératif

présent	passé	
mange	aie	mangé
mangeons	ayons	mangé
mangez	ayez	mangé

Subjonctif

présent		passé		
que je	mange	que j'	aie	mangé
que tu	manges	que tu	aies	mangé
qu'il/elle	mange	qu'il/elle	ait	mangé
que nous	mangions	que nous	ayons	mangé
que vous	mangiez	que vous	ayez	mangé
qu'ils/elles	mangent	qu' ils/elles	aient	mangé

imparfait		plus-que-parfait		
que je	mangeasse	que j'	eusse	mangé
que tu	mangeasses	que tu	eusses	mangé
qu'il/elle	mangeât	qu'il/elle	eût	mangé
que nous	mangeassions	que nous	eussions	mangé
que vous	mangeassiez	que vous	eussiez	mangé
qu'ils/elles	mangeassent	qu'ils/elles	eussent	mangé

18 PLACER

1er groupe

Indicatif

présent		passé composé		
je	**place**	j'	**ai**	**placé**
tu	**places**	tu	**as**	**placé**
il/elle	**place**	il/elle	**a**	**placé**
nous	**plaçons**	nous	**avons**	**placé**
vous	**placez**	vous	**avez**	**placé**
ils/elles	**placent**	ils/elles	**ont**	**placé**
imparfait		**plus-que-parfait**		
je	**plaçais**	j'	**avais**	**placé**
tu	**plaçais**	tu	**avais**	**placé**
il/elle	**plaçait**	il/elle	**avait**	**placé**
nous	**placions**	nous	**avions**	**placé**
vous	**placiez**	vous	**aviez**	**placé**
ils/elles	**plaçaient**	ils/elles	**avaient**	**placé**
futur simple		**futur antérieur**		
je	**placerai**	j'	**aurai**	**placé**
tu	**placeras**	tu	**auras**	**placé**
il/elle	**placera**	il/elle	**aura**	**placé**
nous	**placerons**	nous	**aurons**	**placé**
vous	**placerez**	vous	**aurez**	**placé**
ils/elles	**placeront**	ils/elles	**auront**	**placé**
passé simple		**passé antérieur**		
je	**plaçai**	j'	**eus**	**placé**
tu	**plaças**	tu	**eus**	**placé**
il/elle	**plaça**	il/elle	**eut**	**placé**
nous	**plaçâmes**	nous	**eûmes**	**placé**
vous	**plaçâtes**	vous	**eûtes**	**placé**
ils/elles	**placèrent**	ils/elles	**eurent**	**placé**

Conditionnel

présent		passé		
je	**placerais**	j'	**aurais**	**placé**
tu	**placerais**	tu	**aurais**	**placé**
il/elle	**placerait**	il/elle	**aurait**	**placé**
nous	**placerions**	nous	**aurions**	**placé**
vous	**placeriez**	vous	**auriez**	**placé**
ils/elles	**placeraient**	ils/elles	**auraient**	**placé**

Infinitif

présent	passé	
placer	**avoir**	**placé**

Participe

présent	passé	
plaçant	**placé/ée,**	**placés/ées**
	ayant	**placé**

Impératif

présent	passé	
place	**aie**	**placé**
plaçons	**ayons**	**placé**
placez	**ayez**	**placé**

Subjonctif

présent		passé		
que je	**place**	que j'	**aie**	**placé**
que tu	**places**	que tu	**aies**	**placé**
qu'il/elle	**place**	qu'il/elle	**ait**	**placé**
que nous	**placions**	que nous	**ayons**	**placé**
que vous	**placiez**	que vous	**ayez**	**placé**
qu'ils/elles	**placent**	qu'ils/elles	**aient**	**placé**

imparfait		plus-que-parfait		
que je	**plaçasse**	que j'	**eusse**	**placé**
que tu	**plaçasses**	que tu	**eusses**	**placé**
qu'il/elle	**plaçât**	qu'il/elle	**eût**	**placé**
que nous	**plaçassions**	que nous	**eussions**	**placé**
que vous	**plaçassiez**	que vous	**eussiez**	**placé**
qu'ils/elles	**plaçassent**	qu'ils/elles	**eussent**	**placé**

ACQUIESCER

1er groupe

Indicatif

présent		passé composé		
j'	acquiesce	j'	ai	acquiescé
tu	acquiesces	tu	as	acquiescé
il/elle	acquiesce	il/elle	a	acquiescé
nous	acquiesçons	nous	avons	acquiescé
vous	acquiescez	vous	avez	acquiescé
ils/elles	acquiescent	ils/elles	ont	acquiescé
imparfait		**plus-que-parfait**		
j'	acquiesçais	j'	avais	acquiescé
tu	acquiesçais	tu	avais	acquiescé
il/elle	acquiesçait	il/elle	avait	acquiescé
nous	acquiescions	nous	avions	acquiescé
vous	acquiesciez	vous	aviez	acquiescé
ils/elles	acquiesçaient	ils/elles	avaient	acquiescé
futur simple		**futur antérieur**		
j'	acquiescerai	j'	aurai	acquiescé
tu	acquiesceras	tu	auras	acquiescé
il/elle	acquiescera	il/elle	aura	acquiescé
nous	acquiescerons	nous	aurons	acquiescé
vous	acquiescerez	vous	aurez	acquiescé
ils/elles	acquiesceront	ils/elles	auront	acquiescé
passé simple		**passé antérieur**		
j'	acquiesçai	j'	eus	acquiescé
tu	acquiesças	tu	eus	acquiescé
il/elle	acquiesça	il/elle	eut	acquiescé
nous	acquiesçâmes	nous	eûmes	acquiescé
vous	acquiesçâtes	vous	eûtes	acquiescé
ils/elles	acquiescèrent	ils/elles	eurent	acquiescé

Conditionnel

présent		passé		
j'	acquiescerais	j'	aurais	acquiescé
tu	acquiescerais	tu	aurais	acquiescé
il/elle	acquiescerait	il/elle	aurait	acquiescé
nous	acquiescerions	nous	aurions	acquiescé
vous	acquiesceriez	vous	auriez	acquiescé
ils/elles	acquiesceraient	ils/elles	auraient	acquiescé

Infinitif

présent	passé	
acquiescer	avoir	acquiescé

Participe

présent	passé	
acquiesçant	acquiescé	
	ayant	acquiescé

Impératif

présent	passé	
acquiesce	aie	acquiescé
acquiesçons	ayons	acquiescé
acquiescez	ayez	acquiescé

Subjonctif

présent		passé		
que j'	acquiesce	que j'	aie	acquiescé
que tu	acquiesces	que tu	aies	acquiescé
qu'il/elle	acquiesce	qu'il/elle	ait	acquiescé
que nous	acquiescions	que nous	ayons	acquiescé
que vous	acquiesciez	que vous	ayez	acquiescé
qu'ils/elles	acquiescent	qu'ils/elles	aient	acquiescé

imparfait		plus-que-parfait		
que j'	acquiesçasse	que j'	eusse	acquiescé
que tu	acquiesçasses	que tu	eusses	acquiescé
qu'il/elle	acquiesçât	qu'il/elle	eût	acquiescé
que nous	acquiesçassions	que nous	eussions	acquiescé
que vous	acquiesçassiez	que vous	eussiez	acquiescé
qu'ils/elles	acquiesçassent	qu'ils/elles	eussent	acquiescé

20 CÉDER

1er groupe

Indicatif

présent		passé composé		
je	**cède**	j'	**ai**	**cédé**
tu	**cèdes**	tu	**as**	**cédé**
il/elle	**cède**	il/elle	**a**	**cédé**
nous	**cédons**	nous	**avons**	**cédé**
vous	**cédez**	vous	**avez**	**cédé**
ils/elles	**cèdent**	ils/elles	**ont**	**cédé**
imparfait		**plus-que-parfait**		
je	**cédais**	j'	**avais**	**cédé**
tu	**cédais**	tu	**avais**	**cédé**
il/elle	**cédait**	il/elle	**avait**	**cédé**
nous	**cédions**	nous	**avions**	**cédé**
vous	**cédiez**	vous	**aviez**	**cédé**
ils/elles	**cédaient**	ils/elles	**avaient**	**cédé**
futur simple		**futur antérieur**		
je	**céderai**	j'	**aurai**	**cédé**
tu	**céderas**	tu	**auras**	**cédé**
il/elle	**cédera**	il/elle	**aura**	**cédé**
nous	**céderons**	nous	**aurons**	**cédé**
vous	**céderez**	vous	**aurez**	**cédé**
ils/elles	**céderont**	ils/elles	**auront**	**cédé**
passé simple		**passé antérieur**		
je	**cédai**	j'	**eus**	**cédé**
tu	**cédas**	tu	**eus**	**cédé**
il/elle	**céda**	il/elle	**eut**	**cédé**
nous	**cédâmes**	nous	**eûmes**	**cédé**
vous	**cédâtes**	vous	**eûtes**	**cédé**
ils/elles	**cédèrent**	ils/elles	**eurent**	**cédé**

Conditionnel

présent		passé		
je	**céderais**	j'	**aurais**	**cédé**
tu	**céderais**	tu	**aurais**	**cédé**
il/elle	**céderait**	il/elle	**aurait**	**cédé**
nous	**céderions**	nous	**aurions**	**cédé**
vous	**céderiez**	vous	**auriez**	**cédé**
ils/elles	**céderaient**	ils/elles	**auraient**	**cédé**

Infinitif

présent	passé	
céder	avoir	cédé

Participe

présent	passé	
cédant	cédé/ée,	cédés/ées
	ayant	cédé

Impératif

présent	passé	
cède	aie	cédé
cédons	ayons	cédé
cédez	ayez	cédé

Subjonctif

présent

que je	cède
que tu	cèdes
qu'il/elle	cède
que nous	cédions
que vous	cédiez
qu'ils/elles	cèdent

passé

que j'	aie	cédé
que tu	aies	cédé
qu'il/elle	ait	cédé
que nous	ayons	cédé
que vous	ayez	cédé
qu'ils/elles	aient	cédé

imparfait

que je	cédasse
que tu	cédasses
qu'il/elle	cédât
que nous	cédassions
que vous	cédassiez
qu'ils/elles	cédassent

plus-que-parfait

que j'	eusse	cédé
que tu	eusses	cédé
qu'il/elle	eût	cédé
que nous	eussions	cédé
que vous	eussiez	cédé
qu'ils/elles	eussent	cédé

21 PROTÉGER

1er groupe

Indicatif

présent

je	protège
tu	protèges
il/elle	protège
nous	protégeons
vous	protégez
ils/elles	protègent

imparfait

je	protégeais
tu	protégeais
il/elle	protégeait
nous	protégions
vous	protégiez
ils/elles	protégeaient

futur simple

je	protégerai
tu	protégeras
il/elle	protégera
nous	protégerons
vous	protégerez
ils/elles	protégeront

passé simple

je	protégeai
tu	protégeas
il/elle	protégea
nous	protégeâmes
vous	protégeâtes
ils/elles	protégèrent

passé composé

j'	ai	protégé
tu	as	protégé
il/elle	a	protégé
nous	avons	protégé
vous	avez	protégé
ils/elles	ont	protégé

plus-que-parfait

j'	avais	protégé
tu	avais	protégé
il/elle	avait	protégé
nous	avions	protégé
vous	aviez	protégé
ils/elles	avaient	protégé

futur antérieur

j'	aurai	protégé
tu	auras	protégé
il/elle	aura	protégé
nous	aurons	protégé
vous	aurez	protégé
ils/elles	auront	protégé

passé antérieur

j'	eus	protégé
tu	eus	protégé
il/elle	eut	protégé
nous	eûmes	protégé
vous	eûtes	protégé
ils/elles	eurent	protégé

Conditionnel

présent

je	protégerais
tu	protégerais
il/elle	protégerait
nous	protégerions
vous	protégeriez
ils/elles	protégeraient

passé

j'	aurais	protégé
tu	aurais	protégé
il/elle	aurait	protégé
nous	aurions	protégé
vous	auriez	protégé
ils/elles	auraient	protégé

Infinitif

présent	passé	
protéger	avoir	protégé

Participe

présent	passé	
protégeant	protégé/ée,	protégés/ées
	ayant	protégé

Impératif

présent	passé	
protège	aie	protégé
protégeons	ayons	protégé
protégez	ayez	protégé

Subjonctif

présent

que je	protège
que tu	protèges
qu'il/elle	protège
que nous	protégions
que vous	protégiez
qu'ils/elles	protègent

passé

que j'	aie	protégé
que tu	aies	protégé
qu'il/elle	ait	protégé
que nous	ayons	protégé
que vous	ayez	protégé
qu'ils/elles	aient	protégé

imparfait

que je	protégeasse
que tu	protégeasses
qu'il/elle	protégeât
que nous	protégeassions
que vous	protégeassiez
qu'ils/elles	protégeassent

plus-que-parfait

que j'	eusse	protégé
que tu	eusses	protégé
qu'il/elle	eût	protégé
que nous	eussions	protégé
que vous	eussiez	protégé
qu'ils/elles	eussent	protégé

22 RAPIÉCER

1er groupe

Indicatif

présent		passé composé		
je	rapièce	j'	ai	rapiécé
tu	rapièces	tu	as	rapiécé
il/elle	rapièce	il/elle	a	rapiécé
nous	rapiéçons	nous	avons	rapiécé
vous	rapiécez	vous	avez	rapiécé
ils/elles	rapiècent	ils/elles	ont	rapiécé
imparfait		**plus-que-parfait**		
je	rapiéçais	j'	avais	rapiécé
tu	rapiéçais	tu	avais	rapiécé
il/elle	rapiéçait	il/elle	avait	rapiécé
nous	rapiécions	nous	avions	rapiécé
vous	rapiéciez	vous	aviez	rapiécé
ils/elles	rapiéçaient	ils/elles	avaient	rapiécé
futur simple		**futur antérieur**		
je	rapiécerai	j'	aurai	rapiécé
tu	rapiéceras	tu	auras	rapiécé
il/elle	rapiécera	il/elle	aura	rapiécé
nous	rapiécerons	nous	aurons	rapiécé
vous	rapiécerez	vous	aurez	rapiécé
ils/elles	rapiéceront	ils/elles	auront	rapiécé
passé simple		**passé antérieur**		
je	rapiéçai	j'	eus	rapiécé
tu	rapiéças	tu	eus	rapiécé
il/elle	rapiéça	il/elle	eut	rapiécé
nous	rapiéçâmes	nous	eûmes	rapiécé
vous	rapiéçâtes	vous	eûtes	rapiécé
ils/elles	rapiécèrent	ils/elles	eurent	rapiécé

Conditionnel

présent		passé		
je	rapiécerais	j'	aurais	rapiécé
tu	rapiécerais	tu	aurais	rapiécé
il/elle	rapiécerait	il/elle	aurait	rapiécé
nous	rapiécerions	nous	aurions	rapiécé
vous	rapiéceriez	vous	auriez	rapiécé
ils/elles	rapiéceraient	ils/elles	auraient	rapiécé

Infinitif

présent	passé	
rapiécer	avoir	rapiécé

Participe

présent	passé	
rapiéçant	rapiécé/ée,	rapiécés/ées
	ayant	rapiécé

Impératif

présent	passé	
rapièce	aie	rapiécé
rapiéçons	ayons	rapiécé
rapiécez	ayez	rapiécé

Subjonctif

présent		passé		
que je	rapièce	que j'	aie	rapiécé
que tu	rapièces	que tu	aies	rapiécé
qu'il/elle	rapièce	qu'il/elle	ait	rapiécé
que nous	rapiécions	que nous	ayons	rapiécé
que vous	rapiéciez	que vous	ayez	rapiécé
qu'ils/elles	rapiècent	qu'ils/elles	aient	rapiécé

imparfait		plus-que-parfait		
que je	rapiéçasse	que j'	eusse	rapiécé
que tu	rapiéçasses	que tu	eusses	rapiécé
qu'il/elle	rapiéçât	qu'il/elle	eût	rapiécé
que nous	rapiéçassions	que nous	eussions	rapiécé
que vous	rapiéçassiez	que vous	eussiez	rapiécé
qu'ils/elles	rapiéçassent	qu'ils/elles	eussent	rapiécé

Indicatif

présent		passé composé		
j'	appelle	j'	ai	appelé
tu	appelles	tu	as	appelé
il/elle	appelle	il/elle	a	appelé
nous	appelons	nous	avons	appelé
vous	appelez	vous	avez	appelé
ils/elles	appellent	ils/elles	ont	appelé
imparfait		**plus-que-parfait**		
j'	appelais	j'	avais	appelé
tu	appelais	tu	avais	appelé
il/elle	appelait	il/elle	avait	appelé
nous	appelions	nous	avions	appelé
vous	appeliez	vous	aviez	appelé
ils/elles	appelaient	ils/elles	avaient	appelé
futur simple		**futur antérieur**		
j'	appellerai	j'	aurai	appelé
tu	appelleras	tu	auras	appelé
il/elle	appellera	il/elle	aura	appelé
nous	appellerons	nous	aurons	appelé
vous	appellerez	vous	aurez	appelé
ils/elles	appelleront	ils/elles	auront	appelé
passé simple		**passé antérieur**		
j'	appelai	j'	eus	appelé
tu	appelas	tu	eus	appelé
il/elle	appela	il/elle	eut	appelé
nous	appelâmes	nous	eûmes	appelé
vous	appelâtes	vous	eûtes	appelé
ils/elles	appelèrent	ils/elles	eurent	appelé

Conditionnel

présent		passé		
j'	appellerais	j'	aurais	appelé
tu	appellerais	tu	aurais	appelé
il/elle	appellerait	il/elle	aurait	appelé
nous	appellerions	nous	aurions	appelé
vous	appelleriez	vous	auriez	appelé
ils/elles	appelleraient	ils/elles	auraient	appelé

Infinitif

présent	passé	
appeler	avoir	appelé

Participe

présent	passé	
appelant	appelé/ée,	appelés/ées
	ayant	appelé

Impératif

présent	passé	
appelle	aie	appelé
appelons	ayons	appelé
appelez	ayez	appelé

Subjonctif

présent		passé		
que j'	appelle	que j'	aie	appelé
que tu	appelles	que tu	aies	appelé
qu'il/elle	appelle	qu'il/elle	ait	appelé
que nous	appelions	que nous	ayons	appelé
que vous	appeliez	que vous	ayez	appelé
qu'ils/elles	appellent	qu'ils/elles	aient	appelé

imparfait		plus-que-parfait		
que j'	appelasse	que j'	eusse	appelé
que tu	appelasses	que tu	eusses	appelé
qu'il/elle	appelât	qu'il/elle	eût	appelé
que nous	appelassions	que nous	eussions	appelé
que vous	appelassiez	que vous	eussiez	appelé
qu'ils/elles	appelassent	qu'ils/elles	eussent	appelé

Indicatif

présent		passé composé		
j'	interpelle	j'	ai	interpellé
tu	interpelles	tu	as	interpellé
il/elle	interpelle	il/elle	a	interpellé
nous	interpellons	nous	avons	interpellé
vous	interpellez	vous	avez	interpellé
ils/elles	interpellent	ils/elles	ont	interpellé
imparfait		**plus-que-parfait**		
j'	interpellais	j'	avais	interpellé
tu	interpellais	tu	avais	interpellé
il/elle	interpellait	il/elle	avait	interpellé
nous	interpellions	nous	avions	interpellé
vous	interpelliez	vous	aviez	interpellé
ils/elles	interpellaient	ils/elles	avaient	interpellé
futur simple		**futur antérieur**		
j'	interpellerai	j'	aurai	interpellé
tu	interpelleras	tu	auras	interpellé
il/elle	interpellera	il/elle	aura	interpellé
nous	interpellerons	nous	aurons	interpellé
vous	interpellerez	vous	aurez	interpellé
ils/elles	interpelleront	ils/elles	auront	interpellé
passé simple		**passé antérieur**		
j'	interpellai	j'	eus	interpellé
tu	interpellas	tu	eus	interpellé
il/elle	interpella	il/elle	eut	interpellé
nous	interpellâmes	nous	eûmes	interpellé
vous	interpellâtes	vous	eûtes	interpellé
ils/elles	interpellèrent	ils/elles	eurent	interpellé

Conditionnel

présent		passé		
j'	interpellerais	j'	aurais	interpellé
tu	interpellerais	tu	aurais	interpellé
il/elle	interpellerait	il/elle	aurait	interpellé
nous	interpellerions	nous	aurions	interpellé
vous	interpelleriez	vous	auriez	interpellé
ils/elles	interpelleraient	ils/elles	auraient	interpellé

Infinitif

présent	passé	
interpeller	avoir	interpellé

Participe

présent	passé	
interpellant	interpellé/ée,	interpellés/ées
	ayant	interpellé

Impératif

présent	passé	
interpelle	aie	interpellé
interpellons	ayons	interpellé
interpellez	ayez	interpellé

Subjonctif

présent		passé		
que j'	interpelle	que j'	aie	interpellé
que tu	interpelles	que tu	aies	interpellé
qu'il/elle	interpelle	qu'il/elle	ait	interpellé
que nous	interpellions	que nous	ayons	interpellé
que vous	interpelliez	que vous	ayez	interpellé
qu'ils/elles	interpellent	qu'ils/elles	aient	interpellé

imparfait		plus-que-parfait		
que j'	interpellasse	que j'	eusse	interpellé
que tu	interpellasses	que tu	eusses	interpellé
qu'il/elle	interpellât	qu'il/elle	eût	interpellé
que nous	interpellassions	que nous	eussions	interpellé
que vous	interpellassiez	que vous	eussiez	interpellé
qu'ils/elles	interpellassent	qu'ils/elles	eussent	interpellé

25 GELER

1er groupe

Indicatif

présent		passé composé		
je	**gèle**	j'	**ai**	**gelé**
tu	**gèles**	tu	**as**	**gelé**
il/elle	**gèle**	il/elle	**a**	**gelé**
nous	**gelons**	nous	**avons**	**gelé**
vous	**gelez**	vous	**avez**	**gelé**
ils/elles	**gèlent**	ils/elles	**ont**	**gelé**
imparfait		**plus-que-parfait**		
je	**gelais**	j'	**avais**	**gelé**
tu	**gelais**	tu	**avais**	**gelé**
il/elle	**gelait**	il/elle	**avait**	**gelé**
nous	**gelions**	nous	**avions**	**gelé**
vous	**geliez**	vous	**aviez**	**gelé**
ils/elles	**gelaient**	ils/elles	**avaient**	**gelé**
futur simple		**futur antérieur**		
je	**gèlerai**	j'	**aurai**	**gelé**
tu	**gèleras**	tu	**auras**	**gelé**
il/elle	**gèlera**	il/elle	**aura**	**gelé**
nous	**gèlerons**	nous	**aurons**	**gelé**
vous	**gèlerez**	vous	**aurez**	**gelé**
ils/elles	**gèleront**	ils/elles	**auront**	**gelé**
passé simple		**passé antérieur**		
je	**gelai**	j'	**eus**	**gelé**
tu	**gelas**	tu	**eus**	**gelé**
il/elle	**gela**	il/elle	**eut**	**gelé**
nous	**gelâmes**	nous	**eûmes**	**gelé**
vous	**gelâtes**	vous	**eûtes**	**gelé**
ils/elles	**gelèrent**	ils/elles	**eurent**	**gelé**

Conditionnel

présent		passé		
je	**gèlerais**	j'	**aurais**	**gelé**
tu	**gèlerais**	tu	**aurais**	**gelé**
il/elle	**gèlerait**	il/elle	**aurait**	**gelé**
nous	**gèlerions**	nous	**aurions**	**gelé**
vous	**gèleriez**	vous	**auriez**	**gelé**
ils/elles	**gèleraient**	ils/elles	**auraient**	**gelé**

Infinitif

présent	passé	
geler	avoir	gelé

Participe

présent	passé	
gelant	gelé/ée,	gelés/ées
	ayant	gelé

Impératif

présent	passé	
gèle	aie	gelé
gelons	ayons	gelé
gelez	ayez	gelé

Subjonctif

présent

que je	gèle
que tu	gèles
qu'il/elle	gèle
que nous	gelions
que vous	geliez
qu'ils/elles	gèlent

passé

que j'	aie	gelé
que tu	aies	gelé
qu'il/elle	ait	gelé
que nous	ayons	gelé
que vous	ayez	gelé
qu'ils/elles	aient	gelé

imparfait

que je	gelasse
que tu	gelasses
qu'il/elle	gelât
que nous	gelassions
que vous	gelassiez
qu'ils/elles	gelassent

plus-que-parfait

que j'	eusse	gelé
que tu	eusses	gelé
qu'il/elle	eût	gelé
que nous	eussions	gelé
que vous	eussiez	gelé
qu'ils/elles	eussent	gelé

26 DÉPECER

1er groupe

Indicatif

présent		passé composé		
je	dépèce	j'	ai	dépecé
tu	dépèces	tu	as	dépecé
il/elle	dépèce	il/elle	a	dépecé
nous	dépeçons	nous	avons	dépecé
vous	dépecez	vous	avez	dépecé
ils/elles	dépècent	ils/elles	ont	dépecé
imparfait		**plus-que-parfait**		
je	dépeçais	j'	avais	dépecé
tu	dépeçais	tu	avais	dépecé
il/elle	dépeçait	il/elle	avait	dépecé
nous	dépecions	nous	avions	dépecé
vous	dépeciez	vous	aviez	dépecé
ils/elles	dépeçaient	ils/elles	avaient	dépecé
futur simple		**futur antérieur**		
je	dépècerai	j'	aurai	dépecé
tu	dépèceras	tu	auras	dépecé
il/elle	dépècera	il/elle	aura	dépecé
nous	dépècerons	nous	aurons	dépecé
vous	dépècerez	vous	aurez	dépecé
ils/elles	dépèceront	ils/elles	auront	dépecé
passé simple		**passé antérieur**		
je	dépeçai	j'	eus	dépecé
tu	dépeças	tu	eus	dépecé
il/elle	dépeça	il/elle	eut	dépecé
nous	dépeçâmes	nous	eûmes	dépecé
vous	dépeçâtes	vous	eûtes	dépecé
ils/elles	dépecèrent	ils/elles	eurent	dépecé

Conditionnel

présent		passé		
je	dépècerais	j'	aurais	dépecé
tu	dépècerais	tu	aurais	dépecé
il/elle	dépècerait	il/elle	aurait	dépecé
nous	dépècerions	nous	aurions	dépecé
vous	dépèceriez	vous	auriez	dépecé
ils/elles	dépèceraient	ils/elles	auraient	dépecé

Infinitif

présent	passé	
dépecer	avoir	dépecé

Participe

présent	passé	
dépeçant	dépecé/ée,	dépecés/ées
	ayant	dépecé

Impératif

présent	passé	
dépèce	aie	dépecé
dépeçons	ayons	dépecé
dépecez	ayez	dépecé

Subjonctif

présent		passé		
que je	dépèce	que j'	aie	dépecé
que tu	dépèces	que tu	aies	dépecé
qu'il/elle	dépèce	qu'il/elle	ait	dépecé
que nous	dépecions	que nous	ayons	dépecé
que vous	dépeciez	que vous	ayez	dépecé
qu'ils/elles	dépècent	qu'ils/elles	aient	dépecé

imparfait		plus-que-parfait		
que je	dépeçasse	que j'	eusse	dépecé
que tu	dépeçasses	que tu	eusses	dépecé
qu'il/elle	dépeçât	qu'il/elle	eût	dépecé
que nous	dépeçassions	que nous	eussions	dépecé
que vous	dépeçassiez	que vous	eussiez	dépecé
qu'ils/elles	dépeçassent	qu'ils/elles	eussent	dépecé

27 JETER

1er groupe

Indicatif

présent		passé composé		
je	**jette**	j'	**ai**	**jeté**
tu	**jettes**	tu	**as**	**jeté**
il/elle	**jette**	il/elle	**a**	**jeté**
nous	**jetons**	nous	**avons**	**jeté**
vous	**jetez**	vous	**avez**	**jeté**
ils/elles	**jettent**	ils/elles	**ont**	**jeté**
imparfait		**plus-que-parfait**		
je	**jetais**	j'	**avais**	**jeté**
tu	**jetais**	tu	**avais**	**jeté**
il/elle	**jetait**	il/elle	**avait**	**jeté**
nous	**jetions**	nous	**avions**	**jeté**
vous	**jetiez**	vous	**aviez**	**jeté**
ils/elles	**jetaient**	ils/elles	**avaient**	**jeté**
futur simple		**futur antérieur**		
je	**jetterai**	j'	**aurai**	**jeté**
tu	**jetteras**	tu	**auras**	**jeté**
il/elle	**jettera**	il/elle	**aura**	**jeté**
nous	**jetterons**	nous	**aurons**	**jeté**
vous	**jetterez**	vous	**aurez**	**jeté**
ils/elles	**jetteront**	ils/elles	**auront**	**jeté**
passé simple		**passé antérieur**		
je	**jetai**	j'	**eus**	**jeté**
tu	**jetas**	tu	**eus**	**jeté**
il/elle	**jeta**	il/elle	**eut**	**jeté**
nous	**jetâmes**	nous	**eûmes**	**jeté**
vous	**jetâtes**	vous	**eûtes**	**jeté**
ils/elles	**jetèrent**	ils/elles	**eurent**	**jeté**

Conditionnel

présent		passé		
je	**jetterais**	j'	**aurais**	**jeté**
tu	**jetterais**	tu	**aurais**	**jeté**
il/elle	**jetterait**	il/elle	**aurait**	**jeté**
nous	**jetterions**	nous	**aurions**	**jeté**
vous	**jetteriez**	vous	**auriez**	**jeté**
ils/elles	**jetteraient**	ils/elles	**auraient**	**jeté**

Infinitif

présent	passé	
jeter	**avoir**	**jeté**

Participe

présent	passé	
jetant	**jeté/ée,**	**jetés/ées**
	ayant	**jeté**

Impératif

présent	passé	
jette	**aie**	**jeté**
jetons	**ayons**	**jeté**
jetez	**ayez**	**jeté**

Subjonctif

présent		passé		
que je	**jette**	que j'	**aie**	**jeté**
que tu	**jettes**	que tu	**aies**	**jeté**
qu'il/elle	**jette**	qu'il/elle	**ait**	**jeté**
que nous	**jetions**	que nous	**ayons**	**jeté**
que vous	**jetiez**	que vous	**ayez**	**jeté**
qu'ils/elles	**jettent**	qu'ils/elles	**aient**	**jeté**

imparfait		plus-que-parfait		
que je	**jetasse**	que j'	**eusse**	**jeté**
que tu	**jetasses**	que tu	**eusses**	**jeté**
qu'il/elle	**jetât**	qu'il/elle	**eût**	**jeté**
que nous	**jetassions**	que nous	**eussions**	**jeté**
que vous	**jetassiez**	que vous	**eussiez**	**jeté**
qu'ils/elles	**jetassent**	qu'ils/elles	**eussent**	**jeté**

28 ACHETER

1er groupe

Indicatif

présent		passé composé		
j'	achète	j'	ai	acheté
tu	achètes	tu	as	acheté
il/elle	achète	il/elle	a	acheté
nous	achetons	nous	avons	acheté
vous	achetez	vous	avez	acheté
ils/elles	achètent	ils/elles	ont	acheté
imparfait		**plus-que-parfait**		
j'	achetais	j'	avais	acheté
tu	achetais	tu	avais	acheté
il/elle	achetait	il/elle	avait	acheté
nous	achetions	nous	avions	acheté
vous	achetiez	vous	aviez	acheté
ils/elles	achetaient	ils/elles	avaient	acheté
futur simple		**futur antérieur**		
j'	achèterai	j'	aurai	acheté
tu	achèteras	tu	auras	acheté
il/elle	achètera	il/elle	aura	acheté
nous	achèterons	nous	aurons	acheté
vous	achèterez	vous	aurez	acheté
ils/elles	achèteront	ils/elles	auront	acheté
passé simple		**passé antérieur**		
j'	achetai	j'	eus	acheté
tu	achetas	tu	eus	acheté
il/elle	acheta	il/elle	eut	acheté
nous	achetâmes	nous	eûmes	acheté
vous	achetâtes	vous	eûtes	acheté
ils/elles	achetèrent	ils/elles	eurent	acheté

Conditionnel

présent		passé		
j'	achèterais	j'	aurais	acheté
tu	achèterais	tu	aurais	acheté
il/elle	achèterait	il/elle	aurait	acheté
nous	achèterions	nous	aurions	acheté
vous	achèteriez	vous	auriez	acheté
ils/elles	achèteraient	ils/elles	auraient	acheté

Infinitif

présent	passé	
acheter	avoir	acheté

Participe

présent	passé	
achetant	acheté/ée,	achetés/ées
	ayant	acheté

Impératif

présent	passé	
achète	aie	acheté
achetons	ayons	acheté
achetez	ayez	acheté

Subjonctif

présent		passé		
que j'	achète	que j'	aie	acheté
que tu	achètes	que tu	aies	acheté
qu'il/elle	achète	qu'il/elle	ait	acheté
que nous	achetions	que nous	ayons	acheté
que vous	achetiez	que vous	ayez	acheté
qu'ils/elles	achètent	qu'ils/elles	aient	acheté

imparfait		plus-que-parfait		
que j'	achetasse	que j'	eusse	acheté
que tu	achetasses	que tu	eusses	acheté
qu'il/elle	achetât	qu'il/elle	eût	acheté
que nous	achetassions	que nous	eussions	acheté
que vous	achetassiez	que vous	eussiez	acheté
qu'ils/elles	achetassent	qu'ils/elles	eussent	acheté

1er groupe

Indicatif

présent

je	**paie**
tu	**paies**
il/elle	**paie**
nous	**payons**
vous	**payez**
ils/elles	**paient**

imparfait

je	**payais**
tu	**payais**
il/elle	**payait**
nous	**payions**
vous	**payiez**
ils/elles	**payaient**

futur simple

je	**paierai**
tu	**paieras**
il/elle	**paiera**
nous	**paierons**
vous	**paierez**
ils/elles	**paieront**

passé simple

je	**payai**
tu	**payas**
il/elle	**paya**
nous	**payâmes**
vous	**payâtes**
ils/elles	**payèrent**

passé composé

j'	**ai**	**payé**
tu	**as**	**payé**
il/elle	**a**	**payé**
nous	**avons**	**payé**
vous	**avez**	**payé**
ils/elles	**ont**	**payé**

plus-que-parfait

j'	**avais**	**payé**
tu	**avais**	**payé**
il/elle	**avait**	**payé**
nous	**avions**	**payé**
vous	**aviez**	**payé**
ils/elles	**avaient**	**payé**

futur antérieur

j'	**aurai**	**payé**
tu	**auras**	**payé**
il/elle	**aura**	**payé**
nous	**aurons**	**payé**
vous	**aurez**	**payé**
ils/elles	**auront**	**payé**

passé antérieur

j'	**eus**	**payé**
tu	**eus**	**payé**
il/elle	**eut**	**payé**
nous	**eûmes**	**payé**
vous	**eûtes**	**payé**
ils/elles	**eurent**	**payé**

Conditionnel

présent

je	**paierais**
tu	**paierais**
il/elle	**paierait**
nous	**paierions**
vous	**paieriez**
ils/elles	**paieraient**

passé

j'	**aurais**	**payé**
tu	**aurais**	**payé**
il/elle	**aurait**	**payé**
nous	**aurions**	**payé**
vous	**auriez**	**payé**
ils/elles	**auraient**	**payé**

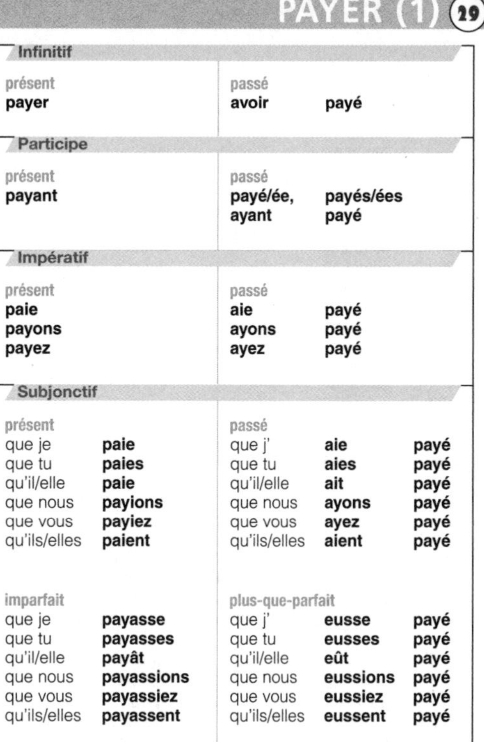

Infinitif

présent	passé	
payer	avoir	payé

Participe

présent	passé	
payant	payé/ée,	payés/ées
	ayant	payé

Impératif

présent	passé	
paie	aie	payé
payons	ayons	payé
payez	ayez	payé

Subjonctif

présent		passé		
que je	paie	que j'	aie	payé
que tu	paies	que tu	aies	payé
qu'il/elle	paie	qu'il/elle	ait	payé
que nous	payions	que nous	ayons	payé
que vous	payiez	que vous	ayez	payé
qu'ils/elles	paient	qu'ils/elles	aient	payé

imparfait		plus-que-parfait		
que je	payasse	que j'	eusse	payé
que tu	payasses	que tu	eusses	payé
qu'il/elle	payât	qu'il/elle	eût	payé
que nous	payassions	que nous	eussions	payé
que vous	payassiez	que vous	eussiez	payé
qu'ils/elles	payassent	qu'ils/elles	eussent	payé

PAYER (2)

Indicatif

présent		passé composé		
je	**paye**	j'	**ai**	**payé**
tu	**payes**	tu	**as**	**payé**
il/elle	**paye**	il/elle	**a**	**payé**
nous	**payons**	nous	**avons**	**payé**
vous	**payez**	vous	**avez**	**payé**
ils/elles	**payent**	ils/elles	**ont**	**payé**
imparfait		**plus-que-parfait**		
je	**payais**	j'	**avais**	**payé**
tu	**payais**	tu	**avais**	**payé**
il/elle	**payait**	il/elle	**avait**	**payé**
nous	**payions**	nous	**avions**	**payé**
vous	**payiez**	vous	**aviez**	**payé**
ils/elles	**payaient**	ils/elles	**avaient**	**payé**
futur simple		**futur antérieur**		
je	**payerai**	j'	**aurai**	**payé**
tu	**payeras**	tu	**auras**	**payé**
il/elle	**payera**	il/elle	**aura**	**payé**
nous	**payerons**	nous	**aurons**	**payé**
vous	**payerez**	vous	**aurez**	**payé**
ils/elles	**payeront**	ils/elles	**auront**	**payé**
passé simple		**passé antérieur**		
je	**payai**	j'	**eus**	**payé**
tu	**payas**	tu	**eus**	**payé**
il/elle	**paya**	il/elle	**eut**	**payé**
nous	**payâmes**	nous	**eûmes**	**payé**
vous	**payâtes**	vous	**eûtes**	**payé**
ils/elles	**payèrent**	ils/elles	**eurent**	**payé**

Conditionnel

présent		passé		
je	**payerais**	j'	**aurais**	**payé**
tu	**payerais**	tu	**aurais**	**payé**
il/elle	**payerait**	il/elle	**aurait**	**payé**
nous	**payerions**	nous	**aurions**	**payé**
vous	**payeriez**	vous	**auriez**	**payé**
ils/elles	**payeraient**	ils/elles	**auraient**	**payé**

Infinitif

présent	passé	
payer	avoir	payé

Participe

présent	passé	
payant	payé/ée,	payés/ées
	ayant	payé

Impératif

présent	passé	
paye	aie	payé
payons	ayons	payé
payez	ayez	payé

Subjonctif

présent		passé		
que je	**paye**	que j'	**aie**	**payé**
que tu	**payes**	que tu	**aies**	**payé**
qu'il/elle	**paye**	qu'il/elle	**ait**	**payé**
que nous	**payions**	que nous	**ayons**	**payé**
que vous	**payiez**	que vous	**ayez**	**payé**
qu'ils/elles	**payent**	qu'ils/elles	**aient**	**payé**

imparfait		plus-que-parfait		
que je	**payasse**	que j'	**eusse**	**payé**
que tu	**payasses**	que tu	**eusses**	**payé**
qu'il/elle	**payât**	qu'il/elle	**eût**	**payé**
que nous	**payassions**	que nous	**eussions**	**payé**
que vous	**payassiez**	que vous	**eussiez**	**payé**
qu'ils/elles	**payassent**	qu'ils/elles	**eussent**	**payé**

31 EMPLOYER

1er groupe

Indicatif

présent

j'	emploie
tu	emploies
il/elle	emploie
nous	employons
vous	employez
ils/elles	emploient

imparfait

j'	employais
tu	employais
il/elle	employait
nous	employions
vous	employiez
ils/elles	employaient

futur simple

j'	emploierai
tu	emploieras
il/elle	emploiera
nous	emploierons
vous	emploierez
ils/elles	emploieront

passé simple

j'	employai
tu	employas
il/elle	employa
nous	employâmes
vous	employâtes
ils/elles	employèrent

passé composé

j'	ai	employé
tu	as	employé
il/elle	a	employé
nous	avons	employé
vous	avez	employé
ils/elles	ont	employé

plus-que-parfait

j'	avais	employé
tu	avais	employé
il/elle	avait	employé
nous	avions	employé
vous	aviez	employé
ils/elles	avaient	employé

futur antérieur

j'	aurai	employé
tu	auras	employé
il/elle	aura	employé
nous	aurons	employé
vous	aurez	employé
ils/elles	auront	employé

passé antérieur

j'	eus	employé
tu	eus	employé
il/elle	eut	employé
nous	eûmes	employé
vous	eûtes	employé
ils/elles	eurent	employé

Conditionnel

présent

j'	emploierais
tu	emploierais
il/elle	emploierait
nous	emploierions
vous	emploieriez
ils/elles	emploieraient

passé

j'	aurais	employé
tu	aurais	employé
il/elle	aurait	employé
nous	aurions	employé
vous	auriez	employé
ils/elles	auraient	employé

Infinitif

présent	passé	
employer	avoir	employé

Participe

présent	passé	
employant	employé/ée,	employés/ées
	ayant	employé

Impératif

présent	passé	
emploie	aie	employé
employons	ayons	employé
employez	ayez	employé

Subjonctif

présent		passé		
que j'	emploie	que j'	aie	employé
que tu	emploies	que tu	aies	employé
qu'il/elle	emploie	qu'il/elle	ait	employé
que nous	employions	que nous	ayons	employé
que vous	employiez	que vous	ayez	employé
qu'ils/elles	emploient	qu'ils/elles	aient	employé

imparfait		plus-que-parfait		
que j'	employasse	que j'	eusse	employé
que tu	employasses	que tu	eusses	employé
qu'il/elle	employât	qu'il/elle	eût	employé
que nous	employassions	que nous	eussions	employé
que vous	employassiez	que vous	eussiez	employé
qu'ils/elles	employassent	qu'ils/elles	eussent	employé

Indicatif

présent			passé composé		
j'	essuie		j'	ai	essuyé
tu	essuies		tu	as	essuyé
il/elle	essuie		il/elle	a	essuyé
nous	essuyons		nous	avons	essuyé
vous	essuyez		vous	avez	essuyé
ils/elles	essuient		ils/elles	ont	essuyé
imparfait			**plus-que-parfait**		
j'	essuyais		j'	avais	essuyé
tu	essuyais		tu	avais	essuyé
il/elle	essuyait		il/elle	avait	essuyé
nous	essuyions		nous	avions	essuyé
vous	essuyiez		vous	aviez	essuyé
ils/elles	essuyaient		ils/elles	avaient	essuyé
futur simple			**futur antérieur**		
j'	essuierai		j'	aurai	essuyé
tu	essuieras		tu	auras	essuyé
il/elle	essuiera		il/elle	aura	essuyé
nous	essuierons		nous	aurons	essuyé
vous	essuierez		vous	aurez	essuyé
ils/elles	essuieront		ils/elles	auront	essuyé
passé simple			**passé antérieur**		
j'	essuyai		j'	eus	essuyé
tu	essuyas		tu	eus	essuyé
il/elle	essuya		il/elle	eut	essuyé
nous	essuyâmes		nous	eûmes	essuyé
vous	essuyâtes		vous	eûtes	essuyé
ils/elles	essuyèrent		ils/elles	eurent	essuyé

Conditionnel

présent			passé		
j'	essuierais		j'	aurais	essuyé
tu	essuierais		tu	aurais	essuyé
il/elle	essuierait		il/elle	aurait	essuyé
nous	essuierions		nous	aurions	essuyé
vous	essuieriez		vous	auriez	essuyé
ils/elles	essuieraient		ils/elles	auraient	essuyé

Infinitif

présent	passé	
essuyer	avoir	essuyé

Participe

présent	passé	
essuyant	essuyé/ée,	essuyés/ées
	ayant	essuyé

Impératif

présent	passé	
essuie	aie	essuyé
essuyons	ayons	essuyé
essuyez	ayez	essuyé

Subjonctif

présent		passé		
que j'	essuie	que j'	aie	essuyé
que tu	essuies	que tu	aies	essuyé
qu'il/elle	essuie	qu'il/elle	ait	essuyé
que nous	essuyions	que nous	ayons	essuyé
que vous	essuyiez	que vous	ayez	essuyé
qu'ils/elles	essuient	qu'ils/elles	aient	essuyé

imparfait		plus-que-parfait		
que j'	essuyasse	que j'	eusse	essuyé
que tu	essuyasses	que tu	eusses	essuyé
qu'il/elle	essuyât	qu'il/elle	eût	essuyé
que nous	essuyassions	que nous	eussions	essuyé
que vous	essuyassiez	que vous	eussiez	essuyé
qu'ils/elles	essuyassent	qu'ils/elles	eussent	essuyé

33 ENVOYER

1er groupe

Indicatif

présent		passé composé		
j'	envoie	j'	ai	envoyé
tu	envoies	tu	as	envoyé
il/elle	envoie	il/elle	a	envoyé
nous	envoyons	nous	avons	envoyé
vous	envoyez	vous	avez	envoyé
ils/elles	envoient	ils/elles	ont	envoyé
imparfait		**plus-que-parfait**		
j'	envoyais	j'	avais	envoyé
tu	envoyais	tu	avais	envoyé
il/elle	envoyait	il/elle	avait	envoyé
nous	envoyions	nous	avions	envoyé
vous	envoyiez	vous	aviez	envoyé
ils/elles	envoyaient	ils/elles	avaient	envoyé
futur simple		**futur antérieur**		
j'	enverrai	j'	aurai	envoyé
tu	enverras	tu	auras	envoyé
il/elle	enverra	il/elle	aura	envoyé
nous	enverrons	nous	aurons	envoyé
vous	enverrez	vous	aurez	envoyé
ils/elles	enverront	ils/elles	auront	envoyé
passé simple		**passé antérieur**		
j'	envoyai	j'	eus	envoyé
tu	envoyas	tu	eus	envoyé
il/elle	envoya	il/elle	eut	envoyé
nous	envoyâmes	nous	eûmes	envoyé
vous	envoyâtes	vous	eûtes	envoyé
ils/elles	envoyèrent	ils/elles	eurent	envoyé

Conditionnel

présent		passé		
j'	enverrais	j'	aurais	envoyé
tu	enverrais	tu	aurais	envoyé
il/elle	enverrait	il/elle	aurait	envoyé
nous	enverrions	nous	aurions	envoyé
vous	enverriez	vous	auriez	envoyé
ils/elles	enverraient	ils/elles	auraient	envoyé

Infinitif

présent	passé	
envoyer	avoir	envoyé

Participe

présent	passé	
envoyant	envoyé/ée,	envoyés/ées
	ayant	envoyé

Impératif

présent	passé	
envoie	aie	envoyé
envoyons	ayons	envoyé
envoyez	ayez	envoyé

Subjonctif

présent		passé		
que j'	envoie	que j'	aie	envoyé
que tu	envoies	que tu	aies	envoyé
qu'il/elle	envoie	qu'il/elle	ait	envoyé
que nous	envoyions	que nous	ayons	envoyé
que vous	envoyiez	que vous	ayez	envoyé
qu'ils/elles	envoient	qu'ils/elles	aient	envoyé

imparfait		plus-que-parfait		
que j'	envoyasse	que j'	eusse	envoyé
que tu	envoyasses	que tu	eusses	envoyé
qu'il/elle	envoyât	qu'il/elle	eût	envoyé
que nous	envoyassions	que nous	eussions	envoyé
que vous	envoyassiez	que vous	eussiez	envoyé
qu'ils/elles	envoyassent	qu'ils/elles	eussent	envoyé

34 ARGUER

1er groupe

Indicatif

présent		passé composé		
j'	**argue**	j'	**ai**	**argué**
tu	**argues**	tu	**as**	**argué**
il/elle	**argue**	il/elle	**a**	**argué**
nous	**arguons**	nous	**avons**	**argué**
vous	**arguez**	vous	**avez**	**argué**
ils/elles	**arguent**	ils/elles	**ont**	**argué**
imparfait		**plus-que-parfait**		
j'	**arguais**	j'	**avais**	**argué**
tu	**arguais**	tu	**avais**	**argué**
il/elle	**arguait**	il/elle	**avait**	**argué**
nous	**arguions**	nous	**avions**	**argué**
vous	**arguiez**	vous	**aviez**	**argué**
ils/elles	**arguaient**	ils/elles	**avaient**	**argué**
futur simple		**futur antérieur**		
j'	**arguerai**	j'	**aurai**	**argué**
tu	**argueras**	tu	**auras**	**argué**
il/elle	**arguera**	il/elle	**aura**	**argué**
nous	**arguerons**	nous	**aurons**	**argué**
vous	**arguerez**	vous	**aurez**	**argué**
ils/elles	**argueront**	ils/elles	**auront**	**argué**
passé simple		**passé antérieur**		
j'	**arguai**	j'	**eus**	**argué**
tu	**arguas**	tu	**eus**	**argué**
il/elle	**argua**	il/elle	**eut**	**argué**
nous	**arguâmes**	nous	**eûmes**	**argué**
vous	**arguâtes**	vous	**eûtes**	**argué**
ils/elles	**arguèrent**	ils/elles	**eurent**	**argué**

Conditionnel

présent		passé		
j'	**arguerais**	j'	**aurais**	**argué**
tu	**arguerais**	tu	**aurais**	**argué**
il/elle	**arguerait**	il/elle	**aurait**	**argué**
nous	**arguerions**	nous	**aurions**	**argué**
vous	**argueriez**	vous	**auriez**	**argué**
ils/elles	**argueraient**	ils/elles	**auraient**	**argué**

Infinitif

présent	passé	
arguer	**avoir**	**argué**

Participe

présent	passé	
arguant	**argué/ée,**	**argués/ées**
	ayant	**argué**

Impératif

présent	passé	
argue	**aie**	**argué**
arguons	**ayons**	**argué**
arguez	**ayez**	**argué**

Subjonctif

présent		passé		
que j'	**argue**	que j'	**aie**	**argué**
que tu	**argues**	que tu	**aies**	**argué**
qu'il/elle	**argue**	qu'il/elle	**ait**	**argué**
que nous	**arguions**	que nous	**ayons**	**argué**
que vous	**arguiez**	que vous	**ayez**	**argué**
qu'ils/elles	**arguent**	qu'ils/elles	**aient**	**argué**

imparfait		plus-que-parfait		
que j'	**arguasse**	que j'	**eusse**	**argué**
que tu	**arguasses**	que tu	**eusses**	**argué**
qu'il/elle	**arguât**	qu'il/elle	**eût**	**argué**
que nous	**arguassions**	que nous	**eussions**	**argué**
que vous	**arguassiez**	que vous	**eussiez**	**argué**
qu'ils/elles	**arguassent**	qu'ils/elles	**eussent**	**argué**

Indicatif

présent		passé composé		
je	**finis**	j'	**ai**	**fini**
tu	**finis**	tu	**as**	**fini**
il/elle	**finit**	il/elle	**a**	**fini**
nous	**finissons**	nous	**avons**	**fini**
vous	**finissez**	vous	**avez**	**fini**
ils/elles	**finissent**	ils/elles	**ont**	**fini**
imparfait		**plus-que-parfait**		
je	**finissais**	j'	**avais**	**fini**
tu	**finissais**	tu	**avais**	**fini**
il/elle	**finissait**	il/elle	**avait**	**fini**
nous	**finissions**	nous	**avions**	**fini**
vous	**finissiez**	vous	**aviez**	**fini**
ils/elles	**finissaient**	ils/elles	**avaient**	**fini**
futur simple		**futur antérieur**		
je	**finirai**	j'	**aurai**	**fini**
tu	**finiras**	tu	**auras**	**fini**
il/elle	**finira**	il/elle	**aura**	**fini**
nous	**finirons**	nous	**aurons**	**fini**
vous	**finirez**	vous	**aurez**	**fini**
ils/elles	**finiront**	ils/elles	**auront**	**fini**
passé simple		**passé antérieur**		
je	**finis**	j'	**eus**	**fini**
tu	**finis**	tu	**eus**	**fini**
il/elle	**finit**	il/elle	**eut**	**fini**
nous	**finîmes**	nous	**eûmes**	**fini**
vous	**finîtes**	vous	**eûtes**	**fini**
ils/elles	**finirent**	ils/elles	**eurent**	**fini**

Conditionnel

présent		passé		
je	**finirais**	j'	**aurais**	**fini**
tu	**finirais**	tu	**aurais**	**fini**
il/elle	**finirait**	il/elle	**aurait**	**fini**
nous	**finirions**	nous	**aurions**	**fini**
vous	**finiriez**	vous	**auriez**	**fini**
ils/elles	**finiraient**	ils/elles	**auraient**	**fini**

Infinitif

présent	passé	
finir	**avoir**	**fini**

Participe

présent	passé	
finissant	**fini/ie,**	**finis/ies**
	ayant	**fini**

Impératif

présent	passé	
finis	**aie**	**fini**
finissons	**ayons**	**fini**
finissez	**ayez**	**fini**

Subjonctif

présent		passé		
que je	**finisse**	que j'	**aie**	**fini**
que tu	**finisses**	que tu	**aies**	**fini**
qu'il/elle	**finisse**	qu'il/elle	**ait**	**fini**
que nous	**finissions**	que nous	**ayons**	**fini**
que vous	**finissiez**	que vous	**ayez**	**fini**
qu'ils/elles	**finissent**	qu'ils/elles	**aient**	**fini**

imparfait		plus-que-parfait		
que je	**finisse**	que j'	**eusse**	**fini**
que tu	**finisses**	que tu	**eusses**	**fini**
qu'il/elle	**finît**	qu'il/elle	**eût**	**fini**
que nous	**finissions**	que nous	**eussions**	**fini**
que vous	**finissiez**	que vous	**eussiez**	**fini**
qu'ils/elles	**finissent**	qu'ils/elles	**eussent**	**fini**

HAÏR

Indicatif

présent		passé composé		
je	**hais**	j'	**ai**	**haï**
tu	**hais**	tu	**as**	**haï**
il/elle	**hait**	il/elle	**a**	**haï**
nous	**haïssons**	nous	**avons**	**haï**
vous	**haïssez**	vous	**avez**	**haï**
ils/elles	**haïssent**	ils/elles	**ont**	**haï**
imparfait		**plus-que-parfait**		
je	**haïssais**	j'	**avais**	**haï**
tu	**haïssais**	tu	**avais**	**haï**
il/elle	**haïssait**	il/elle	**avait**	**haï**
nous	**haïssions**	nous	**avions**	**haï**
vous	**haïssiez**	vous	**aviez**	**haï**
ils/elles	**haïssaient**	ils/elles	**avaient**	**haï**
futur simple		**futur antérieur**		
je	**haïrai**	j'	**aurai**	**haï**
tu	**haïras**	tu	**auras**	**haï**
il/elle	**haïra**	il/elle	**aura**	**haï**
nous	**haïrons**	nous	**aurons**	**haï**
vous	**haïrez**	vous	**aurez**	**haï**
ils/elles	**haïront**	ils/elles	**auront**	**haï**
passé simple		**passé antérieur**		
je	**haïs**	j'	**eus**	**haï**
tu	**haïs**	tu	**eus**	**haï**
il/elle	**haït**	il/elle	**eut**	**haï**
nous	**haïmes**	nous	**eûmes**	**haï**
vous	**haïtes**	vous	**eûtes**	**haï**
ils/elles	**haïrent**	ils/elles	**eurent**	**haï**

Conditionnel

présent		passé		
je	**haïrais**	j'	**aurais**	**haï**
tu	**haïrais**	tu	**aurais**	**haï**
il/elle	**haïrait**	il/elle	**aurait**	**haï**
nous	**haïrions**	nous	**aurions**	**haï**
vous	**haïriez**	vous	**auriez**	**haï**
ils/elles	**haïraient**	ils/elles	**auraient**	**haï**

Infinitif

présent	passé	
haïr	**avoir**	**haï**

Participe

présent	passé	
haïssant	**haï/ïe,**	**haïs/ïes**
	ayant	**haï**

Impératif

présent	passé	
hais	**aie**	**haï**
haïssons	**ayons**	**haï**
haïssez	**ayez**	**haï**

Subjonctif

présent		passé		
que je	**haïsse**	que j'	**aie**	**haï**
que tu	**haïsses**	que tu	**aies**	**haï**
qu'il/elle	**haïsse**	qu'il/elle	**ait**	**haï**
que nous	**haïssions**	que nous	**ayons**	**haï**
que vous	**haïssiez**	que vous	**ayez**	**haï**
qu'ils/elles	**haïssent**	qu'ils/elles	**aient**	**haï**

imparfait		plus-que-parfait		
que je	**haïsse**	que j'	**eusse**	**haï**
que tu	**haïsses**	que tu	**eusses**	**haï**
qu'il/elle	**haït**	qu'il/elle	**eût**	**haï**
que nous	**haïssions**	que nous	**eussions**	**haï**
que vous	**haïssiez**	que vous	**eussiez**	**haï**
qu'ils/elles	**haïssent**	qu'ils/elles	**eussent**	**haï**

37 DORMIR

3e groupe

Indicatif

présent		passé composé		
je	**dors**	j'	**ai**	**dormi**
tu	**dors**	tu	**as**	**dormi**
il/elle	**dort**	il/elle	**a**	**dormi**
nous	**dormons**	nous	**avons**	**dormi**
vous	**dormez**	vous	**avez**	**dormi**
ils/elles	**dorment**	ils/elles	**ont**	**dormi**
imparfait		**plus-que-parfait**		
je	**dormais**	j'	**avais**	**dormi**
tu	**dormais**	tu	**avais**	**dormi**
il/elle	**dormait**	il/elle	**avait**	**dormi**
nous	**dormions**	nous	**avions**	**dormi**
vous	**dormiez**	vous	**aviez**	**dormi**
ils/elles	**dormaient**	ils/elles	**avaient**	**dormi**
futur simple		**futur antérieur**		
je	**dormirai**	j'	**aurai**	**dormi**
tu	**dormiras**	tu	**auras**	**dormi**
il/elle	**dormira**	il/elle	**aura**	**dormi**
nous	**dormirons**	nous	**aurons**	**dormi**
vous	**dormirez**	vous	**aurez**	**dormi**
ils/elles	**dormiront**	ils/elles	**auront**	**dormi**
passé simple		**passé antérieur**		
je	**dormis**	j'	**eus**	**dormi**
tu	**dormis**	tu	**eus**	**dormi**
il/elle	**dormit**	il/elle	**eut**	**dormi**
nous	**dormîmes**	nous	**eûmes**	**dormi**
vous	**dormîtes**	vous	**eûtes**	**dormi**
ils/elles	**dormirent**	ils/elles	**eurent**	**dormi**

Conditionnel

présent		passé		
je	**dormirais**	j'	**aurais**	**dormi**
tu	**dormirais**	tu	**aurais**	**dormi**
il/elle	**dormirait**	il/elle	**aurait**	**dormi**
nous	**dormirions**	nous	**aurions**	**dormi**
vous	**dormiriez**	vous	**auriez**	**dormi**
ils/elles	**dormiraient**	ils/elles	**auraient**	**dormi**

DORMIR 37

Infinitif

présent	passé
dormir	**avoir** **dormi**

Participe

présent	passé
dormant	**dormi**
	ayant **dormi**

Impératif

présent	passé
dors	**aie** **dormi**
dormons	**ayons** **dormi**
dormez	**ayez** **dormi**

Subjonctif

présent		passé		
que je	**dorme**	que j'	**aie**	**dormi**
que tu	**dormes**	que tu	**aies**	**dormi**
qu'il/elle	**dorme**	qu'il/elle	**ait**	**dormi**
que nous	**dormions**	que nous	**ayons**	**dormi**
que vous	**dormiez**	que vous	**ayez**	**dormi**
qu'ils/elles	**dorment**	qu'ils/elles	**aient**	**dormi**

imparfait		plus-que-parfait		
que je	**dormisse**	que j'	**eusse**	**dormi**
que tu	**dormisses**	que tu	**eusses**	**dormi**
qu'il/elle	**dormît**	qu'il/elle	**eût**	**dormi**
que nous	**dormissions**	que nous	**eussions**	**dormi**
que vous	**dormissiez**	que vous	**eussiez**	**dormi**
qu'ils/elles	**dormissent**	qu'ils/elles	**eussent**	**dormi**

38 PARTIR

3e groupe

Indicatif

présent		passé composé		
je	pars	je	suis	parti/ie
tu	pars	tu	es	parti/ie
il/elle	part	il/elle	est	parti/ie
nous	partons	nous	sommes	partis/ies
vous	partez	vous	êtes	partis/ies
ils/elles	partent	ils/elles	sont	partis/ies
imparfait		**plus-que-parfait**		
je	partais	j'	étais	parti/ie
tu	partais	tu	étais	parti/ie
il/elle	partait	il/elle	était	parti/ie
nous	partions	nous	étions	partis/ies
vous	partiez	vous	étiez	partis/ies
ils/elles	partaient	ils/elles	étaient	partis/ies
futur simple		**futur antérieur**		
je	partirai	je	serai	parti/ie
tu	partiras	tu	seras	parti/ie
il/elle	partira	il/elle	sera	parti/ie
nous	partirons	nous	serons	partis/ies
vous	partirez	vous	serez	partis/ies
ils/elles	partiront	ils/elles	seront	partis/ies
passé simple		**passé antérieur**		
je	partis	je	fus	parti/ie
tu	partis	tu	fus	parti/ie
il/elle	partit	il/elle	fut	parti/ie
nous	partîmes	nous	fûmes	partis/ies
vous	partîtes	vous	fûtes	partis/ies
ils/elles	partirent	ils/elles	furent	partis/ies

Conditionnel

présent		passé		
je	partirais	je	serais	parti/ie
tu	partirais	tu	serais	parti/ie
il/elle	partirait	il/elle	serait	parti/ie
nous	partirions	nous	serions	partis/ies
vous	partiriez	vous	seriez	partis/ies
ils/elles	partiraient	ils/elles	seraient	partis/ies

PARTIR 38

Infinitif

présent	passé		
partir	être	parti/ie,	partis/ies

Participe

présent	passé	
partant	parti/ie,	partis/ies
	étant	parti/ie/is/ies

Impératif

présent	passé	
pars	sois	parti/ie
partons	soyons	partis/ies
partez	soyez	partis/ies

Subjonctif

présent		passé		
que je	parte	que je	sois	parti/ie
que tu	partes	que tu	sois	parti/ie
qu'il/elle	parte	qu'il/elle	soit	parti/ie
que nous	partions	que nous	soyons	partis/ies
que vous	partiez	que vous	soyez	partis/ies
qu'ils/elles	partent	qu'ils/elles	soient	partis/ies

imparfait		plus-que-parfait		
que je	partisse	que je	fusse	parti/ie
que tu	partisses	que tu	fusses	parti/ie
qu'il/elle	partît	qu'il/elle	fût	parti/ie
que nous	partissions	que nous	fussions	partis/ies
que vous	partissiez	que vous	fussiez	partis/ies
qu'ils/elles	partissent	qu'ils/elles	fussent	partis/ies

39 BOUILLIR

3e groupe

Indicatif

présent		passé composé		
je	**bous**	j'	**ai**	**bouilli**
tu	**bous**	tu	**as**	**bouilli**
il/elle	**bout**	il/elle	**a**	**bouilli**
nous	**bouillons**	nous	**avons**	**bouilli**
vous	**bouillez**	vous	**avez**	**bouilli**
ils/elles	**bouillent**	ils/elles	**ont**	**bouilli**

imparfait		plus-que-parfait		
je	**bouillais**	j'	**avais**	**bouilli**
tu	**bouillais**	tu	**avais**	**bouilli**
il/elle	**bouillait**	il/elle	**avait**	**bouilli**
nous	**bouillions**	nous	**avions**	**bouilli**
vous	**bouilliez**	vous	**aviez**	**bouilli**
ils/elles	**bouillaient**	ils/elles	**avaient**	**bouilli**

futur simple		passé antérieur		
je	**bouillirai**	j'	**eus**	**bouilli**
tu	**bouilliras**	tu	**eus**	**bouilli**
il/elle	**bouillira**	il/elle	**eut**	**bouilli**
nous	**bouillirons**	nous	**eûmes**	**bouilli**
vous	**bouillirez**	vous	**eûtes**	**bouilli**
ils/elles	**bouilliront**	ils/elles	**eurent**	**bouilli**

passé simple		futur antérieur		
je	**bouillis**	j'	**aurai**	**bouilli**
tu	**bouillis**	tu	**auras**	**bouilli**
il/elle	**bouillit**	il/elle	**aura**	**bouilli**
nous	**bouillîmes**	nous	**aurons**	**bouilli**
vous	**bouillîtes**	vous	**aurez**	**bouilli**
ils/elles	**bouillirent**	ils/elles	**auront**	**bouilli**

Conditionnel

présent		passé		
je	**bouillirais**	j'	**aurais**	**bouilli**
tu	**bouillirais**	tu	**aurais**	**bouilli**
il/elle	**bouillirait**	il/elle	**aurait**	**bouilli**
nous	**bouillirions**	nous	**aurions**	**bouilli**
vous	**bouilliriez**	vous	**auriez**	**bouilli**
ils/elles	**bouilliraient**	ils/elles	**auraient**	**bouilli**

BOUILLIR 39

Infinitif

présent	passé	
bouillir	avoir	bouilli

Participe

présent	passé	
bouillant	bouilli/ie,	bouillis/ies
	ayant	bouilli

Impératif

présent	passé	
bous	aie	bouilli
bouillons	ayons	bouilli
bouillez	ayez	bouilli

Subjonctif

présent		passé		
que je	bouille	que j'	aie	bouilli
que tu	bouilles	que tu	aies	bouilli
qu'il/elle	bouille	qu'il/elle	ait	bouilli
que nous	bouillions	que nous	ayons	bouilli
que vous	bouilliez	que vous	ayez	bouilli
qu'ils/elles	bouillent	qu'ils/elles	aient	bouilli

imparfait		plus-que-parfait		
que je	bouillisse	que j'	eusse	bouilli
que tu	bouillisses	que tu	eusses	bouilli
qu'il/elle	bouillît	qu'il/elle	eût	bouilli
que nous	bouillissions	que nous	eussions	bouilli
que vous	bouillissiez	que vous	eussiez	bouilli
qu'ils/elles	bouillissent	qu'ils/elles	eussent	bouilli

FUIR

3e groupe

Indicatif

présent		passé composé		
je	**fuis**	j'	**ai**	**fui**
tu	**fuis**	tu	**as**	**fui**
il/elle	**fuit**	il/elle	**a**	**fui**
nous	**fuyons**	nous	**avons**	**fui**
vous	**fuyez**	vous	**avez**	**fui**
ils/elles	**fuient**	ils/elles	**ont**	**fui**
imparfait		**plus-que-parfait**		
je	**fuyais**	j'	**avais**	**fui**
tu	**fuyais**	tu	**avais**	**fui**
il/elle	**fuyait**	il/elle	**avait**	**fui**
nous	**fuyions**	nous	**avions**	**fui**
vous	**fuyiez**	vous	**aviez**	**fui**
ils/elles	**fuyaient**	ils/elles	**avaient**	**fui**
futur simple		**futur antérieur**		
je	**fuirai**	j'	**aurai**	**fui**
tu	**fuiras**	tu	**auras**	**fui**
il/elle	**fuira**	il/elle	**aura**	**fui**
nous	**fuirons**	nous	**aurons**	**fui**
vous	**fuirez**	vous	**aurez**	**fui**
ils/elles	**fuiront**	ils/elles	**auront**	**fui**
passé simple		**passé antérieur**		
je	**fuis**	j'	**eus**	**fui**
tu	**fuis**	tu	**eus**	**fui**
il/elle	**fuit**	il/elle	**eut**	**fui**
nous	**fuîmes**	nous	**eûmes**	**fui**
vous	**fuîtes**	vous	**eûtes**	**fui**
ils/elles	**fuirent**	ils/elles	**eurent**	**fui**

Conditionnel

présent		passé		
je	**fuirais**	j'	**aurais**	**fui**
tu	**fuirais**	tu	**aurais**	**fui**
il/elle	**fuirait**	il/elle	**aurait**	**fui**
nous	**fuirions**	nous	**aurions**	**fui**
vous	**fuiriez**	vous	**auriez**	**fui**
ils/elles	**fuiraient**	ils/elles	**auraient**	**fui**

Infinitif

présent	passé	
fuir	avoir	fui

Participe

présent	passé	
fuyant	fui/fuie,	fuis/fuies
	ayant	fui

Impératif

présent	passé	
fuis	aie	fui
fuyons	ayons	fui
fuyez	ayez	fui

Subjonctif

présent		passé		
que je	fuie	que j'	aie	fui
que tu	fuies	que tu	aies	fui
qu'il/elle	fuie	qu'il/elle	ait	fui
que nous	fuyions	que nous	ayons	fui
que vous	fuyiez	que vous	ayez	fui
qu'ils/elles	fuient	qu'ils/elles	aient	fui

imparfait		plus-que-parfait		
que je	fuisse	que j'	eusse	fui
que tu	fuisses	que tu	eusses	fui
qu'il/elle	fuît	qu'il/elle	eût	fui
que nous	fuissions	que nous	eussions	fui
que vous	fuissiez	que vous	eussiez	fui
qu'ils/elles	fuissent	qu'ils/elles	eussent	fui

VÊTIR

3e groupe

Indicatif

présent		passé composé		
je	**vêts**	j'	**ai**	**vêtu**
tu	**vêts**	tu	**as**	**vêtu**
il/elle	**vêt**	il/elle	**a**	**vêtu**
nous	**vêtons**	nous	**avons**	**vêtu**
vous	**vêtez**	vous	**avez**	**vêtu**
ils/elles	**vêtent**	ils/elles	**ont**	**vêtu**
imparfait		**plus-que-parfait**		
je	**vêtais**	j'	**avais**	**vêtu**
tu	**vêtais**	tu	**avais**	**vêtu**
il/elle	**vêtait**	il/elle	**avait**	**vêtu**
nous	**vêtions**	nous	**avions**	**vêtu**
vous	**vêtiez**	vous	**aviez**	**vêtu**
ils/elles	**vêtaient**	ils/elles	**avaient**	**vêtu**
futur simple		**futur antérieur**		
je	**vêtirai**	j'	**aurai**	**vêtu**
tu	**vêtiras**	tu	**auras**	**vêtu**
il/elle	**vêtira**	il/elle	**aura**	**vêtu**
nous	**vêtirons**	nous	**aurons**	**vêtu**
vous	**vêtirez**	vous	**aurez**	**vêtu**
ils/elles	**vêtiront**	ils/elles	**auront**	**vêtu**
passé simple		**passé antérieur**		
je	**vêtis**	j'	**eus**	**vêtu**
tu	**vêtis**	tu	**eus**	**vêtu**
il/elle	**vêtit**	il/elle	**eut**	**vêtu**
nous	**vêtîmes**	nous	**eûmes**	**vêtu**
vous	**vêtîtes**	vous	**eûtes**	**vêtu**
ils/elles	**vêtirent**	ils/elles	**eurent**	**vêtu**

Conditionnel

présent		passé		
je	**vêtirais**	j'	**aurais**	**vêtu**
tu	**vêtirais**	tu	**aurais**	**vêtu**
il/elle	**vêtirait**	il/elle	**aurait**	**vêtu**
nous	**vêtirions**	nous	**aurions**	**vêtu**
vous	**vêtiriez**	vous	**auriez**	**vêtu**
ils/elles	**vêtiraient**	ils/elles	**auraient**	**vêtu**

VÊTIR 41

Infinitif

présent	passé	
vêtir	**avoir**	**vêtu**

Participe

présent	passé	
vêtant	**vêtu/ue,**	**vêtus/ues**
	ayant	**vêtu**

Impératif

présent	passé	
vêts	**aie**	**vêtu**
vêtons	**ayons**	**vêtu**
vêtez	**ayez**	**vêtu**

Subjonctif

présent		passé		
que je	**vête**	que j'	**aie**	**vêtu**
que tu	**vêtes**	que tu	**aies**	**vêtu**
qu'il/elle	**vête**	qu'il/elle	**ait**	**vêtu**
que nous	**vêtions**	que nous	**ayons**	**vêtu**
que vous	**vêtiez**	que vous	**ayez**	**vêtu**
qu'ils/elles	**vêtent**	qu'ils/elles	**aient**	**vêtu**

imparfait		plus-que-parfait		
que je	**vêtisse**	que j'	**eusse**	**vêtu**
que tu	**vêtisses**	que tu	**eusses**	**vêtu**
qu'il/elle	**vêtît**	qu'il/elle	**eût**	**vêtu**
que nous	**vêtissions**	que nous	**eussions**	**vêtu**
que vous	**vêtissiez**	que vous	**eussiez**	**vêtu**
qu'ils/elles	**vêtissent**	qu'ils/elles	**eussent**	**vêtu**

42 COURIR

3e groupe

Indicatif

présent		passé composé		
je	cours	j'	ai	couru
tu	cours	tu	as	couru
il/elle	court	il/elle	a	couru
nous	courons	nous	avons	couru
vous	courez	vous	avez	couru
ils/elles	courent	ils/elles	ont	couru
imparfait		**plus-que-parfait**		
je	courais	j'	avais	couru
tu	courais	tu	avais	couru
il/elle	courait	il/elle	avait	couru
nous	courions	nous	avions	couru
vous	couriez	vous	aviez	couru
ils/elles	couraient	ils/elles	avaient	couru
futur simple		**futur antérieur**		
je	courrai	j'	aurai	couru
tu	courras	tu	auras	couru
il/elle	courra	il/elle	aura	couru
nous	courrons	nous	aurons	couru
vous	courrez	vous	aurez	couru
ils/elles	courront	ils/elles	auront	couru
passé simple		**passé antérieur**		
je	courus	j'	eus	couru
tu	courus	tu	eus	couru
il/elle	courut	il/elle	eut	couru
nous	courûmes	nous	eûmes	couru
vous	courûtes	vous	eûtes	couru
ils/elles	coururent	ils/elles	eurent	couru

Conditionnel

présent		passé		
je	courrais	j'	aurais	couru
tu	courrais	tu	aurais	couru
il/elle	courrait	il/elle	aurait	couru
nous	courrions	nous	aurions	couru
vous	courriez	vous	auriez	couru
ils/elles	courraient	ils/elles	auraient	couru

Infinitif

présent	passé	
courir	avoir	couru

Participe

présent	passé	
courant	couru/ue,	courus/ues
	ayant	couru

Impératif

présent	passé	
cours	aie	couru
courons	ayons	couru
courez	ayez	couru

Subjonctif

présent		passé		
que je	**coure**	que j'	**aie**	**couru**
que tu	**coures**	que tu	**aies**	**couru**
qu'il/elle	**coure**	qu'il/elle	**ait**	**couru**
que nous	**courions**	que nous	**ayons**	**couru**
que vous	**couriez**	que vous	**ayez**	**couru**
qu'ils/elles	**courent**	qu'ils/elles	**aient**	**couru**

imparfait		plus-que-parfait		
que je	**courusse**	que j'	**eusse**	**couru**
que tu	**courusses**	que tu	**eusses**	**couru**
qu'il/elle	**courût**	qu'il/elle	**eût**	**couru**
que nous	**courussions**	que nous	**eussions**	**couru**
que vous	**courussiez**	que vous	**eussiez**	**couru**
qu'ils/elles	**courussent**	qu'ils/elles	**eussent**	**couru**

43 MOURIR

3e groupe

Indicatif

présent		passé composé		
je	meurs	je	suis	mort/te
tu	meurs	tu	es	mort/te
il/elle	meurt	il/elle	est	mort/te
nous	mourons	nous	sommes	morts/tes
vous	mourez	vous	êtes	morts/tes
ils/elles	meurent	ils/elles	sont	morts/tes
imparfait		**plus-que-parfait**		
je	mourais	j'	étais	mort/te
tu	mourais	tu	étais	mort/te
il/elle	mourait	il/elle	était	mort/te
nous	mourions	nous	étions	morts/tes
vous	mouriez	vous	étiez	morts/tes
ils/elles	mouraient	ils/elles	étaient	morts/tes
futur simple		**futur antérieur**		
je	mourrai	je	serai	mort/te
tu	mourras	tu	seras	mort/te
il/elle	mourra	il/elle	sera	mort/te
nous	mourrons	nous	serons	morts/tes
vous	mourrez	vous	serez	morts/tes
ils/elles	mourront	ils/elles	seront	morts/tes
passé simple		**passé antérieur**		
je	mourus	je	fus	mort/te
tu	mourus	tu	fus	mort/te
il/elle	mourut	il/elle	fut	mort/te
nous	mourûmes	nous	fûmes	morts/tes
vous	mourûtes	vous	fûtes	morts/tes
ils/elles	moururent	ils/elles	furent	morts/tes

Conditionnel

présent		passé		
je	mourrais	je	serais	mort/te
tu	mourrais	tu	serais	mort/te
il/elle	mourrait	il/elle	serait	mort/te
nous	mourrions	nous	serions	morts/tes
vous	mourriez	vous	seriez	morts/tes
ils/elles	mourraient	ils/elles	seraient	morts/tes

MOURIR 43

Infinitif

présent	passé		
mourir	être	mort/te,	morts/tes

Participe

présent	passé	
mourant	mort/te,	morts/tes
	étant	mort/te/ts/tes

Impératif

présent	passé	
meurs	sois	mort/te
mourons	soyons	morts/tes
mourez	soyez	morts/tes

Subjonctif

présent		passé		
que je	meure	que je	sois	mort/te
que tu	meures	que tu	sois	mort/te
qu'il/elle	meure	qu'il/elle	soit	mort/te
que nous	mourions	que nous	soyons	morts/tes
que vous	mouriez	que vous	soyez	morts/tes
qu'ils/elles	meurent	qu'ils/elles	soient	morts/tes

imparfait		plus-que-parfait		
que je	mourusse	que je	fusse	mort/te
que tu	mourusses	que tu	fusses	mort/te
qu'il/elle	mourût	qu'il/elle	fût	mort/te
que nous	mourussions	que nous	fussions	morts/tes
que vous	mourussiez	que vous	fussiez	morts/tes
qu'ils/elles	mourussent	qu'ils/elles	fussent	morts/tes

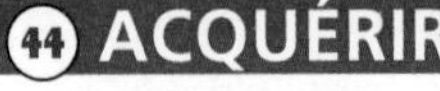

44 ACQUÉRIR

3e groupe

Indicatif

présent		passé composé		
j'	**acquiers**	j'	**ai**	**acquis**
tu	**acquiers**	tu	**as**	**acquis**
il/elle	**acquiert**	il/elle	**a**	**acquis**
nous	**acquérons**	nous	**avons**	**acquis**
vous	**acquérez**	vous	**avez**	**acquis**
ils/elles	**acquièrent**	ils/elles	**ont**	**acquis**

imparfait		plus-que-parfait		
j'	**acquérais**	j'	**avais**	**acquis**
tu	**acquérais**	tu	**avais**	**acquis**
il/elle	**acquérait**	il/elle	**avait**	**acquis**
nous	**acquérions**	nous	**avions**	**acquis**
vous	**acquériez**	vous	**aviez**	**acquis**
ils/elles	**acquéraient**	ils/elles	**avaient**	**acquis**

futur simple		futur antérieur		
j'	**acquerrai**	j'	**aurai**	**acquis**
tu	**acquerras**	tu	**auras**	**acquis**
il/elle	**acquerra**	il/elle	**aura**	**acquis**
nous	**acquerrons**	nous	**aurons**	**acquis**
vous	**acquerrez**	vous	**aurez**	**acquis**
ils/elles	**acquerront**	ils/elles	**auront**	**acquis**

passé simple		passé antérieur		
j'	**acquis**	j'	**eus**	**acquis**
tu	**acquis**	tu	**eus**	**acquis**
il/elle	**acquit**	il/elle	**eut**	**acquis**
nous	**acquîmes**	nous	**eûmes**	**acquis**
vous	**acquîtes**	vous	**eûtes**	**acquis**
ils/elles	**acquirent**	ils/elles	**eurent**	**acquis**

Conditionnel

présent		passé		
j'	**acquerrais**	j'	**aurais**	**acquis**
tu	**acquerrais**	tu	**aurais**	**acquis**
il/elle	**acquerrait**	il/elle	**aurait**	**acquis**
nous	**acquerrions**	nous	**aurions**	**acquis**
vous	**acquerriez**	vous	**auriez**	**acquis**
ils/elles	**acquerraient**	ils/elles	**auraient**	**acquis**

ACQUÉRIR 44

Infinitif

présent	passé	
acquérir	**avoir**	**acquis**

Participe

présent	passé	
acquérant	**acquis/ise,**	**acquis/ises**
	ayant	**acquis**

Impératif

présent	passé	
acquiers	**aie**	**acquis**
acquérons	**ayons**	**acquis**
acquérez	**ayez**	**acquis**

Subjonctif

présent		passé		
que j'	**acquière**	que j'	**aie**	**acquis**
que tu	**acquières**	que tu	**aies**	**acquis**
qu'il/elle	**acquière**	qu'il/elle	**ait**	**acquis**
que nous	**acquérions**	que nous	**ayons**	**acquis**
que vous	**acquériez**	que vous	**ayez**	**acquis**
qu'ils/elles	**acquièrent**	qu'ils/elles	**aient**	**acquis**

imparfait		plus-que-parfait		
que j'	**acquisse**	que j'	**eusse**	**acquis**
que tu	**acquisses**	que tu	**eusses**	**acquis**
qu'il/elle	**acquît**	qu'il/elle	**eût**	**acquis**
que nous	**acquissions**	que nous	**eussions**	**acquis**
que vous	**acquissiez**	que vous	**eussiez**	**acquis**
qu'ils/elles	**acquissent**	qu'ils/elles	**eussent**	**acquis**

45 OUVRIR

3e groupe

Indicatif

présent		passé composé		
j'	**ouvre**	j'	**ai**	**ouvert**
tu	**ouvres**	tu	**as**	**ouvert**
il/elle	**ouvre**	il/elle	**a**	**ouvert**
nous	**ouvrons**	nous	**avons**	**ouvert**
vous	**ouvrez**	vous	**avez**	**ouvert**
ils/elles	**ouvrent**	ils/elles	**ont**	**ouvert**
imparfait		**plus-que-parfait**		
j'	**ouvrais**	j'	**avais**	**ouvert**
tu	**ouvrais**	tu	**avais**	**ouvert**
il/elle	**ouvrait**	il/elle	**avait**	**ouvert**
nous	**ouvrions**	nous	**avions**	**ouvert**
vous	**ouvriez**	vous	**aviez**	**ouvert**
ils/elles	**ouvraient**	ils/elles	**avaient**	**ouvert**
futur simple		**futur antérieur**		
j'	**ouvrirai**	j'	**aurai**	**ouvert**
tu	**ouvriras**	tu	**auras**	**ouvert**
il/elle	**ouvrira**	il/elle	**aura**	**ouvert**
nous	**ouvrirons**	nous	**aurons**	**ouvert**
vous	**ouvrirez**	vous	**aurez**	**ouvert**
ils/elles	**ouvriront**	ils/elles	**auront**	**ouvert**
passé simple		**passé antérieur**		
j'	**ouvris**	j'	**eus**	**ouvert**
tu	**ouvris**	tu	**eus**	**ouvert**
il/elle	**ouvrit**	il/elle	**eut**	**ouvert**
nous	**ouvrîmes**	nous	**eûmes**	**ouvert**
vous	**ouvrîtes**	vous	**eûtes**	**ouvert**
ils/elles	**ouvrirent**	ils/elles	**eurent**	**ouvert**

Conditionnel

présent		passé		
j'	**ouvrirais**	j'	**aurais**	**ouvert**
tu	**ouvrirais**	tu	**aurais**	**ouvert**
il/elle	**ouvrirait**	il/elle	**aurait**	**ouvert**
nous	**ouvririons**	nous	**aurions**	**ouvert**
vous	**ouvririez**	vous	**auriez**	**ouvert**
ils/elles	**ouvriraient**	ils/elles	**auraient**	**ouvert**

OUVRIR 45

Infinitif

présent	passé	
ouvrir	avoir	ouvert

Participe

présent	passé	
ouvrant	ouvert/te,	ouverts/tes
	ayant	ouvert

Impératif

présent	passé	
ouvre	aie	ouvert
ouvrons	ayons	ouvert
ouvrez	ayez	ouvert

Subjonctif

présent		passé		
que j'	ouvre	que j'	aie	ouvert
que tu	ouvres	que tu	aies	ouvert
qu'il/elle	ouvre	qu'il/elle	ait	ouvert
que nous	ouvrions	que nous	ayons	ouvert
que vous	ouvriez	que vous	ayez	ouvert
qu'ils/elles	ouvrent	qu'ils/elles	aient	ouvert

imparfait		plus-que-parfait		
que j'	ouvrisse	que j'	eusse	ouvert
que tu	ouvrisses	que tu	eusses	ouvert
qu'il/elle	ouvrît	qu'il/elle	eût	ouvert
que nous	ouvrissions	que nous	eussions	ouvert
que vous	ouvrissiez	que vous	eussiez	ouvert
qu'ils/elles	ouvrissent	qu'ils/elles	eussent	ouvert

46 CUEILLIR

3e groupe

Indicatif

présent		passé composé		
je	**cueille**	j'	**ai**	**cueilli**
tu	**cueilles**	tu	**as**	**cueilli**
il/elle	**cueille**	il/elle	**a**	**cueilli**
nous	**cueillons**	nous	**avons**	**cueilli**
vous	**cueillez**	vous	**avez**	**cueilli**
ils/elles	**cueillent**	ils/elles	**ont**	**cueilli**
imparfait		**plus-que-parfait**		
je	**cueillais**	j'	**avais**	**cueilli**
tu	**cueillais**	tu	**avais**	**cueilli**
il/elle	**cueillait**	il/elle	**avait**	**cueilli**
nous	**cueillions**	nous	**avions**	**cueilli**
vous	**cueilliez**	vous	**aviez**	**cueilli**
ils/elles	**cueillaient**	ils/elles	**avaient**	**cueilli**
futur simple		**futur antérieur**		
je	**cueillerai**	j'	**aurai**	**cueilli**
tu	**cueilleras**	tu	**auras**	**cueilli**
il/elle	**cueillera**	il/elle	**aura**	**cueilli**
nous	**cueillerons**	nous	**aurons**	**cueilli**
vous	**cueillerez**	vous	**aurez**	**cueilli**
ils/elles	**cueilleront**	ils/elles	**auront**	**cueilli**
passé simple		**passé antérieur**		
je	**cueillis**	j'	**eus**	**cueilli**
tu	**cueillis**	tu	**eus**	**cueilli**
il/elle	**cueillit**	il/elle	**eut**	**cueilli**
nous	**cueillîmes**	nous	**eûmes**	**cueilli**
vous	**cueillîtes**	vous	**eûtes**	**cueilli**
ils/elles	**cueillirent**	ils/elles	**eurent**	**cueilli**

Conditionnel

présent		passé		
je	**cueillerais**	j'	**aurais**	**cueilli**
tu	**cueillerais**	tu	**aurais**	**cueilli**
il/elle	**cueillerait**	il/elle	**aurait**	**cueilli**
nous	**cueillerions**	nous	**aurions**	**cueilli**
vous	**cueilleriez**	vous	**auriez**	**cueilli**
ils/elles	**cueilleraient**	ils/elles	**auraient**	**cueilli**

CUEILLIR 46

Infinitif

présent	passé	
cueillir	**avoir**	**cueilli**

Participe

présent	passé	
cueillant	**cueilli/ie,**	**cueillis/ies**
	ayant	**cueilli**

Impératif

présent	passé	
cueille	**aie**	**cueilli**
cueillons	**ayons**	**cueilli**
cueillez	**ayez**	**cueilli**

Subjonctif

présent		passé		
que je	**cueille**	que j'	**aie**	**cueilli**
que tu	**cueilles**	que tu	**aies**	**cueilli**
qu'il/elle	**cueille**	qu'il/elle	**ait**	**cueilli**
que nous	**cueillions**	que nous	**ayons**	**cueilli**
que vous	**cueilliez**	que vous	**ayez**	**cueilli**
qu'ils/elles	**cueillent**	qu'ils/elles	**aient**	**cueilli**

imparfait		plus-que-parfait		
que je	**cueillisse**	que j'	**eusse**	**cueilli**
que tu	**cueillisses**	que tu	**eusses**	**cueilli**
qu'il/elle	**cueillît**	qu'il/elle	**eût**	**cueilli**
que nous	**cueillissions**	que nous	**eussions**	**cueilli**
que vous	**cueillissiez**	que vous	**eussiez**	**cueilli**
qu'ils/elles	**cueillissent**	qu'ils/elles	**eussent**	**cueilli**

47 DÉFAILLIR

3e groupe

Indicatif

présent		passé composé		
je	**défaille**	j'	**ai**	**défailli**
tu	**défailles**	tu	**as**	**défailli**
il/elle	**défaille**	il/elle	**a**	**défailli**
nous	**défaillons**	nous	**avons**	**défailli**
vous	**défaillez**	vous	**avez**	**défailli**
ils/elles	**défaillent**	ils/elles	**ont**	**défailli**
imparfait		**plus-que-parfait**		
je	**défaillais**	j'	**avais**	**défailli**
tu	**défaillais**	tu	**avais**	**défailli**
il/elle	**défaillait**	il/elle	**avait**	**défailli**
nous	**défaillions**	nous	**avions**	**défailli**
vous	**défailliez**	vous	**aviez**	**défailli**
ils/elles	**défaillaient**	ils/elles	**avaient**	**défailli**
futur simple		**futur antérieur**		
je	**défaillirai**	j'	**aurai**	**défailli**
tu	**défailliras**	tu	**auras**	**défailli**
il/elle	**défaillira**	il/elle	**aura**	**défailli**
nous	**défaillirons**	nous	**aurons**	**défailli**
vous	**défaillirez**	vous	**aurez**	**défailli**
ils/elles	**défailliront**	ils/elles	**auront**	**défailli**
passé simple		**passé antérieur**		
je	**défaillis**	j'	**eus**	**défailli**
tu	**défaillis**	tu	**eus**	**défailli**
il/elle	**défaillit**	il/elle	**eut**	**défailli**
nous	**défaillîmes**	nous	**eûmes**	**défailli**
vous	**défaillîtes**	vous	**eûtes**	**défailli**
ils/elles	**défaillirent**	ils/elles	**eurent**	**défailli**

Conditionnel

présent		passé		
je	**défaillirais**	j'	**aurais**	**défailli**
tu	**défaillirais**	tu	**aurais**	**défailli**
il/elle	**défaillirait**	il/elle	**aurait**	**défailli**
nous	**défaillirions**	nous	**aurions**	**défailli**
vous	**défailliriez**	vous	**auriez**	**défailli**
ils/elles	**défailliraient**	ils/elles	**auraient**	**défailli**

DÉFAILLIR 47

Infinitif

présent	passé	
défaillir	**avoir**	**défailli**

Participe

présent	passé	
défaillant	**défailli**	
	ayant	**défailli**

Impératif

présent	passé	
défaille	**aie**	**défailli**
défaillons	**ayons**	**défailli**
défaillez	**ayez**	**défailli**

Subjonctif

présent		passé		
que je	**défaille**	que j'	**aie**	**défailli**
que tu	**défailles**	que tu	**aies**	**défailli**
qu'il/elle	**défaille**	qu'il/elle	**ait**	**défailli**
que nous	**défaillions**	que nous	**ayons**	**défailli**
que vous	**défailliez**	que vous	**ayez**	**défailli**
qu'ils/elles	**défaillent**	qu'ils/elles	**aient**	**défailli**

imparfait		plus-que-parfait		
que je	**défaillisse**	que j'	**eusse**	**défailli**
que tu	**défaillisses**	que tu	**eusses**	**défailli**
qu'il/elle	**défaillît**	qu'il/elle	**eût**	**défailli**
que nous	**défaillissions**	que nous	**eussions**	**défailli**
que vous	**défaillissiez**	que vous	**eussiez**	**défailli**
qu'ils/elles	**défaillissent**	qu'ils/elles	**eussent**	**défailli**

48 OUÏR

3e groupe

Indicatif

présent		passé composé		
j'	**ouïs/ois**	j'	**ai**	**ouï**
tu	**ouïs/ois**	tu	**as**	**ouï**
il/elle	**ouït/oit**	il/elle	**a**	**ouï**
nous	**ouïssons/oyons**	nous	**avons**	**ouï**
vous	**ouïssez/oyez**	vous	**avez**	**ouï**
ils/elles	**ouïssent/oient**	ils/elles	**ont**	**ouï**

imparfait		plus-que-parfait		
j'	**ouïssais/oyais**	j'	**avais**	**ouï**
tu	**ouïssais/oyais**	tu	**avais**	**ouï**
il/elle	**ouïssait/oyait**	il/elle	**avait**	**ouï**
nous	**ouïssions/oyions**	nous	**avions**	**ouï**
vous	**ouïssiez/oyiez**	vous	**aviez**	**ouï**
ils/elles	**ouïssaient/oyaient**	ils/elles	**avaient**	**ouï**

futur simple		futur antérieur		
j'	**ouïrai/orrai**	j'	**aurai**	**ouï**
tu	**ouïras/orras**	tu	**auras**	**ouï**
il/elle	**ouïra/orra**	il/elle	**aura**	**ouï**
nous	**ouïrons/orrons**	nous	**aurons**	**ouï**
vous	**ouïrez/orrez**	vous	**aurez**	**ouï**
ils/elles	**ouïront/orront**	ils/elles	**auront**	**ouï**

passé simple		passé antérieur		
j'	**ouïs**	j'	**eus**	**ouï**
tu	**ouïs**	tu	**eus**	**ouï**
il/elle	**ouït**	il/elle	**eut**	**ouï**
nous	**ouïmes**	nous	**eûmes**	**ouï**
vous	**ouïtes**	vous	**eûtes**	**ouï**
ils/elles	**ouïrent**	ils/elles	**eurent**	**ouï**

Conditionnel

présent		passé		
j'	**ouïrais/orrais**	j'	**aurais**	**ouï**
tu	**ouïrais/orrais**	tu	**aurais**	**ouï**
il/elle	**ouïrait/orrait**	il/elle	**aurait**	**ouï**
nous	**ouïrions/orrions**	nous	**aurions**	**ouï**
vous	**ouïriez/orriez**	vous	**auriez**	**ouï**
ils/elles	**ouïraient/orraient**	ils/elles	**auraient**	**ouï**

OUÏR 48

Infinitif

présent	passé	
ouïr	**avoir**	**ouï**

Participe

présent	passé	
oyant	**ouï/ïe,**	**ouïs/ïes**
	ayant	**ouï**

Impératif

présent	passé	
ouïs/ois	**aie**	**ouï**
ouïssons/oyons	**ayons**	**ouï**
ouïssez/oyez	**ayez**	**ouï**

Subjonctif

présent		passé		
que j'	**ouïsse/oie**	que j'	**aie**	**ouï**
que tu	**ouïsses/oies**	que tu	**aies**	**ouï**
qu'il/elle	**ouïsse/oie**	qu'il/elle	**ait**	**ouï**
que nous	**ouïssions/oyions**	que nous	**ayons**	**ouï**
que vous	**ouïssiez/oyiez**	que vous	**ayez**	**ouï**
qu'ils/elles	**ouïssent/oient**	qu'ils/elles	**aient**	**ouï**

imparfait		plus-que-parfait		
que j'	**ouïsse**	que j'	**eusse**	**ouï**
que tu	**ouïsses**	que tu	**eusses**	**ouï**
qu'il/elle	**ouït**	qu'il/elle	**eût**	**ouï**
que nous	**ouïssions**	que nous	**eussions**	**ouï**
que vous	**ouïssiez**	que vous	**eussiez**	**ouï**
qu'ils/elles	**ouïssent**	qu'ils/elles	**eussent**	**ouï**

49 GÉSIR

3e groupe

Indicatif

présent

je	**gis**
tu	**gis**
il/elle	**gît**
nous	**gisons**
vous	**gisez**
ils/elles	**gisent**

passé composé

inusité

imparfait

je	**gisais**
tu	**gisais**
il/elle	**gisait**
nous	**gisions**
vous	**gisiez**
ils/elles	**gisaient**

futur antérieur

inusité

futur simple

inusité

passé antérieur

inusité

passé simple

inusité

Conditionnel

présent

inusité

passé

inusité

Infinitif

présent	passé
gésir	*inusité*

Participe

présent	passé
gisant	*inusité*

Impératif

présent	passé
inusité	*inusité*

Subjonctif

présent	passé
inusité	*inusité*

imparfait	plus-que-parfait
inusité	*inusité*

50 SAILLIR

3e groupe

Indicatif

présent			passé composé		
il/elle	**saille**		il/elle	**a**	**sailli**
ils/elles	**saillent**		ils/elles	**ont**	**sailli**

imparfait			plus-que-parfait		
il/elle	**saillait**		il/elle	**avait**	**sailli**
ils/elles	**saillaient**		ils/elles	**avaient**	**sailli**

futur simple			futur antérieur		
il/elle	**saillera**		il/elle	**aura**	**sailli**
ils/elles	**sailleront**		ils/elles	**auront**	**sailli**

passé simple			passé antérieur		
il/elle	**saillit**		il/elle	**eut**	**sailli**
ils/elles	**saillirent**		ils/elles	**eurent**	**sailli**

Conditionnel

présent			passé		
il/elle	**saillerait**		il/elle	**aurait**	**sailli**
ils/elles	**sailleraient**		ils/elles	**auraient**	**sailli**

Infinitif

présent	passé
saillir	**avoir** **sailli**

Participe

présent	passé
saillant	**sailli** **ayant** **sailli**

Impératif

présent	passé
inusité	*inusité*

Subjonctif

présent		passé		
qu'il/elle	**saille**	qu'il/elle	**ait**	**sailli**
qu'ils/elles	**saillent**	qu'ils/elles	**aient**	**sailli**

imparfait		plus-que-parfait		
qu'il/elle	**saillît**	qu'il/elle	**eût**	**sailli**
qu'ils/elles	**saillissent**	qu'ils/elles	**eussent**	**sailli**

51 RECEVOIR

3e groupe

Indicatif

présent		passé composé		
je	**reçois**	j'	**ai**	**reçu**
tu	**reçois**	tu	**as**	**reçu**
il/elle	**reçoit**	il/elle	**a**	**reçu**
nous	**recevons**	nous	**avons**	**reçu**
vous	**recevez**	vous	**avez**	**reçu**
ils/elles	**reçoivent**	ils/elles	**ont**	**reçu**
imparfait		**plus-que-parfait**		
je	**recevais**	j'	**avais**	**reçu**
tu	**recevais**	tu	**avais**	**reçu**
il/elle	**recevait**	il/elle	**avait**	**reçu**
nous	**recevions**	nous	**avions**	**reçu**
vous	**receviez**	vous	**aviez**	**reçu**
ils/elles	**recevaient**	ils/elles	**avaient**	**reçu**
futur simple		**futur antérieur**		
je	**recevrai**	j'	**aurai**	**reçu**
tu	**recevras**	tu	**auras**	**reçu**
il/elle	**recevra**	il/elle	**aura**	**reçu**
nous	**recevrons**	nous	**aurons**	**reçu**
vous	**recevrez**	vous	**aurez**	**reçu**
ils/elles	**recevront**	ils/elles	**auront**	**reçu**
passé simple		**passé antérieur**		
je	**reçus**	j'	**eus**	**reçu**
tu	**reçus**	tu	**eus**	**reçu**
il/elle	**reçut**	il/elle	**eut**	**reçu**
nous	**reçûmes**	nous	**eûmes**	**reçu**
vous	**reçûtes**	vous	**eûtes**	**reçu**
ils/elles	**reçurent**	ils/elles	**eurent**	**reçu**

Conditionnel

présent		passé		
je	**recevrais**	j'	**aurais**	**reçu**
tu	**recevrais**	tu	**aurais**	**reçu**
il/elle	**recevrait**	il/elle	**aurait**	**reçu**
nous	**recevrions**	nous	**aurions**	**reçu**
vous	**recevriez**	vous	**auriez**	**reçu**
ils/elles	**recevraient**	ils/elles	**auraient**	**reçu**

RECEVOIR 51

Infinitif

présent	passé	
recevoir	**avoir**	**reçu**

Participe

présent	passé	
recevant	**reçu/ue,**	**reçus/ues**
	ayant	**reçu**

Impératif

présent	passé	
reçois	**aie**	**reçu**
recevons	**ayons**	**reçu**
recevez	**ayez**	**reçu**

Subjonctif

présent		passé		
que je	**reçoive**	que j'	**aie**	**reçu**
que tu	**reçoives**	que tu	**aies**	**reçu**
qu'il/elle	**reçoive**	qu'il/elle	**ait**	**reçu**
que nous	**recevions**	que nous	**ayons**	**reçu**
que vous	**receviez**	que vous	**ayez**	**reçu**
qu'ils/elles	**reçoivent**	qu'ils/elles	**aient**	**reçu**

imparfait		plus-que-parfait		
que je	**reçusse**	que j'	**eusse**	**reçu**
que tu	**reçusses**	que tu	**eusses**	**reçu**
qu'il/elle	**reçût**	qu'il/elle	**eût**	**reçu**
que nous	**reçussions**	que nous	**eussions**	**reçu**
que vous	**reçussiez**	que vous	**eussiez**	**reçu**
qu'ils/elles	**reçussent**	qu'ils/elles	**eussent**	**reçu**

VOIR

3e groupe

Indicatif

présent		passé composé		
je	**vois**	j'	**ai**	**vu**
tu	**vois**	tu	**as**	**vu**
il/elle	**voit**	il/elle	**a**	**vu**
nous	**voyons**	nous	**avons**	**vu**
vous	**voyez**	vous	**avez**	**vu**
ils/elles	**voient**	ils/elles	**ont**	**vu**
imparfait		**plus-que-parfait**		
je	**voyais**	j'	**avais**	**vu**
tu	**voyais**	tu	**avais**	**vu**
il/elle	**voyait**	il/elle	**avait**	**vu**
nous	**voyions**	nous	**avions**	**vu**
vous	**voyiez**	vous	**aviez**	**vu**
ils/elles	**voyaient**	ils/elles	**avaient**	**vu**
futur simple		**futur antérieur**		
je	**verrai**	j'	**aurai**	**vu**
tu	**verras**	tu	**auras**	**vu**
il/elle	**verra**	il/elle	**aura**	**vu**
nous	**verrons**	nous	**aurons**	**vu**
vous	**verrez**	vous	**aurez**	**vu**
ils/elles	**verront**	ils/elles	**auront**	**vu**
passé simple		**passé antérieur**		
je	**vis**	j'	**eus**	**vu**
tu	**vis**	tu	**eus**	**vu**
il/elle	**vit**	il/elle	**eut**	**vu**
nous	**vîmes**	nous	**eûmes**	**vu**
vous	**vîtes**	vous	**eûtes**	**vu**
ils/elles	**virent**	ils/elles	**eurent**	**vu**

Conditionnel

présent		passé		
je	**verrais**	j'	**aurais**	**vu**
tu	**verrais**	tu	**aurais**	**vu**
il/elle	**verrait**	il/elle	**aurait**	**vu**
nous	**verrions**	nous	**aurions**	**vu**
vous	**verriez**	vous	**auriez**	**vu**
ils/elles	**verraient**	ils/elles	**auraient**	**vu**

VOIR 52

Infinitif

présent	passé	
voir	avoir	vu

Participe

présent	passé	
voyant	vu/ue,	vus/ues
	ayant	vu

Impératif

présent	passé	
vois	aie	vu
voyons	ayons	vu
voyez	ayez	vu

Subjonctif

présent		passé		
que je	voie	que j'	aie	vu
que tu	voies	que tu	aies	vu
qu'il/elle	voie	qu'il/elle	ait	vu
que nous	voyions	que nous	ayons	vu
que vous	voyiez	que vous	ayez	vu
qu'ils/elles	voient	qu'ils/elles	aient	vu

imparfait		plus-que-parfait		
que je	visse	que j'	eusse	vu
que tu	visses	que tu	eusses	vu
qu'il/elle	vît	qu'il/elle	eût	vu
que nous	vissions	que nous	eussions	vu
que vous	vissiez	que vous	eussiez	vu
qu'ils/elles	vissent	qu'ils/elles	eussent	vu

PRÉVOIR

3e groupe

Indicatif

présent		passé composé		
je	**prévois**	j'	**ai**	**prévu**
tu	**prévois**	tu	**as**	**prévu**
il/elle	**prévoit**	il/elle	**a**	**prévu**
nous	**prévoyons**	nous	**avons**	**prévu**
vous	**prévoyez**	vous	**avez**	**prévu**
ils/elles	**prévoient**	ils/elles	**ont**	**prévu**
imparfait		**plus-que-parfait**		
je	**prévoyais**	j'	**avais**	**prévu**
tu	**prévoyais**	tu	**avais**	**prévu**
il/elle	**prévoyait**	il/elle	**avait**	**prévu**
nous	**prévoyions**	nous	**avions**	**prévu**
vous	**prévoyiez**	vous	**aviez**	**prévu**
ils/elles	**prévoyaient**	ils/elles	**avaient**	**prévu**
futur simple		**futur antérieur**		
je	**prévoirai**	j'	**aurai**	**prévu**
tu	**prévoiras**	tu	**auras**	**prévu**
il/elle	**prévoira**	il/elle	**aura**	**prévu**
nous	**prévoirons**	nous	**aurons**	**prévu**
vous	**prévoirez**	vous	**aurez**	**prévu**
ils/elles	**prévoiront**	ils/elles	**auront**	**prévu**
passé simple		**passé antérieur**		
je	**prévis**	j'	**eus**	**prévu**
tu	**prévis**	tu	**eus**	**prévu**
il/elle	**prévit**	il/elle	**eut**	**prévu**
nous	**prévîmes**	nous	**eûmes**	**prévu**
vous	**prévîtes**	vous	**eûtes**	**prévu**
ils/elles	**prévirent**	ils/elles	**eurent**	**prévu**

Conditionnel

présent		passé		
je	**prévoirais**	j'	**aurais**	**prévu**
tu	**prévoirais**	tu	**aurais**	**prévu**
il/elle	**prévoirait**	il/elle	**aurait**	**prévu**
nous	**prévoirions**	nous	**aurions**	**prévu**
vous	**prévoiriez**	vous	**auriez**	**prévu**
ils/elles	**prévoiraient**	ils/elles	**auraient**	**prévu**

PRÉVOIR 53

Infinitif

présent	passé	
prévoir	avoir	prévu

Participe

présent	passé	
prévoyant	prévu/ue,	prévus/ues
	ayant	prévu

Impératif

présent	passé	
prévois	aie	prévu
prévoyons	ayons	prévu
prévoyez	ayez	prévu

Subjonctif

présent		passé		
que je	prévoie	que j'	aie	prévu
que tu	prévoies	que tu	aies	prévu
qu'il/elle	prévoie	qu'il/elle	ait	prévu
que nous	prévoyions	que nous	ayons	prévu
que vous	prévoyiez	que vous	ayez	prévu
qu'ils/elles	prévoient	qu'ils/elles	aient	prévu

imparfait		plus-que-parfait		
que je	prévisse	que j'	eusse	prévu
que tu	prévisses	que tu	eusses	prévu
qu'il/elle	prévît	qu'il/elle	eût	prévu
que nous	prévissions	que nous	eussions	prévu
que vous	prévissiez	que vous	eussiez	prévu
qu'ils/elles	prévissent	qu'ils/elles	eussent	prévu

54 POURVOIR

3e groupe

Indicatif

présent		passé composé		
je	pourvois	j'	ai	pourvu
tu	pourvois	tu	as	pourvu
il/elle	pourvoit	il/elle	a	pourvu
nous	pourvoyons	nous	avons	pourvu
vous	pourvoyez	vous	avez	pourvu
ils/elles	pourvoient	ils/elles	ont	pourvu
imparfait		**plus-que-parfait**		
je	pourvoyais	j'	avais	pourvu
tu	pourvoyais	tu	avais	pourvu
il/elle	pourvoyait	il/elle	avait	pourvu
nous	pourvoyions	nous	avions	pourvu
vous	pourvoyiez	vous	aviez	pourvu
ils/elles	pourvoyaient	ils/elles	avaient	pourvu
futur simple		**futur antérieur**		
je	pourvoirai	j'	aurai	pourvu
tu	pourvoiras	tu	auras	pourvu
il/elle	pourvoira	il/elle	aura	pourvu
nous	pourvoirons	nous	aurons	pourvu
vous	pourvoirez	vous	aurez	pourvu
ils/elles	pourvoiront	ils/elles	auront	pourvu
passé simple		**passé antérieur**		
je	pourvus	j'	eus	pourvu
tu	pourvus	tu	eus	pourvu
il/elle	pourvut	il/elle	eut	pourvu
nous	pourvûmes	nous	eûmes	pourvu
vous	pourvûtes	vous	eûtes	pourvu
ils/elles	pourvurent	ils/elles	eurent	pourvu

Conditionnel

présent		passé		
je	pourvoirais	j'	aurais	pourvu
tu	pourvoirais	tu	aurais	pourvu
il/elle	pourvoirait	il/elle	aurait	pourvu
nous	pourvoirions	nous	aurions	pourvu
vous	pourvoiriez	vous	auriez	pourvu
ils/elles	pourvoiraient	ils/elles	auraient	pourvu

POURVOIR 54

Infinitif

présent	passé
pourvoir	avoir pourvu

Participe

présent	passé
pourvoyant	pourvu/ue, pourvus/ues
	ayant pourvu

Impératif

présent	passé
pourvois	aie pourvu
pourvoyons	ayons pourvu
pourvoyez	ayez pourvu

Subjonctif

présent		passé		
que je	pourvoie	que j'	aie	pourvu
que tu	pourvoies	que tu	aies	pourvu
qu'il/elle	pourvoie	qu'il/elle	ait	pourvu
que nous	pourvoyions	que nous	ayons	pourvu
que vous	pourvoyiez	que vous	ayez	pourvu
qu'ils/elles	pourvoient	qu'ils/elles	aient	pourvu

imparfait		plus-que-parfait		
que je	pourvusse	que j'	eusse	pourvu
que tu	pourvusses	que tu	eusses	pourvu
qu'il/elle	pourvût	qu'il/elle	eût	pourvu
que nous	pourvussions	que nous	eussions	pourvu
que vous	pourvussiez	que vous	eussiez	pourvu
qu'ils/elles	pourvussent	qu'ils/elles	eussent	pourvu

55 ÉMOUVOIR

3e groupe

Indicatif

présent		passé composé		
j'	**émeus**	j'	**ai**	**ému**
tu	**émeus**	tu	**as**	**ému**
il/elle	**émeut**	il/elle	**a**	**ému**
nous	**émouvons**	nous	**avons**	**ému**
vous	**émouvez**	vous	**avez**	**ému**
ils/elles	**émeuvent**	ils/elles	**ont**	**ému**
imparfait		**plus-que-parfait**		
j'	**émouvais**	j'	**avais**	**ému**
tu	**émouvais**	tu	**avais**	**ému**
il/elle	**émouvait**	il/elle	**avait**	**ému**
nous	**émouvions**	nous	**avions**	**ému**
vous	**émouviez**	vous	**aviez**	**ému**
ils/elles	**émouvaient**	ils/elles	**avaient**	**ému**
futur simple		**futur antérieur**		
j'	**émouvrai**	j'	**aurai**	**ému**
tu	**émouvras**	tu	**auras**	**ému**
il/elle	**émouvra**	il/elle	**aura**	**ému**
nous	**émouvrons**	nous	**aurons**	**ému**
vous	**émouvrez**	vous	**aurez**	**ému**
ils/elles	**émouvront**	ils/elles	**auront**	**ému**
passé simple		**passé antérieur**		
j'	**émus**	j'	**eus**	**ému**
tu	**émus**	tu	**eus**	**ému**
il/elle	**émut**	il/elle	**eut**	**ému**
nous	**émûmes**	nous	**eûmes**	**ému**
vous	**émûtes**	vous	**eûtes**	**ému**
ils/elles	**émurent**	ils/elles	**eurent**	**ému**

Conditionnel

présent		passé		
j'	**émouvrais**	j'	**aurais**	**ému**
tu	**émouvrais**	tu	**aurais**	**ému**
il/elle	**émouvrait**	il/elle	**aurait**	**ému**
nous	**émouvrions**	nous	**aurions**	**ému**
vous	**émouvriez**	vous	**auriez**	**ému**
ils/elles	**émouvraient**	ils/elles	**auraient**	**ému**

ÉMOUVOIR 55

Infinitif

présent	passé	
émouvoir	**avoir**	**ému**

Participe

présent	passé	
émouvant	**ému/ue,**	**émus/ues**
	ayant	**ému**

Impératif

présent	passé	
émeus	**aie**	**ému**
émouvons	**ayons**	**ému**
émouvez	**ayez**	**ému**

Subjonctif

présent		passé		
que j'	**émeuve**	que j'	**aie**	**ému**
que tu	**émeuves**	que tu	**aies**	**ému**
qu'il/elle	**émeuve**	qu'il/elle	**ait**	**ému**
que nous	**émouvions**	que nous	**ayons**	**ému**
que vous	**émouviez**	que vous	**ayez**	**ému**
qu'ils/elles	**émeuvent**	qu'ils/elles	**aient**	**ému**

imparfait		plus-que-parfait		
que j'	**émusse**	que j'	**eusse**	**ému**
que tu	**émusses**	que tu	**eusses**	**ému**
qu'il/elle	**émût**	qu'il/elle	**eût**	**ému**
que nous	**émussions**	que nous	**eussions**	**ému**
que vous	**émussiez**	que vous	**eussiez**	**ému**
qu'ils/elles	**émussent**	qu'ils/elles	**eussent**	**ému**

56 VALOIR

3e groupe

Indicatif

présent		passé composé		
je	**vaux**	j'	**ai**	**valu**
tu	**vaux**	tu	**as**	**valu**
il/elle	**vaut**	il/elle	**a**	**valu**
nous	**valons**	nous	**avons**	**valu**
vous	**valez**	vous	**avez**	**valu**
ils/elles	**valent**	ils/elles	**ont**	**valu**

imparfait		plus-que-parfait		
je	**valais**	j'	**avais**	**valu**
tu	**valais**	tu	**avais**	**valu**
il/elle	**valait**	il/elle	**avait**	**valu**
nous	**valions**	nous	**avions**	**valu**
vous	**valiez**	vous	**aviez**	**valu**
ils/elles	**valaient**	ils/elles	**avaient**	**valu**

futur simple		futur antérieur		
je	**vaudrai**	j'	**aurai**	**valu**
tu	**vaudras**	tu	**auras**	**valu**
il/elle	**vaudra**	il/elle	**aura**	**valu**
nous	**vaudrons**	nous	**aurons**	**valu**
vous	**vaudrez**	vous	**aurez**	**valu**
ils/elles	**vaudront**	ils/elles	**auront**	**valu**

passé simple		passé antérieur		
je	**valus**	j'	**eus**	**valu**
tu	**valus**	tu	**eus**	**valu**
il/elle	**valut**	il/elle	**eut**	**valu**
nous	**valûmes**	nous	**eûmes**	**valu**
vous	**valûtes**	vous	**eûtes**	**valu**
ils/elles	**valurent**	ils/elles	**eurent**	**valu**

Conditionnel

présent		passé		
je	**vaudrais**	j'	**aurais**	**valu**
tu	**vaudrais**	tu	**aurais**	**valu**
il/elle	**vaudrait**	il/elle	**aurait**	**valu**
nous	**vaudrions**	nous	**aurions**	**valu**
vous	**vaudriez**	vous	**auriez**	**valu**
ils/elles	**vaudraient**	ils/elles	**auraient**	**valu**

VALOIR 56

Infinitif

présent	passé	
valoir	**avoir**	**valu**

Participe

présent	passé	
valant	**valu/ue,**	**valus/ues**
	ayant	**valu**

Impératif

présent	passé	
vaux	**aie**	**valu**
valons	**ayons**	**valu**
valez	**ayez**	**valu**

Subjonctif

présent		passé		
que je	**vaille**	que j'	**aie**	**valu**
que tu	**vailles**	que tu	**aies**	**valu**
qu'il/elle	**vaille**	qu'il/elle	**ait**	**valu**
que nous	**valions**	que nous	**ayons**	**valu**
que vous	**valiez**	que vous	**ayez**	**valu**
qu'ils/elles	**vaillent**	qu'ils/elles	**aient**	**valu**

imparfait		plus-que-parfait		
que je	**valusse**	que j'	**eusse**	**valu**
que tu	**valusses**	que tu	**eusses**	**valu**
qu'il/elle	**valût**	qu'il/elle	**eût**	**valu**
que nous	**valussions**	que nous	**eussions**	**valu**
que vous	**valussiez**	que vous	**eussiez**	**valu**
qu'ils/elles	**valussent**	qu'ils/elles	**eussent**	**valu**

57 PRÉVALOIR

3e groupe

Indicatif

présent		passé composé		
je	prévaux	j'	ai	prévalu
tu	prévaux	tu	as	prévalu
il/elle	prévaut	il/elle	a	prévalu
nous	prévalons	nous	avons	prévalu
vous	prévalez	vous	avez	prévalu
ils/elles	prévalent	ils/elles	ont	prévalu
imparfait		**plus-que-parfait**		
je	prévalais	j'	avais	prévalu
tu	prévalais	tu	avais	prévalu
il/elle	prévalait	il/elle	avait	prévalu
nous	prévalions	nous	avions	prévalu
vous	prévaliez	vous	aviez	prévalu
ils/elles	prévalaient	ils/elles	avaient	prévalu
futur simple		**futur antérieur**		
je	prévaudrai	j'	aurai	prévalu
tu	prévaudras	tu	auras	prévalu
il/elle	prévaudra	il/elle	aura	prévalu
nous	prévaudrons	nous	aurons	prévalu
vous	prévaudrez	vous	aurez	prévalu
ils/elles	prévaudront	ils/elles	auront	prévalu
passé simple		**passé antérieur**		
je	prévalus	j'	eus	prévalu
tu	prévalus	tu	eus	prévalu
il/elle	prévalut	il/elle	eut	prévalu
nous	prévalûmes	nous	eûmes	prévalu
vous	prévalûtes	vous	eûtes	prévalu
ils/elles	prévalurent	ils/elles	eurent	prévalu

Conditionnel

présent		passé		
je	prévaudrais	j'	aurais	prévalu
tu	prévaudrais	tu	aurais	prévalu
il/elle	prévaudrait	il/elle	aurait	prévalu
nous	prévaudrions	nous	aurions	prévalu
vous	prévaudriez	vous	auriez	prévalu
ils/elles	prévaudraient	ils/elles	auraient	prévalu

PRÉVALOIR 57

Infinitif

présent	passé	
prévaloir	avoir	prévalu

Participe

présent	passé	
prévalant	prévalu/ue,	prévalus/ues
	ayant	prévalu

Impératif

présent	passé	
prévaux	aie	prévalu
prévalons	ayons	prévalu
prévalez	ayez	prévalu

Subjonctif

présent		passé		
que je	prévale	que j'	aie	prévalu
que tu	prévales	que tu	aies	prévalu
qu'il/elle	prévale	qu'il/elle	ait	prévalu
que nous	prévalions	que nous	ayons	prévalu
que vous	prévaliez	que vous	ayez	prévalu
qu'ils/elles	prévalent	qu'ils/elles	aient	prévalu

imparfait		plus-que-parfait		
que je	prévalusse	que j'	eusse	prévalu
que tu	prévalusses	que tu	eusses	prévalu
qu'il/elle	prévalût	qu'il/elle	eût	prévalu
que nous	prévalussions	que nous	eussions	prévalu
que vous	prévalussiez	que vous	eussiez	prévalu
qu'ils/elles	prévalussent	qu'ils/elles	eussent	prévalu

58 S'ASSEOIR (1)

3e groupe

Indicatif

présent		passé composé		
je m'	assieds	je me	suis	assis/se
tu t'	assieds	tu t'	es	assis/se
il/elle s'	assied	il/elle s'	est	assis/se
nous nous	asseyons	nous nous	sommes	assis/ses
vous vous	asseyez	vous vous	êtes	assis/ses
ils/elles s'	asseyent	ils/elles se	sont	assis/ses
imparfait		**plus-que-parfait**		
je m'	asseyais	je m'	étais	assis/se
tu t'	asseyais	tu t'	étais	assis/se
il/elle s'	asseyait	il/elle s'	était	assis/se
nous nous	asseyions	nous nous	étions	assis/ses
vous vous	asseyiez	vous vous	étiez	assis/ses
ils/elles s'	asseyaient	ils/elles s'	étaient	assis/ses
futur simple		**futur antérieur**		
je m'	assiérai	je me	serai	assis/se
tu t'	assiéras	tu te	seras	assis/se
il/elle s'	assiéra	il/elle se	sera	assis/se
nous nous	assiérons	nous nous	serons	assis/ses
vous vous	assiérez	vous vous	serez	assis/ses
ils/elles s'	assiéront	ils/elles se	seront	assis/ses
passé simple		**passé antérieur**		
je m'	assis	je me	fus	assis/se
tu t'	assis	tu te	fus	assis/se
il/elle s'	assit	il/elle se	fut	assis/se
nous nous	assîmes	nous nous	fûmes	assis/ses
vous vous	assîtes	vous vous	fûtes	assis/ses
ils/elles s'	assirent	ils/elles se	furent	assis/ses

Conditionnel

présent		passé		
je m'	assiérais	je me	serais	assis/se
tu t'	assiérais	tu te	serais	assis/se
il/elle s'	assiérait	il/elle se	serait	assis/se
nous nous	assiérions	nous nous	serions	assis/ses
vous vous	assiériez	vous vous	seriez	assis/ses
ils/elles s'	assiéraient	ils/elles se	seraient	assis/ses

S'ASSEOIR (1) 58

Infinitif

présent	passé	
s'asseoir	s'être	assis/ise, assis/ises

Participe

présent	passé	
s'asseyant	assis/ise,	assis/ises
	s'étant	assis/ise/is/ises

Impératif

présent	passé
assieds-toi	*inusité*
asseyons-nous	
asseyez-vous	

Subjonctif

présent		passé		
que je m'	asseye	que je me	sois	assis/se
que tu t'	asseyes	que tu te	sois	assis/se
qu'il/elle s'	asseye	qu'il/elle se	soit	assis/se
que nous nous	asseyions	que nous nous	soyons	assis/ses
que vous vous	asseyiez	que vous vous	soyez	assis/ses
qu'ils/elles s'	asseyent	qu'ils/elles se	soient	assis/ses

imparfait		plus-que-parfait		
que je m'	assisse	que je me	fusse	assis/se
que tu t'	assisses	que tu te	fusses	assis/se
qu'il/elle s'	assît	qu'il/elle se	fût	assis/se
que nous nous	assissions	que nous nous	fussions	assis/ses
que vous vous	assissiez	que vous vous	fussiez	assis/ses
qu'ils/elle s'	assissent	qu'ils/elles se	fussent	assis/ses

Indicatif

présent		passé composé		
je m'	**assois**	je me	**suis**	**assis/se**
tu t'	**assois**	tu t'	**es**	**assis/se**
il/elle s'	**assoit**	il/elle s'	**est**	**assis/se**
nous nous	**assoyons**	nous nous	**sommes**	**assis/ses**
vous vous	**assoyez**	vous vous	**êtes**	**assis/ses**
ils/elles s'	**assoient**	ils/elles se	**sont**	**assis/ses**
imparfait		**plus-que-parfait**		
je m'	**assoyais**	je m'	**étais**	**assis/se**
tu t'	**assoyais**	tu t'	**étais**	**assis/se**
il/elle s'	**assoyait**	il/elle s'	**était**	**assis/se**
nous nous	**assoyions**	nous nous	**étions**	**assis/ses**
vous vous	**assoyiez**	vous vous	**étiez**	**assis/ses**
ils/elles s'	**assoyaient**	ils/elles s'	**étaient**	**assis/ses**
futur simple		**futur antérieur**		
je m'	**assoirai**	je me	**serai**	**assis/se**
tu t'	**assoiras**	tu te	**seras**	**assis/se**
il/elle s'	**assoira**	il/elle se	**sera**	**assis/se**
nous nous	**assoirons**	nous nous	**serons**	**assis/ses**
vous vous	**assoirez**	vous vous	**serez**	**assis/ses**
ils/elles s'	**assoiront**	ils/elles se	**seront**	**assis/ses**
passé simple		**passé antérieur**		
je m'	**assis**	je me	**fus**	**assis/se**
tu t'	**assis**	tu te	**fus**	**assis/se**
il/elle s'	**assit**	il/elle se	**fut**	**assis/se**
nous nous	**assîmes**	nous nous	**fûmes**	**assis/ses**
vous vous	**assîtes**	vous vous	**fûtes**	**assis/ses**
ils/elles s'	**assirent**	ils/elles se	**furent**	**assis/ses**

Conditionnel

présent		passé		
je m'	**assoirais**	je me	**serais**	**assis/se**
tu t'	**assoirais**	tu te	**serais**	**assis/se**
il/elle s'	**assoirait**	il/elle se	**serait**	**assis/se**
nous nous	**assoirions**	nous nous	**serions**	**assis/ses**
vous vous	**assoiriez**	vous vous	**seriez**	**assis/ses**
ils/elles s'	**assoiraient**	ils/elles se	**seraient**	**assis/ses**

S'ASSEOIR (2) 59

Infinitif

présent	passé	
s'asseoir	s'être	assis/ise, assis/ises

Participe

présent	passé	
s'assoyant	assis/ise,	assis/ises
	s'étant	assis/ise/is/ises

Impératif

présent	passé
assois-toi	*inusité*
assoyons-nous	
assoyez-vous	

Subjonctif

présent

que je m'	assoie
que tu t'	assoies
qu'il/elle s'	assoie
que nous nous	assoyions
que vous vous	assoyiez
qu'ils/elles s'	assoient

passé

que je me	sois	assis/se
que tu te	sois	assis/se
qu'il/elle se	soit	assis/se
que nous nous	soyons	assis/ses
que vous vous	soyez	assis/ses
qu'ils/elles se	soient	assis/ses

imparfait

que je m'	assisse
que tu t'	assisses
qu'il/elle s'	assît
que nous nous	assissions
que vous vous	assissiez
qu'ils/elles s'	assissent

plus-que-parfait

que je me	fusse	assis/se
que tu te	fusses	assis/se
qu'il/elle se	fût	assis/se
que nous nous	fussions	assis/ses
que vous vous	fussiez	assis/ses
qu'ils/elles se	fussent	assis/ses

60 SURSEOIR

3e groupe

Indicatif

présent		passé composé		
je	sursois	j'	ai	sursis
tu	sursois	tu	as	sursis
il/elle	sursoit	il/elle	a	sursis
nous	sursoyons	nous	avons	sursis
vous	sursoyez	vous	avez	sursis
ils/elles	sursoient	ils/elles	ont	sursis
imparfait		**plus-que-parfait**		
je	sursoyais	j'	avais	sursis
tu	sursoyais	tu	avais	sursis
il/elle	sursoyait	il/elle	avait	sursis
nous	sursoyions	nous	avions	sursis
vous	sursoyiez	vous	aviez	sursis
ils/elles	sursoyaient	ils/elles	avaient	sursis
futur simple		**futur antérieur**		
je	surseoirai	j'	aurai	sursis
tu	surseoiras	tu	auras	sursis
il/elle	surseoira	il/elle	aura	sursis
nous	surseoirons	nous	aurons	sursis
vous	surseoirez	vous	aurez	sursis
ils/elles	surseoiront	ils/elles	auront	sursis
passé simple		**passé antérieur**		
je	sursis	j'	eus	sursis
tu	sursis	tu	eus	sursis
il/elle	sursit	il/elle	eut	sursis
nous	sursîmes	nous	eûmes	sursis
vous	sursîtes	vous	eûtes	sursis
ils/elles	sursirent	ils/elles	eurent	sursis

Conditionnel

présent		passé		
je	surseoirais	j'	aurais	sursis
tu	surseoirais	tu	aurais	sursis
il/elle	surseoirait	il/elle	aurait	sursis
nous	surseoirions	nous	aurions	sursis
vous	surseoiriez	vous	auriez	sursis
ils/elles	surseoiraient	ils/elles	auraient	sursis

SURSEOIR 60

Infinitif

présent	passé	
surseoir	avoir	sursis

Participe

présent	passé	
sursoyant	sursis	
	ayant	sursis

Impératif

présent	passé	
sursois	aie	sursis
sursoyons	ayons	sursis
sursoyez	ayez	sursis

Subjonctif

présent		passé		
que je	sursoie	que j'	aie	sursis
que tu	sursoies	que tu	aies	sursis
qu'il/elle	sursoie	qu'il/elle	ait	sursis
que nous	sursoyions	que nous	ayons	sursis
que vous	sursoyiez	que vous	ayez	sursis
qu'ils/elles	sursoient	qu'ils/elles	aient	sursis

imparfait		plus-que-parfait		
que je	sursisse	que j'	eusse	sursis
que tu	sursisses	que tu	eusses	sursis
qu'il/elle	sursît	qu'il/elle	eût	sursis
que nous	sursissions	que nous	eussions	sursis
que vous	sursissiez	que vous	eussiez	sursis
qu'ils/elles	sursissent	qu'ils/elles	eussent	sursis

61 SEOIR

3e groupe

Indicatif

présent		passé composé
il/elle	**sied**	*inusité*
ils/elles	**siéent**	

imparfait		plus-que-parfait
il/elle	**seyait**	*inusité*
ils/elles	**seyaient**	

futur simple		futur antérieur
il/elle	**siéra**	*inusité*
ils/elles	**siéront**	

passé simple
inusité

passé antérieur
inusité

Conditionnel

présent		passé
il/elle	**siérait**	*inusité*
ils/elles	**siéraient**	

SEOIR 61

Infinitif

présent	passé
seoir	*inusité*

Participe

présent	passé
seyant **séant**	*inusité*

Impératif

présent	passé
inusité	*inusité*

Subjonctif

présent	passé
qu'il/elle **siée** qu'ils/elles **siéent**	*inusité*

imparfait	plus-que-parfait
inusité	*inusité*

62 PLEUVOIR

3e groupe

Indicatif

présent	passé composé
il pleut	il a plu

imparfait	plus-que-parfait
il pleuvait	il avait plu

futur simple	futur antérieur
il pleuvra	il aura plu

passé simple	passé antérieur
il plut	il eut plu

Conditionnel

présent	passé
il pleuvrait	il aurait plu

PLEUVOIR 62

Infinitif

présent	passé
pleuvoir	**avoir plu**

Participe

présent	passé
pleuvant	**plu** **ayant plu**

Impératif

présent	passé
inusité	*inusité*

Subjonctif

présent	passé
qu'il **pleuve**	qu'il **ait plu**

imparfait	plus-que-parfait
qu'il **plût**	qu'il **eût plu**

Indicatif

présent		passé composé		
je	chois	je	suis	chu/ue
tu	chois	tu	es	chu/ue
il/elle	choit	il/elle	est	chu/ue
inusité		nous	sommes	chus/ues
inusité		vous	êtes	chus/ues
ils/elles	choient	ils/elles	sont	chus/ues

imparfait		plus-que-parfait		
inusité		j'	étais	chu/ue
		tu	étais	chu/ue
		il/elle	était	chu/ue
		nous	étions	chus/ues
		vous	étiez	chus/ues
		ils/elles	étaient	chus/ues

futur simple		futur antérieur		
je	choirai/cherrai	je	serai	chu/ue
tu	choiras/cherras	tu	seras	chu/ue
il/elle	choira/cherra	il/elle	sera	chu/ue
nous	choirons/cherrons	nous	serons	chus/ues
vous	choirez/cherrez	vous	serez	chus/ues
ils/elles	choiront/cherront	ils/elles	seront	chus/ues

passé simple		passé antérieur		
je	chus	je	fus	chu/ue
tu	chus	tu	fus	chu/ue
il/elle	chut	il/elle	fut	chu/ue
nous	chûmes	nous	fûmes	chus/ues
vous	chûtes	vous	fûtes	chus/ues
ils/elles	churent	ils/elles	furent	chus/ues

Conditionnel

présent		passé		
je	choirais/cherrais	je	serais	chu/ue
tu	choirais/cherrais	tu	serais	chu/ue
il/elle	choirait/cherrait	il/elle	serait	chu/ue
nous	choirions/cherrions	nous	serions	chus/ues
vous	choiriez/cherriez	vous	seriez	chus/ues
ils/elles	choiraient/cherraient	ils/elles	seraient	chus/ues

CHOIR 63

Infinitif

présent	passé		
choir	être	chu/ue,	chus/ues

Participe

présent	passé	
inusité	chu/ue,	chus/ues
	étant	chu/ue/us/ues

Impératif

présent	passé
inusité	*inusité*

Subjonctif

présent		passé		
inusité		que je	sois	chu/ue
		que tu	sois	chu/ue
		qu'il/elle	soit	chu/ue
		que nous	soyons	chus/ues
		que vous	soyez	chus/ues
		qu'ils/elles	soient	chus/ues

imparfait		plus-que-parfait		
inusité		que je	fusse	chu/ue
inusité		que tu	fusses	chu/ue
qu'il/elle	chût	qu'il/elle	fût	chu/ue
inusité		que nous	fussions	chus/ues
inusité		que vous	fussiez	chus/ues
inusité		qu'ils/elles	fussent	chus/ues

64 ÉCHOIR

3e groupe

Indicatif

présent			passé composé		
il/elle	échoit/échet		il/elle	est	échu/ue
ils/elles	échoient/échéent		ils/elles	sont	échus/ues

imparfait			plus-que-parfait		
il/elle	échoyait/échéait		il/elle	était	échu/ue
ils/elles	échoyaient/échéaient		ils/elles	étaient	échus/ues

futur simple			futur antérieur		
il/elle	échoira/écherra		il/elle	sera	échu/ue
ils/elles	échoiront/écherront		ils/elles	seront	échus/ues

passé simple			passé antérieur		
il/elle	échut		il/elle	fut	échu/ue
ils/elles	échurent		ils/elles	furent	échus/ues

Conditionnel

présent			passé		
il/elle	échoirait/écherrait		il/elle	serait	échu/ue
ils/elles	échoiraient/écherraient		ils/elles	seraient	échus/ues

ÉCHOIR 64

Infinitif

présent	passé	
échoir	être	échu/ue, échus/ues

Participe

présent	passé	
échéant	échu/ue,	échus/ues
	étant	échu/ue/us/ues

Impératif

présent	passé
inusité	*inusité*

Subjonctif

présent

qu'il/elle	échoie/échée
qu'ils/elles	échoient/échéent

passé

qu'il/elle	soit	échu/ue
qu'ils/elles	soient	échus/ues

imparfait

qu'il/elle	échût
qu'ils/elles	échussent

plus-que-parfait

qu'il/elle	fût	échu/ue
qu'ils/elles	fussent	échus/ues

Indicatif

présent		passé composé				
je	déchois	j'	ai	déchu/	suis	déchu/ue
tu	déchois	tu	as	déchu/	es	déchu/ue
il/elle	déchoit	il/elle	a	déchu/	est	déchu/ue
nous	déchoyons	nous	avons	déchu/	sommes	déchus/ues
vous	déchoyez	vous	avez	déchu/	êtes	déchus/ues
ils/elles	déchoient	ils/elles	ont	déchu/	sont	déchus/ues
imparfait		**plus-que-parfait**				
inusité		j'	avais	déchu/	étais	déchu/ue
		tu	avais	déchu/	étais	déchu/ue
		il/elle	avait	déchu/	était	déchu/ue
		nous	avions	déchu/	étions	déchus/ues
		vous	aviez	déchu/	étiez	déchus/ues
		ils/elles	avaient	déchu/	étaient	déchus/ues
futur simple		**futur antérieur**				
je	déchoirai	j'	aurai	déchu/	serai	déchu/ue
tu	déchoiras	tu	auras	déchu/	seras	déchu/ue
il/elle	déchoira	il/elle	aura	déchu/	sera	déchu/ue
nous	déchoirons	nous	aurons	déchu/	serons	déchus/ues
vous	déchoirez	vous	aurez	déchu/	serez	déchus/ues
ils/elles	déchoiront	ils/elles	auront	déchu/	seront	déchus/ues
passé simple		**passé antérieur**				
je	déchus	j'	eus	déchu/	fus	déchu/ue
tu	déchus	tu	eus	déchu/	fus	déchu/ue
il/elle	déchut	il/elle	eut	déchu/	fut	déchu/ue
nous	déchûmes	nous	eûmes	déchu/	fûmes	déchus/ues
vous	déchûtes	vous	eûtes	déchu/	fûtes	déchus/ues
ils/elles	déchurent	ils/elles	eurent	déchu/	furent	déchus/ues

Conditionnel

présent		passé				
je	déchoirais	j'	aurais	déchu/	serais	déchu/ue
tu	déchoirais	tu	aurais	déchu/	serais	déchu/ue
il/elle	déchoirait	il/elle	aurait	déchu/	serait	déchu/ue
nous	déchoirions	nous	aurions	déchu/	serions	déchus/ues
vous	déchoiriez	vous	auriez	déchu/	seriez	déchus/ues
ils/elles	déchoiraient	ils/elles	auraient	déchu/	seraient	déchus/ues

DÉCHOIR 65

Infinitif

présent	passé	
déchoir	avoir déchu/	être déchu/ue, déchus/ues

Participe

présent	passé	
inusité	déchu/ue,	déchus/ues
	ayant déchu/	étant déchu/ue/us/ues

Impératif

présent	passé
inusité	*inusité*

Subjonctif

présent

que je	déchoie
que tu	déchoies
qu'il/elle	déchoie
que nous	déchoyions
que vous	déchoyiez
qu'ils/elles	déchoient

passé

que j'	aie	déchu/	sois	déchu/ue
que tu	aies	déchu/	sois	déchu/ue
qu'il/elle	ait	déchu/	soit	déchu/ue
que nous	ayons	déchu/	soyons	déchus/ues
que vous	ayez	déchu/	soyez	déchus/ues
qu'ils/elles	aient	déchu/	soient	déchus/ues

imparfait

que je	déchusse
que tu	déchusses
qu'il/elle	déchût
que nous	déchussions
que vous	déchussiez
qu'ils/elles	déchussent

plus-que-parfait

que j'	eusse	déchu/	fusse	déchu/ue
que tu	eusses	déchu/	fusses	déchu/ue
qu'il/elle	eût	déchu/	fût	déchu/ue
que nous	eussions	déchu/	fussions	déchus/ues
que vous	eussiez	déchu/	fussiez	déchus/ues
qu'ils/elles	eussent	déchu/	fussent	déchus/ues

66 RENDRE

3e groupe

Indicatif

présent		passé composé		
je	**rends**	j'	**ai**	**rendu**
tu	**rends**	tu	**as**	**rendu**
il/elle	**rend**	il/elle	**a**	**rendu**
nous	**rendons**	nous	**avons**	**rendu**
vous	**rendez**	vous	**avez**	**rendu**
ils/elles	**rendent**	ils/elles	**ont**	**rendu**
imparfait		**plus-que-parfait**		
je	**rendais**	j'	**avais**	**rendu**
tu	**rendais**	tu	**avais**	**rendu**
il/elle	**rendait**	il/elle	**avait**	**rendu**
nous	**rendions**	nous	**avions**	**rendu**
vous	**rendiez**	vous	**aviez**	**rendu**
ils/elles	**rendaient**	ils/elles	**avaient**	**rendu**
futur simple		**futur antérieur**		
je	**rendrai**	j'	**aurai**	**rendu**
tu	**rendras**	tu	**auras**	**rendu**
il/elle	**rendra**	il/elle	**aura**	**rendu**
nous	**rendrons**	nous	**aurons**	**rendu**
vous	**rendrez**	vous	**aurez**	**rendu**
ils/elles	**rendront**	ils/elles	**auront**	**rendu**
passé simple		**passé antérieur**		
je	**rendis**	j'	**eus**	**rendu**
tu	**rendis**	tu	**eus**	**rendu**
il/elle	**rendit**	il/elle	**eut**	**rendu**
nous	**rendîmes**	nous	**eûmes**	**rendu**
vous	**rendîtes**	vous	**eûtes**	**rendu**
ils/elles	**rendirent**	ils/elles	**eurent**	**rendu**

Conditionnel

présent		passé		
je	**rendrais**	j'	**aurais**	**rendu**
tu	**rendrais**	tu	**aurais**	**rendu**
il/elle	**rendrait**	il/elle	**aurait**	**rendu**
nous	**rendrions**	nous	**aurions**	**rendu**
vous	**rendriez**	vous	**auriez**	**rendu**
ils/elles	**rendraient**	ils/elles	**auraient**	**rendu**

RENDRE 66

Infinitif

présent	passé	
rendre	avoir	rendu

Participe

présent	passé	
rendant	rendu/ue,	rendus/ues
	ayant	rendu

Impératif

présent	passé	
rends	aie	rendu
rendons	ayons	rendu
rendez	ayez	rendu

Subjonctif

présent		passé		
que je	rende	que j'	aie	rendu
que tu	rendes	que tu	aies	rendu
qu'il/elle	rende	qu'il/elle	ait	rendu
que nous	rendions	que nous	ayons	rendu
que vous	rendiez	que vous	ayez	rendu
qu'ils/elles	rendent	qu'ils/elles	aient	rendu

imparfait		plus-que-parfait		
que je	rendisse	que j'	eusse	rendu
que tu	rendisses	que tu	eusses	rendu
qu'il/elle	rendît	qu'il/elle	eût	rendu
que nous	rendissions	que nous	eussions	rendu
que vous	rendissiez	que vous	eussiez	rendu
qu'ils/elles	rendissent	qu'ils/elles	eussent	rendu

67 RÉPANDRE

3e groupe

Indicatif

présent

je	**répands**
tu	**répands**
il/elle	**répand**
nous	**répandons**
vous	**répandez**
ils/elles	**répandent**

imparfait

je	**répandais**
tu	**répandais**
il/elle	**répandait**
nous	**répandions**
vous	**répandiez**
ils/elles	**répandaient**

futur simple

je	**répandrai**
tu	**répandras**
il/elle	**répandra**
nous	**répandrons**
vous	**répandrez**
ils/elles	**répandront**

passé simple

je	**répandis**
tu	**répandis**
il/elle	**répandit**
nous	**répandîmes**
vous	**répandîtes**
ils/elles	**répandirent**

passé composé

j'	**ai**	**répandu**
tu	**as**	**répandu**
il/elle	**a**	**répandu**
nous	**avons**	**répandu**
vous	**avez**	**répandu**
ils/elles	**ont**	**répandu**

plus-que-parfait

j'	**avais**	**répandu**
tu	**avais**	**répandu**
il/elle	**avait**	**répandu**
nous	**avions**	**répandu**
vous	**aviez**	**répandu**
ils/elles	**avaient**	**répandu**

futur antérieur

j'	**aurai**	**répandu**
tu	**auras**	**répandu**
il/elle	**aura**	**répandu**
nous	**aurons**	**répandu**
vous	**aurez**	**répandu**
ils/elles	**auront**	**répandu**

passé antérieur

j'	**eus**	**répandu**
tu	**eus**	**répandu**
il/elle	**eut**	**répandu**
nous	**eûmes**	**répandu**
vous	**eûtes**	**répandu**
ils/elles	**eurent**	**répandu**

Conditionnel

présent

je	**répandrais**
tu	**répandrais**
il/elle	**répandrait**
nous	**répandrions**
vous	**répandriez**
ils/elles	**répandraient**

passé

j'	**aurais**	**répandu**
tu	**aurais**	**répandu**
il/elle	**aurait**	**répandu**
nous	**aurions**	**répandu**
vous	**auriez**	**répandu**
ils/elles	**auraient**	**répandu**

RÉPANDRE 67

Infinitif

présent	passé	
répandre	avoir	répandu

Participe

présent	passé	
répandant	répandu/ue,	répandus/ues
	ayant	répandu

Impératif

présent	passé	
répands	aie	répandu
répandons	ayons	répandu
répandez	ayez	répandu

Subjonctif

présent		passé		
que je	répande	que j'	aie	répandu
que tu	répandes	que tu	aies	répandu
qu'il/elle	répande	qu'il/elle	ait	répandu
que nous	répandions	que nous	ayons	répandu
que vous	répandiez	que vous	ayez	répandu
qu'ils/elles	répandent	qu'ils/elles	aient	répandu

imparfait		plus-que-parfait		
que je	répandisse	que j'	eusse	répandu
que tu	répandisses	que tu	eusses	répandu
qu'il/elle	répandît	qu'il/elle	eût	répandu
que nous	répandissions	que nous	eussions	répandu
que vous	répandissiez	que vous	eussiez	répandu
qu'ils/elles	répandissent	qu'ils/elles	eussent	répandu

68 PRENDRE

3e groupe

Indicatif

présent		passé composé		
je	**prends**	j'	**ai**	**pris**
tu	**prends**	tu	**as**	**pris**
il/elle	**prend**	il/elle	**a**	**pris**
nous	**prenons**	nous	**avons**	**pris**
vous	**prenez**	vous	**avez**	**pris**
ils/elles	**prennent**	ils/elles	**ont**	**pris**
imparfait		**plus-que-parfait**		
je	**prenais**	j'	**avais**	**pris**
tu	**prenais**	tu	**avais**	**pris**
il/elle	**prenait**	il/elle	**avait**	**pris**
nous	**prenions**	nous	**avions**	**pris**
vous	**preniez**	vous	**aviez**	**pris**
ils/elles	**prenaient**	ils/elles	**avaient**	**pris**
futur simple		**futur antérieur**		
je	**prendrai**	j'	**aurai**	**pris**
tu	**prendras**	tu	**auras**	**pris**
il/elle	**prendra**	il/elle	**aura**	**pris**
nous	**prendrons**	nous	**aurons**	**pris**
vous	**prendrez**	vous	**aurez**	**pris**
ils/elles	**prendront**	ils/elles	**auront**	**pris**
passé simple		**passé antérieur**		
je	**pris**	j'	**eus**	**pris**
tu	**pris**	tu	**eus**	**pris**
il/elle	**prit**	il/elle	**eut**	**pris**
nous	**prîmes**	nous	**eûmes**	**pris**
vous	**prîtes**	vous	**eûtes**	**pris**
ils/elles	**prirent**	ils/elles	**eurent**	**pris**

Conditionnel

présent		passé		
je	**prendrais**	j'	**aurais**	**pris**
tu	**prendrais**	tu	**aurais**	**pris**
il/elle	**prendrait**	il/elle	**aurait**	**pris**
nous	**prendrions**	nous	**aurions**	**pris**
vous	**prendriez**	vous	**auriez**	**pris**
ils/elles	**prendraient**	ils/elles	**auraient**	**pris**

PRENDRE 68

Infinitif

présent	passé	
prendre	avoir	pris

Participe

présent	passé	
prenant	pris/ise,	pris/ises
	ayant	pris

Impératif

présent	passé	
prends	aie	pris
prenons	ayons	pris
prenez	ayez	pris

Subjonctif

présent		passé		
que je	**prenne**	que j'	**aie**	**pris**
que tu	**prennes**	que tu	**aies**	**pris**
qu'il/elle	**prenne**	qu'il/elle	**ait**	**pris**
que nous	**prenions**	que nous	**ayons**	**pris**
que vous	**preniez**	que vous	**ayez**	**pris**
qu'ils/elles	**prennent**	qu'ils/elles	**aient**	**pris**

imparfait		plus-que-parfait		
que je	**prisse**	que j'	**eusse**	**pris**
que tu	**prisses**	que tu	**eusses**	**pris**
qu'il/elle	**prît**	qu'il/elle	**eût**	**pris**
que nous	**prissions**	que nous	**eussions**	**pris**
que vous	**prissiez**	que vous	**eussiez**	**pris**
qu'ils/elles	**prissent**	qu'ils/elles	**eussent**	**pris**

69 CRAINDRE

3e groupe

Indicatif

présent		passé composé		
je	**crains**	j'	**ai**	**craint**
tu	**crains**	tu	**as**	**craint**
il/elle	**craint**	il/elle	**a**	**craint**
nous	**craignons**	nous	**avons**	**craint**
vous	**craignez**	vous	**avez**	**craint**
ils/elles	**craignent**	ils/elles	**ont**	**craint**
imparfait		**plus-que-parfait**		
je	**craignais**	j'	**avais**	**craint**
tu	**craignais**	tu	**avais**	**craint**
il/elle	**craignait**	il/elle	**avait**	**craint**
nous	**craignions**	nous	**avions**	**craint**
vous	**craigniez**	vous	**aviez**	**craint**
ils/elles	**craignaient**	ils/elles	**avaient**	**craint**
futur simple		**futur antérieur**		
je	**craindrai**	j'	**aurai**	**craint**
tu	**craindras**	tu	**auras**	**craint**
il/elle	**craindra**	il/elle	**aura**	**craint**
nous	**craindrons**	nous	**aurons**	**craint**
vous	**craindrez**	vous	**aurez**	**craint**
ils/elles	**craindront**	ils/elles	**auront**	**craint**
passé simple		**passé antérieur**		
je	**craignis**	j'	**eus**	**craint**
tu	**craignis**	tu	**eus**	**craint**
il/elle	**craignit**	il/elle	**eut**	**craint**
nous	**craignîmes**	nous	**eûmes**	**craint**
vous	**craignîtes**	vous	**eûtes**	**craint**
ils/elles	**craignirent**	ils/elles	**eurent**	**craint**

Conditionnel

présent		passé		
je	**craindrais**	j'	**aurais**	**craint**
tu	**craindrais**	tu	**aurais**	**craint**
il/elle	**craindrait**	il/elle	**aurait**	**craint**
nous	**craindrions**	nous	**aurions**	**craint**
vous	**craindriez**	vous	**auriez**	**craint**
ils/elles	**craindraient**	ils/elles	**auraient**	**craint**

CRAINDRE 69

Infinitif

présent	passé	
craindre	**avoir**	**craint**

Participe

présent	passé	
craignant	**craint/te,**	**craints/tes**
	ayant	**craint**

Impératif

présent	passé	
crains	**aie**	**craint**
craignons	**ayons**	**craint**
craignez	**ayez**	**craint**

Subjonctif

présent		passé		
que je	**craigne**	que j'	**aie**	**craint**
que tu	**craignes**	que tu	**aies**	**craint**
qu'il/elle	**craigne**	qu'il/elle	**ait**	**craint**
que nous	**craignions**	que nous	**ayons**	**craint**
que vous	**craigniez**	que vous	**ayez**	**craint**
qu'ils/elles	**craignent**	qu'ils/elles	**aient**	**craint**

imparfait		plus-que-parfait		
que je	**craignisse**	que j'	**eusse**	**craint**
que tu	**craignisses**	que tu	**eusses**	**craint**
qu'il/elle	**craignît**	qu'il/elle	**eût**	**craint**
que nous	**craignissions**	que nous	**eussions**	**craint**
que vous	**craignissiez**	que vous	**eussiez**	**craint**
qu'ils/elles	**craignissent**	qu'ils/elles	**eussent**	**craint**

70 PEINDRE

3e groupe

Indicatif

présent		passé composé		
je	**peins**	j'	**ai**	**peint**
tu	**peins**	tu	**as**	**peint**
il/elle	**peint**	il/elle	**a**	**peint**
nous	**peignons**	nous	**avons**	**peint**
vous	**peignez**	vous	**avez**	**peint**
ils/elles	**peignent**	ils/elles	**ont**	**peint**
imparfait		**plus-que-parfait**		
je	**peignais**	j'	**avais**	**peint**
tu	**peignais**	tu	**avais**	**peint**
il/elle	**peignait**	il/elle	**avait**	**peint**
nous	**peignions**	nous	**avions**	**peint**
vous	**peigniez**	vous	**aviez**	**peint**
ils/elles	**peignaient**	ils/elles	**avaient**	**peint**
futur simple		**futur antérieur**		
je	**peindrai**	j'	**aurai**	**peint**
tu	**peindras**	tu	**auras**	**peint**
il/elle	**peindra**	il/elle	**aura**	**peint**
nous	**peindrons**	nous	**aurons**	**peint**
vous	**peindrez**	vous	**aurez**	**peint**
ils/elles	**peindront**	ils/elles	**auront**	**peint**
passé simple		**passé antérieur**		
je	**peignis**	j'	**eus**	**peint**
tu	**peignis**	tu	**eus**	**peint**
il/elle	**peignit**	il/elle	**eut**	**peint**
nous	**peignîmes**	nous	**eûmes**	**peint**
vous	**peignîtes**	vous	**eûtes**	**peint**
ils/elles	**peignirent**	ils/elles	**eurent**	**peint**

Conditionnel

présent		passé		
je	**peindrais**	j'	**aurais**	**peint**
tu	**peindrais**	tu	**aurais**	**peint**
il/elle	**peindrait**	il/elle	**aurait**	**peint**
nous	**peindrions**	nous	**aurions**	**peint**
vous	**peindriez**	vous	**auriez**	**peint**
ils/elles	**peindraient**	ils/elles	**auraient**	**peint**

PEINDRE 70

Infinitif

présent	passé	
peindre	**avoir**	**peint**

Participe

présent	passé	
peignant	**peint/te,**	**peints/tes**
	ayant	**peint**

Impératif

présent	passé	
peins	**aie**	**peint**
peignons	**ayons**	**peint**
peignez	**ayez**	**peint**

Subjonctif

présent		passé		
que je	**peigne**	que j'	**aie**	**peint**
que tu	**peignes**	que tu	**aies**	**peint**
qu'il/elle	**peigne**	qu'il/elle	**ait**	**peint**
que nous	**peignions**	que nous	**ayons**	**peint**
que vous	**peigniez**	que vous	**ayez**	**peint**
qu'ils/elles	**peignent**	qu'ils/elles	**aient**	**peint**

imparfait		plus-que-parfait		
que je	**peignisse**	que j'	**eusse**	**peint**
que tu	**peignisses**	que tu	**eusses**	**peint**
qu'il/elle	**peignît**	qu'il/elle	**eût**	**peint**
que nous	**peignissions**	que nous	**eussions**	**peint**
que vous	**peignissiez**	que vous	**eussiez**	**peint**
qu'ils/elles	**peignissent**	qu'ils/elles	**eussent**	**peint**

71 JOINDRE

3e groupe

Indicatif

présent		passé composé		
je	**joins**	j'	**ai**	**joint**
tu	**joins**	tu	**as**	**joint**
il/elle	**joint**	il/elle	**a**	**joint**
nous	**joignons**	nous	**avons**	**joint**
vous	**joignez**	vous	**avez**	**joint**
ils/elles	**joignent**	ils/elles	**ont**	**joint**
imparfait		**plus-que-parfait**		
je	**joignais**	j'	**avais**	**joint**
tu	**joignais**	tu	**avais**	**joint**
il/elle	**joignait**	il/elle	**avait**	**joint**
nous	**joignions**	nous	**avions**	**joint**
vous	**joigniez**	vous	**aviez**	**joint**
ils/elles	**joignaient**	ils/elles	**avaient**	**joint**
futur simple		**futur antérieur**		
je	**joindrai**	j'	**aurai**	**joint**
tu	**joindras**	tu	**auras**	**joint**
il/elle	**joindra**	il/elle	**aura**	**joint**
nous	**joindrons**	nous	**aurons**	**joint**
vous	**joindrez**	vous	**aurez**	**joint**
ils/elles	**joindront**	ils/elles	**auront**	**joint**
passé simple		**passé antérieur**		
je	**joignis**	j'	**eus**	**joint**
tu	**joignis**	tu	**eus**	**joint**
il/elle	**joignit**	il/elle	**eut**	**joint**
nous	**joignîmes**	nous	**eûmes**	**joint**
vous	**joignîtes**	vous	**eûtes**	**joint**
ils/elles	**joignirent**	ils/elles	**eurent**	**joint**

Conditionnel

présent		passé		
je	**joindrais**	j'	**aurais**	**joint**
tu	**joindrais**	tu	**aurais**	**joint**
il/elle	**joindrait**	il/elle	**aurait**	**joint**
nous	**joindrions**	nous	**aurions**	**joint**
vous	**joindriez**	vous	**auriez**	**joint**
ils/elles	**joindraient**	ils/elles	**auraient**	**joint**

Infinitif

présent	passé	
joindre	**avoir**	**joint**

Participe

présent	passé	
joignant	**joint/te,**	**joints/tes**
	ayant	**joint**

Impératif

présent	passé	
joins	**aie**	**joint**
joignons	**ayons**	**joint**
joignez	**ayez**	**joint**

Subjonctif

présent		passé		
que je	**joigne**	que j'	**aie**	**joint**
que tu	**joignes**	que tu	**aies**	**joint**
qu'il/elle	**joigne**	qu'il/elle	**ait**	**joint**
que nous	**joignions**	que nous	**ayons**	**joint**
que vous	**joigniez**	que vous	**ayez**	**joint**
qu'ils/elles	**joignent**	qu'ils/elles	**aient**	**joint**

imparfait		plus-que-parfait		
que je	**joignisse**	que j'	**eusse**	**joint**
que tu	**joignisses**	que tu	**eusses**	**joint**
qu'il/elle	**joignît**	qu'il/elle	**eût**	**joint**
que nous	**joignissions**	que nous	**eussions**	**joint**
que vous	**joignissiez**	que vous	**eussiez**	**joint**
qu'ils/elles	**joignissent**	qu'ils/elles	**eussent**	**joint**

72 ROMPRE

3e groupe

Indicatif

présent		passé composé		
je	**romps**	j'	**ai**	**rompu**
tu	**romps**	tu	**as**	**rompu**
il/elle	**rompt**	il/elle	**a**	**rompu**
nous	**rompons**	nous	**avons**	**rompu**
vous	**rompez**	vous	**avez**	**rompu**
ils/elles	**rompent**	ils/elles	**ont**	**rompu**

imparfait		plus-que-parfait		
je	**rompais**	j'	**avais**	**rompu**
tu	**rompais**	tu	**avais**	**rompu**
il/elle	**rompait**	il/elle	**avait**	**rompu**
nous	**rompions**	nous	**avions**	**rompu**
vous	**rompiez**	vous	**aviez**	**rompu**
ils/elles	**rompaient**	ils/elles	**avaient**	**rompu**

futur simple		futur antérieur		
je	**romprai**	j'	**aurai**	**rompu**
tu	**rompras**	tu	**auras**	**rompu**
il/elle	**rompra**	il/elle	**aura**	**rompu**
nous	**romprons**	nous	**aurons**	**rompu**
vous	**romprez**	vous	**aurez**	**rompu**
ils/elles	**rompront**	ils/elles	**auront**	**rompu**

passé simple		passé antérieur		
je	**rompis**	j'	**eus**	**rompu**
tu	**rompis**	tu	**eus**	**rompu**
il/elle	**rompit**	il/elle	**eut**	**rompu**
nous	**rompîmes**	nous	**eûmes**	**rompu**
vous	**rompîtes**	vous	**eûtes**	**rompu**
ils/elles	**rompirent**	ils/elles	**eurent**	**rompu**

Conditionnel

présent		passé		
je	**romprais**	j'	**aurais**	**rompu**
tu	**romprais**	tu	**aurais**	**rompu**
il/elle	**romprait**	il/elle	**aurait**	**rompu**
nous	**romprions**	nous	**aurions**	**rompu**
vous	**rompriez**	vous	**auriez**	**rompu**
ils/elles	**rompraient**	ils/elles	**auraient**	**rompu**

Infinitif

présent	passé	
rompre	avoir	rompu

Participe

présent	passé	
rompant	rompu/ue,	rompus/ues
	ayant	rompu

Impératif

présent	passé	
romps	aie	rompu
rompons	ayons	rompu
rompez	ayez	rompu

Subjonctif

présent		passé		
que je	rompe	que j'	aie	rompu
que tu	rompes	que tu	aies	rompu
qu'il/elle	rompe	qu'il/elle	ait	rompu
que nous	rompions	que nous	ayons	rompu
que vous	rompiez	que vous	ayez	rompu
qu'ils/elles	rompent	qu'ils/elles	aient	rompu

imparfait		plus-que-parfait		
que je	rompisse	que j'	eusse	rompu
que tu	rompisses	que tu	eusses	rompu
qu'il/elle	rompît	qu'il/elle	eût	rompu
que nous	rompissions	que nous	eussions	rompu
que vous	rompissiez	que vous	eussiez	rompu
qu'ils/elles	rompissent	qu'ils/elles	eussent	rompu

VAINCRE

3e groupe

Indicatif

présent		passé composé		
je	**vaincs**	j'	**ai**	**vaincu**
tu	**vaincs**	tu	**as**	**vaincu**
il/elle	**vainc**	il/elle	**a**	**vaincu**
nous	**vainquons**	nous	**avons**	**vaincu**
vous	**vainquez**	vous	**avez**	**vaincu**
ils/elles	**vainquent**	ils/elles	**ont**	**vaincu**
imparfait		**plus-que-parfait**		
je	**vainquais**	j'	**avais**	**vaincu**
tu	**vainquais**	tu	**avais**	**vaincu**
il/elle	**vainquait**	il/elle	**avait**	**vaincu**
nous	**vainquions**	nous	**avions**	**vaincu**
vous	**vainquiez**	vous	**aviez**	**vaincu**
ils/elles	**vainquaient**	ils/elles	**avaient**	**vaincu**
futur simple		**futur antérieur**		
je	**vaincrai**	j'	**aurai**	**vaincu**
tu	**vaincras**	tu	**auras**	**vaincu**
il/elle	**vaincra**	il/elle	**aura**	**vaincu**
nous	**vaincrons**	nous	**aurons**	**vaincu**
vous	**vaincrez**	vous	**aurez**	**vaincu**
ils/elles	**vaincront**	ils/elles	**auront**	**vaincu**
passé simple		**passé antérieur**		
je	**vainquis**	j'	**eus**	**vaincu**
tu	**vainquis**	tu	**eus**	**vaincu**
il/elle	**vainquit**	il/elle	**eut**	**vaincu**
nous	**vainquîmes**	nous	**eûmes**	**vaincu**
vous	**vainquîtes**	vous	**eûtes**	**vaincu**
ils/elles	**vainquirent**	ils/elles	**eurent**	**vaincu**

Conditionnel

présent		passé		
je	**vaincrais**	j'	**aurais**	**vaincu**
tu	**vaincrais**	tu	**aurais**	**vaincu**
il/elle	**vaincrait**	il/elle	**aurait**	**vaincu**
nous	**vaincrions**	nous	**aurions**	**vaincu**
vous	**vaincriez**	vous	**auriez**	**vaincu**
ils/elles	**vaincraient**	ils/elles	**auraient**	**vaincu**

VAINCRE 73

Infinitif

présent	passé	
vaincre	avoir	vaincu

Participe

présent	passé	
vainquant	vaincu/ue,	vaincus/ues
	ayant	vaincu

Impératif

présent	passé	
vaincs	aie	vaincu
vainquons	ayons	vaincu
vainquez	ayez	vaincu

Subjonctif

présent		passé		
que je	vainque	que j'	aie	vaincu
que tu	vainques	que tu	aies	vaincu
qu'il/elle	vainque	qu'il/elle	ait	vaincu
que nous	vainquions	que nous	ayons	vaincu
que vous	vainquiez	que vous	ayez	vaincu
qu'ils/elles	vainquent	qu'ils/elles	aient	vaincu

imparfait		plus-que-parfait		
que je	vainquisse	que j'	eusse	vaincu
que tu	vainquisses	que tu	eusses	vaincu
qu'il/elle	vainquît	qu'il/elle	eût	vaincu
que nous	vainquissions	que nous	eussions	vaincu
que vous	vainquissiez	que vous	eussiez	vaincu
qu'ils/elles	vainquissent	qu'ils/elles	eussent	vaincu

74 BATTRE

3e groupe

Indicatif

présent		passé composé		
je	**bats**	j'	**ai**	**battu**
tu	**bats**	tu	**as**	**battu**
il/elle	**bat**	il/elle	**a**	**battu**
nous	**battons**	nous	**avons**	**battu**
vous	**battez**	vous	**avez**	**battu**
ils/elles	**battent**	ils/elles	**ont**	**battu**
imparfait		**plus-que-parfait**		
je	**battais**	j'	**avais**	**battu**
tu	**battais**	tu	**avais**	**battu**
il/elle	**battait**	il/elle	**avait**	**battu**
nous	**battions**	nous	**avions**	**battu**
vous	**battiez**	vous	**aviez**	**battu**
ils/elles	**battaient**	ils/elles	**avaient**	**battu**
futur simple		**futur antérieur**		
je	**battrai**	j'	**aurai**	**battu**
tu	**battras**	tu	**auras**	**battu**
il/elle	**battra**	il/elle	**aura**	**battu**
nous	**battrons**	nous	**aurons**	**battu**
vous	**battrez**	vous	**aurez**	**battu**
ils/elles	**battront**	ils/elles	**auront**	**battu**
passé simple		**passé antérieur**		
je	**battis**	j'	**eus**	**battu**
tu	**battis**	tu	**eus**	**battu**
il/elle	**battit**	il/elle	**eut**	**battu**
nous	**battîmes**	nous	**eûmes**	**battu**
vous	**battîtes**	vous	**eûtes**	**battu**
ils/elles	**battirent**	ils/elles	**eurent**	**battu**

Conditionnel

présent		passé		
je	**battrais**	j'	**aurais**	**battu**
tu	**battrais**	tu	**aurais**	**battu**
il/elle	**battrait**	il/elle	**aurait**	**battu**
nous	**battrions**	nous	**aurions**	**battu**
vous	**battriez**	vous	**auriez**	**battu**
ils/elles	**battraient**	ils/elles	**auraient**	**battu**

Infinitif

présent	passé	
battre	**avoir**	**battu**

Participe

présent	passé	
battant	**battu/ue,**	**battus/ues**
	ayant	**battu**

Impératif

présent	passé	
bats	**aie**	**battu**
battons	**ayons**	**battu**
battez	**ayez**	**battu**

Subjonctif

présent		passé		
que je	**batte**	que j'	**aie**	**battu**
que tu	**battes**	que tu	**aies**	**battu**
qu'il/elle	**batte**	qu'il/elle	**ait**	**battu**
que nous	**battions**	que nous	**ayons**	**battu**
que vous	**battiez**	que vous	**ayez**	**battu**
qu'ils/elles	**battent**	qu'ils/elles	**aient**	**battu**

imparfait		plus-que-parfait		
que je	**battisse**	que j'	**eusse**	**battu**
que tu	**battisses**	que tu	**eusses**	**battu**
qu'il/elle	**battît**	qu'il/elle	**eût**	**battu**
que nous	**battissions**	que nous	**eussions**	**battu**
que vous	**battissiez**	que vous	**eussiez**	**battu**
qu'ils/elles	**battissent**	qu'ils/elles	**eussent**	**battu**

75 CONNAÎTRE

3e groupe

Indicatif

présent		passé composé		
je	**connais**	j'	**ai**	**connu**
tu	**connais**	tu	**as**	**connu**
il/elle	**connaît**	il/elle	**a**	**connu**
nous	**connaissons**	nous	**avons**	**connu**
vous	**connaissez**	vous	**avez**	**connu**
ils/elles	**connaissent**	ils/elles	**ont**	**connu**
imparfait		**plus-que-parfait**		
je	**connaissais**	j'	**avais**	**connu**
tu	**connaissais**	tu	**avais**	**connu**
il/elle	**connaissait**	il/elle	**avait**	**connu**
nous	**connaissions**	nous	**avions**	**connu**
vous	**connaissiez**	vous	**aviez**	**connu**
ils/elles	**connaissaient**	ils/elles	**avaient**	**connu**
futur simple		**futur antérieur**		
je	**connaîtrai**	j'	**aurai**	**connu**
tu	**connaîtras**	tu	**auras**	**connu**
il/elle	**connaîtra**	il/elle	**aura**	**connu**
nous	**connaîtrons**	nous	**aurons**	**connu**
vous	**connaîtrez**	vous	**aurez**	**connu**
ils/elles	**connaîtront**	ils/elles	**auront**	**connu**
passé simple		**passé antérieur**		
je	**connus**	j'	**eus**	**connu**
tu	**connus**	tu	**eus**	**connu**
il/elle	**connut**	il/elle	**eut**	**connu**
nous	**connûmes**	nous	**eûmes**	**connu**
vous	**connûtes**	vous	**eûtes**	**connu**
ils/elles	**connurent**	ils/elles	**eurent**	**connu**

Conditionnel

présent		passé		
je	**connaîtrais**	j'	**aurais**	**connu**
tu	**connaîtrais**	tu	**aurais**	**connu**
il/elle	**connaîtrait**	il/elle	**aurait**	**connu**
nous	**connaîtrions**	nous	**aurions**	**connu**
vous	**connaîtriez**	vous	**auriez**	**connu**
ils/elles	**connaîtraient**	ils/elles	**auraient**	**connu**

Infinitif

présent	passé	
connaître	**avoir**	**connu**

Participe

présent	passé	
connaissant	**connu/ue,**	**connus/ues**
	ayant	**connu**

Impératif

présent	passé	
connais	**aie**	**connu**
connaissons	**ayons**	**connu**
connaissez	**ayez**	**connu**

Subjonctif

présent		passé		
que je	**connaisse**	que j'	**aie**	**connu**
que tu	**connaisses**	que tu	**aies**	**connu**
qu'il/elle	**connaisse**	qu'il/elle	**ait**	**connu**
que nous	**connaissions**	que nous	**ayons**	**connu**
que vous	**connaissiez**	que vous	**ayez**	**connu**
qu'ils/elles	**connaissent**	qu'ils/elles	**aient**	**connu**

imparfait		plus-que-parfait		
que je	**connusse**	que j'	**eusse**	**connu**
que tu	**connusses**	que tu	**eusses**	**connu**
qu'il/elle	**connût**	qu'il/elle	**eût**	**connu**
que nous	**connussions**	que nous	**eussions**	**connu**
que vous	**connussiez**	que vous	**eussiez**	**connu**
qu'ils/elles	**connussent**	qu'ils/elles	**eussent**	**connu**

NAÎTRE

3e groupe

Indicatif

présent		passé composé		
je	**nais**	je	**suis**	**né/ée**
tu	**nais**	tu	**es**	**né/ée**
il/elle	**naît**	il/elle	**est**	**né/ée**
nous	**naissons**	nous	**sommes**	**nés/ées**
vous	**naissez**	vous	**êtes**	**nés/ées**
ils/elles	**naissent**	ils/elles	**sont**	**nés/ées**
imparfait		**plus-que-parfait**		
je	**naissais**	j'	**étais**	**né/ée**
tu	**naissais**	tu	**étais**	**né/ée**
il/elle	**naissait**	il/elle	**était**	**né/ée**
nous	**naissions**	nous	**étions**	**nés/ées**
vous	**naissiez**	vous	**étiez**	**nés/ées**
ils/elles	**naissaient**	ils/elles	**étaient**	**nés/ées**
futur simple		**futur antérieur**		
je	**naîtrai**	je	**serai**	**né/ée**
tu	**naîtras**	tu	**seras**	**né/ée**
il/elle	**naîtra**	il/elle	**sera**	**né/ée**
nous	**naîtrons**	nous	**serons**	**nés/ées**
vous	**naîtrez**	vous	**serez**	**nés/ées**
ils/elles	**naîtront**	ils/elles	**seront**	**nés/ées**
passé simple		**passé antérieur**		
je	**naquis**	je	**fus**	**né/ée**
tu	**naquis**	tu	**fus**	**né/ée**
il/elle	**naquit**	il/elle	**fut**	**né/ée**
nous	**naquîmes**	nous	**fûmes**	**nés/ées**
vous	**naquîtes**	vous	**fûtes**	**nés/ées**
ils/elles	**naquirent**	ils/elles	**furent**	**nés/ées**

Conditionnel

présent		passé		
je	**naîtrais**	je	**serais**	**né/ée**
tu	**naîtrais**	tu	**serais**	**né/ée**
il/elle	**naîtrait**	il/elle	**serait**	**né/ée**
nous	**naîtrions**	nous	**serions**	**nés/ées**
vous	**naîtriez**	vous	**seriez**	**nés/ées**
ils/elles	**naîtraient**	ils/elles	**seraient**	**nés/ées**

NAÎTRE 76

Infinitif

présent	passé	
naître	**être**	**né/ée, nés/ées**

Participe

présent	passé	
naissant	**né/née,**	**nés/nées**
	étant	**né/née/nés/nées**

Impératif

présent	passé	
nais	**sois**	**né/ée**
naissons	**soyons**	**nés/ées**
naissez	**soyez**	**nés/ées**

Subjonctif

présent		passé		
que je	**naisse**	que je	**sois**	**né/ée**
que tu	**naisses**	que tu	**sois**	**né/ée**
qu'il/elle	**naisse**	qu'il/elle	**soit**	**né/ée**
que nous	**naissions**	que nous	**soyons**	**nés/ées**
que vous	**naissiez**	que vous	**soyez**	**nés/ées**
qu'ils/elles	**naissent**	qu'ils/elles	**soient**	**nés/ées**

imparfait		plus-que-parfait		
que je	**naquisse**	que je	**fusse**	**né/ée**
que tu	**naquisses**	que tu	**fusses**	**né/ée**
qu'il/elle	**naquît**	qu'il/elle	**fût**	**né/ée**
que nous	**naquissions**	que nous	**fussions**	**nés/ées**
que vous	**naquissiez**	que vous	**fussiez**	**nés/ées**
qu'ils/elles	**naquissent**	qu'ils/elles	**fussent**	**nés/ées**

77 DIRE

3e groupe

Indicatif

présent		passé composé		
je	**dis**	j'	**ai**	**dit**
tu	**dis**	tu	**as**	**dit**
il/elle	**dit**	il/elle	**a**	**dit**
nous	**disons**	nous	**avons**	**dit**
vous	**dites**	vous	**avez**	**dit**
ils/elles	**disent**	ils/elles	**ont**	**dit**
imparfait		**plus-que-parfait**		
je	**disais**	j'	**avais**	**dit**
tu	**disais**	tu	**avais**	**dit**
il/elle	**disait**	il/elle	**avait**	**dit**
nous	**disions**	nous	**avions**	**dit**
vous	**disiez**	vous	**aviez**	**dit**
ils/elles	**disaient**	ils/elles	**avaient**	**dit**
futur simple		**futur antérieur**		
je	**dirai**	j'	**aurai**	**dit**
tu	**diras**	tu	**auras**	**dit**
il/elle	**dira**	il/elle	**aura**	**dit**
nous	**dirons**	nous	**aurons**	**dit**
vous	**direz**	vous	**aurez**	**dit**
ils/elles	**diront**	ils/elles	**auront**	**dit**
passé simple		**passé antérieur**		
je	**dis**	j'	**eus**	**dit**
tu	**dis**	tu	**eus**	**dit**
il/elle	**dit**	il/elle	**eut**	**dit**
nous	**dîmes**	nous	**eûmes**	**dit**
vous	**dîtes**	vous	**eûtes**	**dit**
ils/elles	**dirent**	ils/elles	**eurent**	**dit**

Conditionnel

présent		passé		
je	**dirais**	j'	**aurais**	**dit**
tu	**dirais**	tu	**aurais**	**dit**
il/elle	**dirait**	il/elle	**aurait**	**dit**
nous	**dirions**	nous	**aurions**	**dit**
vous	**diriez**	vous	**auriez**	**dit**
ils/elles	**diraient**	ils/elles	**auraient**	**dit**

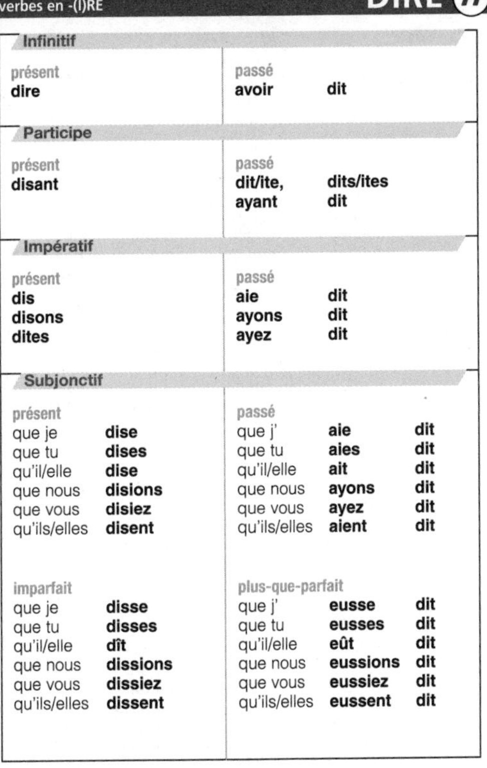

Infinitif

présent	passé	
dire	**avoir**	**dit**

Participe

présent	passé	
disant	**dit/ite,**	**dits/ites**
	ayant	**dit**

Impératif

présent	passé	
dis	**aie**	**dit**
disons	**ayons**	**dit**
dites	**ayez**	**dit**

Subjonctif

présent		passé		
que je	**dise**	que j'	**aie**	**dit**
que tu	**dises**	que tu	**aies**	**dit**
qu'il/elle	**dise**	qu'il/elle	**ait**	**dit**
que nous	**disions**	que nous	**ayons**	**dit**
que vous	**disiez**	que vous	**ayez**	**dit**
qu'ils/elles	**disent**	qu'ils/elles	**aient**	**dit**

imparfait		plus-que-parfait		
que je	**disse**	que j'	**eusse**	**dit**
que tu	**disses**	que tu	**eusses**	**dit**
qu'il/elle	**dît**	qu'il/elle	**eût**	**dit**
que nous	**dissions**	que nous	**eussions**	**dit**
que vous	**dissiez**	que vous	**eussiez**	**dit**
qu'ils/elles	**dissent**	qu'ils/elles	**eussent**	**dit**

78 MÉDIRE

3e groupe

Indicatif

présent		passé composé		
je	**médis**	j'	**ai**	**médit**
tu	**médis**	tu	**as**	**médit**
il/elle	**médit**	il/elle	**a**	**médit**
nous	**médisons**	nous	**avons**	**médit**
vous	**médisez**	vous	**avez**	**médit**
ils/elles	**médisent**	ils/elles	**ont**	**médit**
imparfait		**plus-que-parfait**		
je	**médisais**	j'	**avais**	**médit**
tu	**médisais**	tu	**avais**	**médit**
il/elle	**médisait**	il/elle	**avait**	**médit**
nous	**médisions**	nous	**avions**	**médit**
vous	**médisiez**	vous	**aviez**	**médit**
ils/elles	**médisaient**	ils/elles	**avaient**	**médit**
futur simple		**futur antérieur**		
je	**médirai**	j'	**aurai**	**médit**
tu	**médiras**	tu	**auras**	**médit**
il/elle	**médira**	il/elle	**aura**	**médit**
nous	**médirons**	nous	**aurons**	**médit**
vous	**médirez**	vous	**aurez**	**médit**
ils/elles	**médiront**	ils/elles	**auront**	**médit**
passé simple		**passé antérieur**		
je	**médis**	j'	**eus**	**médit**
tu	**médis**	tu	**eus**	**médit**
il/elle	**médit**	il/elle	**eut**	**médit**
nous	**médîmes**	nous	**eûmes**	**médit**
vous	**médîtes**	vous	**eûtes**	**médit**
ils/elles	**médirent**	ils/elles	**eurent**	**médit**

Conditionnel

présent		passé		
je	**médirais**	j'	**aurais**	**médit**
tu	**médirais**	tu	**aurais**	**médit**
il/elle	**médirait**	il/elle	**aurait**	**médit**
nous	**médirions**	nous	**aurions**	**médit**
vous	**médiriez**	vous	**auriez**	**médit**
ils/elles	**médiraient**	ils/elles	**auraient**	**médit**

Infinitif

présent	passé	
médire	**avoir**	**médit**

Participe

présent	passé	
médisant	**médit**	
	ayant	**médit**

Impératif

présent	passé	
médis	**aie**	**médit**
médisons	**ayons**	**médit**
médisez	**ayez**	**médit**

Subjonctif

présent		passé		
que je	**médise**	que j'	**aie**	**médit**
que tu	**médises**	que tu	**aies**	**médit**
qu'il/elle	**médise**	qu'il/elle	**ait**	**médit**
que nous	**médisions**	que nous	**ayons**	**médit**
que vous	**médisiez**	que vous	**ayez**	**médit**
qu'ils/elles	**médisent**	qu'ils/elles	**aient**	**médit**

imparfait		plus-que-parfait		
que je	**médisse**	que j'	**eusse**	**médit**
que tu	**médisses**	que tu	**eusses**	**médit**
qu'il/elle	**médît**	qu'il/elle	**eût**	**médit**
que nous	**médissions**	que nous	**eussions**	**médit**
que vous	**médissiez**	que vous	**eussiez**	**médit**
qu'ils/elles	**médissent**	qu'ils/elles	**eussent**	**médit**

79 MAUDIRE

3e groupe

Indicatif

présent		passé composé		
je	maudis	j'	ai	maudit
tu	maudis	tu	as	maudit
il/elle	maudit	il/elle	a	maudit
nous	maudissons	nous	avons	maudit
vous	maudissez	vous	avez	maudit
ils/elles	maudissent	ils/elles	ont	maudit
imparfait		**plus-que-parfait**		
je	maudissais	j'	avais	maudit
tu	maudissais	tu	avais	maudit
il/elle	maudissait	il/elle	avait	maudit
nous	maudissions	nous	avions	maudit
vous	maudissiez	vous	aviez	maudit
ils/elles	maudissaient	ils/elles	avaient	maudit
futur simple		**futur antérieur**		
je	maudirai	j'	aurai	maudit
tu	maudiras	tu	auras	maudit
il/elle	maudira	il/elle	aura	maudit
nous	maudirons	nous	aurons	maudit
vous	maudirez	vous	aurez	maudit
ils/elles	maudiront	ils/elles	auront	maudit
passé simple		**passé antérieur**		
je	maudis	j'	eus	maudit
tu	maudis	tu	eus	maudit
il/elle	maudit	il/elle	eut	maudit
nous	maudîmes	nous	eûmes	maudit
vous	maudîtes	vous	eûtes	maudit
ils/elles	maudirent	ils/elles	eurent	maudit

Conditionnel

présent		passé		
je	maudirais	j'	aurais	maudit
tu	maudirais	tu	aurais	maudit
il/elle	maudirait	il/elle	aurait	maudit
nous	maudirions	nous	aurions	maudit
vous	maudiriez	vous	auriez	maudit
ils/elles	maudiraient	ils/elles	auraient	maudit

MAUDIRE 79

Infinitif

présent	passé	
maudire	avoir	maudit

Participe

présent	passé	
maudissant	maudit/te,	maudits/tes
	ayant	maudit

Impératif

présent	passé	
maudis	aie	maudit
maudissons	ayons	maudit
maudissez	ayez	maudit

Subjonctif

présent		passé		
que je	maudisse	que j'	aie	maudit
que tu	maudisses	que tu	aies	maudit
qu'il/elle	maudisse	qu'il/elle	ait	maudit
que nous	maudissions	que nous	ayons	maudit
que vous	maudissiez	que vous	ayez	maudit
qu'ils/elles	maudissent	qu'ils/elles	aient	maudit

imparfait		plus-que-parfait		
que je	maudisse	que j'	eusse	maudit
que tu	maudisses	que tu	eusses	maudit
qu'il/elle	maudît	qu'il/elle	eût	maudit
que nous	maudissions	que nous	eussions	maudit
que vous	maudissiez	que vous	eussiez	maudit
qu'ils/elles	maudissent	qu'ils/elles	eussent	maudit

80 BRUIRE

3e groupe

Indicatif

présent		passé composé		
je	**bruis**	j'	**ai**	**bruit**
tu	**bruis**	tu	**as**	**bruit**
il/elle	**bruit**	il/elle	**a**	**bruit**
nous	**bruissons**	nous	**avons**	**bruit**
vous	**bruissez**	vous	**avez**	**bruit**
ils/elles	**bruissent**	ils/elles	**ont**	**bruit**
imparfait		**plus-que-parfait**		
je	**bruissais**	j'	**avais**	**bruit**
tu	**bruissais**	tu	**avais**	**bruit**
il/elle	**bruissait**	il/elle	**avait**	**bruit**
nous	**bruissions**	nous	**avions**	**bruit**
vous	**bruissiez**	vous	**aviez**	**bruit**
ils/elles	**bruissaient**	ils/elles	**avaient**	**bruit**
futur simple		**futur antérieur**		
je	**bruirai**	j'	**aurai**	**bruit**
tu	**bruiras**	tu	**auras**	**bruit**
il/elle	**bruira**	il/elle	**aura**	**bruit**
nous	**bruirons**	nous	**aurons**	**bruit**
vous	**bruirez**	vous	**aurez**	**bruit**
ils/elles	**bruiront**	ils/elles	**auront**	**bruit**
passé simple		**passé antérieur**		
je	**bruis**	j'	**eus**	**bruit**
tu	**bruis**	tu	**eus**	**bruit**
il/elle	**bruit**	il/elle	**eut**	**bruit**
nous	**bruîmes**	nous	**eûmes**	**bruit**
vous	**bruîtes**	vous	**eûtes**	**bruit**
ils/elles	**bruirent**	ils/elles	**eurent**	**bruit**

Conditionnel

présent		passé		
je	**bruirais**	j'	**aurais**	**bruit**
tu	**bruirais**	tu	**aurais**	**bruit**
il/elle	**bruirait**	il/elle	**aurait**	**bruit**
nous	**bruirions**	nous	**aurions**	**bruit**
vous	**bruiriez**	vous	**auriez**	**bruit**
ils/elles	**bruiraient**	ils/elles	**auraient**	**bruit**

BRUIRE 80

Infinitif

présent	passé	
bruire	**avoir**	**bruit**

Participe

présent	passé	
bruissant	**bruit**	
	ayant	**bruit**

Impératif

présent	passé	
bruis	**aie**	**bruit**
bruissons	**ayons**	**bruit**
bruissez	**ayez**	**bruit**

Subjonctif

présent

que je	**bruisse**
que tu	**bruisses**
qu'il/elle	**bruisse**
que nous	**bruissions**
que vous	**bruissiez**
qu'ils/elles	**bruissent**

passé

que j'	**aie**	**bruit**
que tu	**aies**	**bruit**
qu'il/elle	**ait**	**bruit**
que nous	**ayons**	**bruit**
que vous	**ayez**	**bruit**
qu'ils/elles	**aient**	**bruit**

imparfait

inusité

plus-que-parfait

que j'	**eusse**	**bruit**
que tu	**eusses**	**bruit**
qu'il/elle	**eût**	**bruit**
que nous	**eussions**	**bruit**
que vous	**eussiez**	**bruit**
qu'ils/elles	**eussent**	**bruit**

Indicatif

présent		passé composé		
j'	**écris**	j'	**ai**	**écrit**
tu	**écris**	tu	**as**	**écrit**
il/elle	**écrit**	il/elle	**a**	**écrit**
nous	**écrivons**	nous	**avons**	**écrit**
vous	**écrivez**	vous	**avez**	**écrit**
ils/elles	**écrivent**	ils/elles	**ont**	**écrit**
imparfait		**plus-que-parfait**		
j'	**écrivais**	j'	**avais**	**écrit**
tu	**écrivais**	tu	**avais**	**écrit**
il/elle	**écrivait**	il/elle	**avait**	**écrit**
nous	**écrivions**	nous	**avions**	**écrit**
vous	**écriviez**	vous	**aviez**	**écrit**
ils/elles	**écrivaient**	ils/elles	**avaient**	**écrit**
futur simple		**futur antérieur**		
j'	**écrirai**	j'	**aurai**	**écrit**
tu	**écriras**	tu	**auras**	**écrit**
il/elle	**écrira**	il/elle	**aura**	**écrit**
nous	**écrirons**	nous	**aurons**	**écrit**
vous	**écrirez**	vous	**aurez**	**écrit**
ils/elles	**écriront**	ils/elles	**auront**	**écrit**
passé simple		**passé antérieur**		
j'	**écrivis**	j'	**eus**	**écrit**
tu	**écrivis**	tu	**eus**	**écrit**
il/elle	**écrivit**	il/elle	**eut**	**écrit**
nous	**écrivîmes**	nous	**eûmes**	**écrit**
vous	**écrivîtes**	vous	**eûtes**	**écrit**
ils/elles	**écrivirent**	ils/elles	**eurent**	**écrit**

Conditionnel

présent		passé		
j'	**écrirais**	j'	**aurais**	**écrit**
tu	**écrirais**	tu	**aurais**	**écrit**
il/elle	**écrirait**	il/elle	**aurait**	**écrit**
nous	**écririons**	nous	**aurions**	**écrit**
vous	**écririez**	vous	**auriez**	**écrit**
ils/elles	**écriraient**	ils/elles	**auraient**	**écrit**

Infinitif

présent	passé	
écrire	**avoir**	**écrit**

Participe

présent	passé	
écrivant	**écrit/te,**	**écrits/tes**
	ayant	**écrit**

Impératif

présent	passé	
écris	**aie**	**écrit**
écrivons	**ayons**	**écrit**
écrivez	**ayez**	**écrit**

Subjonctif

présent		passé		
que j'	**écrive**	que j'	**aie**	**écrit**
que tu	**écrives**	que tu	**aies**	**écrit**
qu'il/elle	**écrive**	qu'il/elle	**ait**	**écrit**
que nous	**écrivions**	que nous	**ayons**	**écrit**
que vous	**écriviez**	que vous	**ayez**	**écrit**
qu'ils/elles	**écrivent**	qu'ils/elles	**aient**	**écrit**

imparfait		plus-que-parfait		
que j'	**écrivisse**	que j'	**eusse**	**écrit**
que tu	**écrivisses**	que tu	**eusses**	**écrit**
qu'il/elle	**écrivît**	qu'il/elle	**eût**	**écrit**
que nous	**écrivissions**	que nous	**eussions**	**écrit**
que vous	**écrivissiez**	que vous	**eussiez**	**écrit**
qu'ils/elles	**écrivissent**	qu'ils/elles	**eussent**	**écrit**

LIRE

Indicatif

présent		passé composé		
je	**lis**	j'	**ai**	**lu**
tu	**lis**	tu	**as**	**lu**
il/elle	**lit**	il/elle	**a**	**lu**
nous	**lisons**	nous	**avons**	**lu**
vous	**lisez**	vous	**avez**	**lu**
ils/elles	**lisent**	ils/elles	**ont**	**lu**
imparfait		**plus-que-parfait**		
je	**lisais**	j'	**avais**	**lu**
tu	**lisais**	tu	**avais**	**lu**
il/elle	**lisait**	il/elle	**avait**	**lu**
nous	**lisions**	nous	**avions**	**lu**
vous	**lisiez**	vous	**aviez**	**lu**
ils/elles	**lisaient**	ils/elles	**avaient**	**lu**
futur simple		**futur antérieur**		
je	**lirai**	j'	**aurai**	**lu**
tu	**liras**	tu	**auras**	**lu**
il/elle	**lira**	il/elle	**aura**	**lu**
nous	**lirons**	nous	**aurons**	**lu**
vous	**lirez**	vous	**aurez**	**lu**
ils/elles	**liront**	ils/elles	**auront**	**lu**
passé simple		**passé antérieur**		
je	**lus**	j'	**eus**	**lu**
tu	**lus**	tu	**eus**	**lu**
il/elle	**lut**	il/elle	**eut**	**lu**
nous	**lûmes**	nous	**eûmes**	**lu**
vous	**lûtes**	vous	**eûtes**	**lu**
ils/elles	**lurent**	ils/elles	**eurent**	**lu**

Conditionnel

présent		passé		
je	**lirais**	j'	**aurais**	**lu**
tu	**lirais**	tu	**aurais**	**lu**
il/elle	**lirait**	il/elle	**aurait**	**lu**
nous	**lirions**	nous	**aurions**	**lu**
vous	**liriez**	vous	**auriez**	**lu**
ils/elles	**liraient**	ils/elles	**auraient**	**lu**

Infinitif

présent	passé	
lire	**avoir**	**lu**

Participe

présent	passé	
lisant	**lu/ue,**	**lus/ues**
	ayant	**lu**

Impératif

présent	passé	
lis	**aie**	**lu**
lisons	**ayons**	**lu**
lisez	**ayez**	**lu**

Subjonctif

présent

que je	**lise**
que tu	**lises**
qu'il/elle	**lise**
que nous	**lisions**
que vous	**lisiez**
qu'ils/elles	**lisent**

passé

que j'	**aie**	**lu**
que tu	**aies**	**lu**
qu'il/elle	**ait**	**lu**
que nous	**ayons**	**lu**
que vous	**ayez**	**lu**
qu'ils/elles	**aient**	**lu**

imparfait

que je	**lusse**
que tu	**lusses**
qu'il/elle	**lût**
que nous	**lussions**
que vous	**lussiez**
qu'ils/elles	**lussent**

plus-que-parfait

que j'	**eusse**	**lu**
que tu	**eusses**	**lu**
qu'il/elle	**eût**	**lu**
que nous	**eussions**	**lu**
que vous	**eussiez**	**lu**
qu'ils/elles	**eussent**	**lu**

RIRE

3e groupe

Indicatif

présent		passé composé		
je	**ris**	j'	**ai**	**ri**
tu	**ris**	tu	**as**	**ri**
il/elle	**rit**	il/elle	**a**	**ri**
nous	**rions**	nous	**avons**	**ri**
vous	**riez**	vous	**avez**	**ri**
ils/elles	**rient**	ils/elles	**ont**	**ri**
imparfait		**plus-que-parfait**		
je	**riais**	j'	**avais**	**ri**
tu	**riais**	tu	**avais**	**ri**
il/elle	**riait**	il/elle	**avait**	**ri**
nous	**riions**	nous	**avions**	**ri**
vous	**riiez**	vous	**aviez**	**ri**
ils/elles	**riaient**	ils/elles	**avaient**	**ri**
futur simple		**futur antérieur**		
je	**rirai**	j'	**aurai**	**ri**
tu	**riras**	tu	**auras**	**ri**
il/elle	**rira**	il/elle	**aura**	**ri**
nous	**rirons**	nous	**aurons**	**ri**
vous	**rirez**	vous	**aurez**	**ri**
ils/elles	**riront**	ils/elles	**auront**	**ri**
passé simple		**passé antérieur**		
je	**ris**	j'	**eus**	**ri**
tu	**ris**	tu	**eus**	**ri**
il/elle	**rit**	il/elle	**eut**	**ri**
nous	**rîmes**	nous	**eûmes**	**ri**
vous	**rîtes**	vous	**eûtes**	**ri**
ils/elles	**rirent**	ils/elles	**eurent**	**ri**

Conditionnel

présent		passé		
je	**rirais**	j'	**aurais**	**ri**
tu	**rirais**	tu	**aurais**	**ri**
il/elle	**rirait**	il/elle	**aurait**	**ri**
nous	**ririons**	nous	**aurions**	**ri**
vous	**ririez**	vous	**auriez**	**ri**
ils/elles	**riraient**	ils/elles	**auraient**	**ri**

Infinitif

présent	passé	
rire	**avoir**	**ri**

Participe

présent	passé	
riant	**ri**	
	ayant	**ri**

Impératif

présent	passé	
ris	**aie**	**ri**
rions	**ayons**	**ri**
riez	**ayez**	**ri**

Subjonctif

présent		passé		
que je	**rie**	que j'	**aie**	**ri**
que tu	**ries**	que tu	**aies**	**ri**
qu'il/elle	**rie**	qu'il/elle	**ait**	**ri**
que nous	**riions**	que nous	**ayons**	**ri**
que vous	**riiez**	que vous	**ayez**	**ri**
qu'ils/elles	**rient**	qu'ils/elles	**aient**	**ri**

imparfait		plus-que-parfait		
que je	**risse**	que j'	**eusse**	**ri**
que tu	**risses**	que tu	**eusses**	**ri**
qu'il/elle	**rît**	qu'il/elle	**eût**	**ri**
que nous	**rissions**	que nous	**eussions**	**ri**
que vous	**rissiez**	que vous	**eussiez**	**ri**
qu'ils/elles	**rissent**	qu'ils/elles	**eussent**	**ri**

84 SUFFIRE

3e groupe

Indicatif

présent		passé composé		
je	**suffis**	j'	**ai**	**suffi**
tu	**suffis**	tu	**as**	**suffi**
il/elle	**suffit**	il/elle	**a**	**suffi**
nous	**suffisons**	nous	**avons**	**suffi**
vous	**suffisez**	vous	**avez**	**suffi**
ils/elles	**suffisent**	ils/elles	**ont**	**suffi**
imparfait		**plus-que-parfait**		
je	**suffisais**	j'	**avais**	**suffi**
tu	**suffisais**	tu	**avais**	**suffi**
il/elle	**suffisait**	il/elle	**avait**	**suffi**
nous	**suffisions**	nous	**avions**	**suffi**
vous	**suffisiez**	vous	**aviez**	**suffi**
ils/elles	**suffisaient**	ils/elles	**avaient**	**suffi**
futur simple		**futur antérieur**		
je	**suffirai**	j'	**aurai**	**suffi**
tu	**suffiras**	tu	**auras**	**suffi**
il/elle	**suffira**	il/elle	**aura**	**suffi**
nous	**suffirons**	nous	**aurons**	**suffi**
vous	**suffirez**	vous	**aurez**	**suffi**
ils/elles	**suffiront**	ils/elles	**auront**	**suffi**
passé simple		**passé antérieur**		
je	**suffis**	j'	**eus**	**suffi**
tu	**suffis**	tu	**eus**	**suffi**
il/elle	**suffit**	il/elle	**eut**	**suffi**
nous	**suffîmes**	nous	**eûmes**	**suffi**
vous	**suffîtes**	vous	**eûtes**	**suffi**
ils/elles	**suffirent**	ils/elles	**eurent**	**suffi**

Conditionnel

présent		passé		
je	**suffirais**	j'	**aurais**	**suffi**
tu	**suffirais**	tu	**aurais**	**suffi**
il/elle	**suffirait**	il/elle	**aurait**	**suffi**
nous	**suffirions**	nous	**aurions**	**suffi**
vous	**suffiriez**	vous	**auriez**	**suffi**
ils/elles	**suffiraient**	ils/elles	**auraient**	**suffi**

SUFFIRE 84

Infinitif

présent	passé	
suffire	avoir	suffi

Participe

présent	passé	
suffisant	suffi	
	ayant	suffi

Impératif

présent	passé	
suffis	aie	suffi
suffisons	ayons	suffi
suffisez	ayez	suffi

Subjonctif

présent		passé		
que je	suffise	que j'	aie	suffi
que tu	suffises	que tu	aies	suffi
qu'il/elle	suffise	qu'il/elle	ait	suffi
que nous	suffisions	que nous	ayons	suffi
que vous	suffisiez	que vous	ayez	suffi
qu'ils/elles	suffisent	qu'ils/elles	aient	suffi

imparfait		plus-que-parfait		
que je	suffisse	que j'	eusse	suffi
que tu	suffisses	que tu	eusses	suffi
qu'il/elle	suffît	qu'il/elle	eût	suffi
que nous	suffissions	que nous	eussions	suffi
que vous	suffissiez	que vous	eussiez	suffi
qu'ils/elles	suffissent	qu'ils/elles	eussent	suffi

85 CONDUIRE

3e groupe

Indicatif

présent		passé composé		
je	conduis	j'	ai	conduit
tu	conduis	tu	as	conduit
il/elle	conduit	il/elle	a	conduit
nous	conduisons	nous	avons	conduit
vous	conduisez	vous	avez	conduit
ils/elles	conduisent	ils/elles	ont	conduit
imparfait		**plus-que-parfait**		
je	conduisais	j'	avais	conduit
tu	conduisais	tu	avais	conduit
il/elle	conduisait	il/elle	avait	conduit
nous	conduisions	nous	avions	conduit
vous	conduisiez	vous	aviez	conduit
ils/elles	conduisaient	ils/elles	avaient	conduit
futur simple		**futur antérieur**		
je	conduirai	j'	aurai	conduit
tu	conduiras	tu	auras	conduit
il/elle	conduira	il/elle	aura	conduit
nous	conduirons	nous	aurons	conduit
vous	conduirez	vous	aurez	conduit
ils/elles	conduiront	ils/elles	auront	conduit
passé simple		**passé antérieur**		
je	conduisis	j'	eus	conduit
tu	conduisis	tu	eus	conduit
il/elle	conduisit	il/elle	eut	conduit
nous	conduisîmes	nous	eûmes	conduit
vous	conduisîtes	vous	eûtes	conduit
ils/elles	conduisirent	ils/elles	eurent	conduit

Conditionnel

présent		passé		
je	conduirais	j'	aurais	conduit
tu	conduirais	tu	aurais	conduit
il/elle	conduirait	il/elle	aurait	conduit
nous	conduirions	nous	aurions	conduit
vous	conduiriez	vous	auriez	conduit
ils/elles	conduiraient	ils/elles	auraient	conduit

CONDUIRE 85

Infinitif

présent	passé	
conduire	avoir	conduit

Participe

présent	passé	
conduisant	conduit/te,	conduits/tes
	ayant	conduit

Impératif

présent	passé	
conduis	aie	conduit
conduisons	ayons	conduit
conduisez	ayez	conduit

Subjonctif

présent

que je	conduise
que tu	conduises
qu'il/elle	conduise
que nous	conduisions
que vous	conduisiez
qu'ils/elles	conduisent

passé

que j'	aie	conduit
que tu	aies	conduit
qu'il/elle	ait	conduit
que nous	ayons	conduit
que vous	ayez	conduit
qu'ils/elles	aient	conduit

imparfait

que je	conduisisse
que tu	conduisisses
qu'il/elle	conduisît
que nous	conduisissions
que vous	conduisissiez
qu'ils/elles	conduisissent

plus-que-parfait

que j'	eusse	conduit
que tu	eusses	conduit
qu'il/elle	eût	conduit
que nous	eussions	conduit
que vous	eussiez	conduit
qu'ils/elles	eussent	conduit

86 SUIVRE

3e groupe

Indicatif

présent		passé composé		
je	**suis**	j'	**ai**	**suivi**
tu	**suis**	tu	**as**	**suivi**
il/elle	**suit**	il/elle	**a**	**suivi**
nous	**suivons**	nous	**avons**	**suivi**
vous	**suivez**	vous	**avez**	**suivi**
ils/elles	**suivent**	ils/elles	**ont**	**suivi**
imparfait		**plus-que-parfait**		
je	**suivais**	j'	**avais**	**suivi**
tu	**suivais**	tu	**avais**	**suivi**
il/elle	**suivait**	il/elle	**avait**	**suivi**
nous	**suivions**	nous	**avions**	**suivi**
vous	**suiviez**	vous	**aviez**	**suivi**
ils/elles	**suivaient**	ils/elles	**avaient**	**suivi**
futur simple		**futur antérieur**		
je	**suivrai**	j'	**aurai**	**suivi**
tu	**suivras**	tu	**auras**	**suivi**
il/elle	**suivra**	il/elle	**aura**	**suivi**
nous	**suivrons**	nous	**aurons**	**suivi**
vous	**suivrez**	vous	**aurez**	**suivi**
ils/elles	**suivront**	ils/elles	**auront**	**suivi**
passé simple		**passé antérieur**		
je	**suivis**	j'	**eus**	**suivi**
tu	**suivis**	tu	**eus**	**suivi**
il/elle	**suivit**	il/elle	**eut**	**suivi**
nous	**suivîmes**	nous	**eûmes**	**suivi**
vous	**suivîtes**	vous	**eûtes**	**suivi**
ils/elles	**suivirent**	ils/elles	**eurent**	**suivi**

Conditionnel

présent		passé		
je	**suivrais**	j'	**aurais**	**suivi**
tu	**suivrais**	tu	**aurais**	**suivi**
il/elle	**suivrait**	il/elle	**aurait**	**suivi**
nous	**suivrions**	nous	**aurions**	**suivi**
vous	**suivriez**	vous	**auriez**	**suivi**
ils/elles	**suivraient**	ils/elles	**auraient**	**suivi**

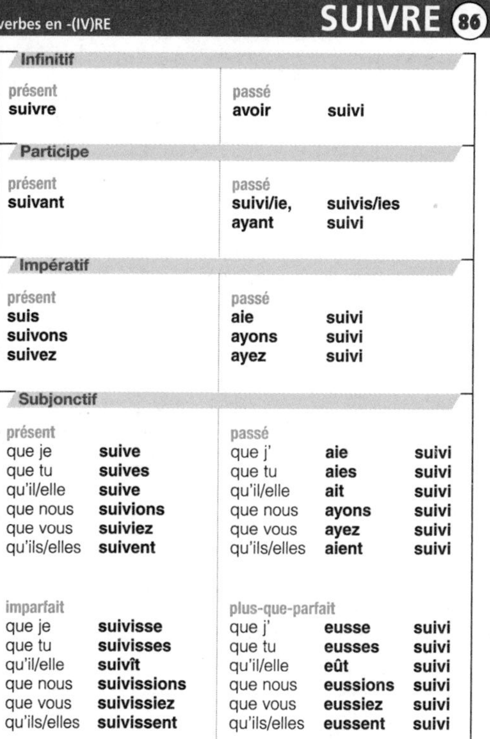

Infinitif

présent	passé	
suivre	**avoir**	**suivi**

Participe

présent	passé	
suivant	**suivi/ie,**	**suivis/ies**
	ayant	**suivi**

Impératif

présent	passé	
suis	**aie**	**suivi**
suivons	**ayons**	**suivi**
suivez	**ayez**	**suivi**

Subjonctif

présent		passé		
que je	**suive**	que j'	**aie**	**suivi**
que tu	**suives**	que tu	**aies**	**suivi**
qu'il/elle	**suive**	qu'il/elle	**ait**	**suivi**
que nous	**suivions**	que nous	**ayons**	**suivi**
que vous	**suiviez**	que vous	**ayez**	**suivi**
qu'ils/elles	**suivent**	qu'ils/elles	**aient**	**suivi**

imparfait		plus-que-parfait		
que je	**suivisse**	que j'	**eusse**	**suivi**
que tu	**suivisses**	que tu	**eusses**	**suivi**
qu'il/elle	**suivît**	qu'il/elle	**eût**	**suivi**
que nous	**suivissions**	que nous	**eussions**	**suivi**
que vous	**suivissiez**	que vous	**eussiez**	**suivi**
qu'ils/elles	**suivissent**	qu'ils/elles	**eussent**	**suivi**

Indicatif

présent		passé composé		
je	**vis**	j'	**ai**	**vécu**
tu	**vis**	tu	**as**	**vécu**
il/elle	**vit**	il/elle	**a**	**vécu**
nous	**vivons**	nous	**avons**	**vécu**
vous	**vivez**	vous	**avez**	**vécu**
ils/elles	**vivent**	ils/elles	**ont**	**vécu**
imparfait		**plus-que-parfait**		
je	**vivais**	j'	**avais**	**vécu**
tu	**vivais**	tu	**avais**	**vécu**
il/elle	**vivait**	il/elle	**avait**	**vécu**
nous	**vivions**	nous	**avions**	**vécu**
vous	**viviez**	vous	**aviez**	**vécu**
ils/elles	**vivaient**	ils/elles	**avaient**	**vécu**
futur simple		**futur antérieur**		
je	**vivrai**	j'	**aurai**	**vécu**
tu	**vivras**	tu	**auras**	**vécu**
il/elle	**vivra**	il/elle	**aura**	**vécu**
nous	**vivrons**	nous	**aurons**	**vécu**
vous	**vivrez**	vous	**aurez**	**vécu**
ils/elles	**vivront**	ils/elles	**auront**	**vécu**
passé simple		**passé antérieur**		
je	**vécus**	j'	**eus**	**vécu**
tu	**vécus**	tu	**eus**	**vécu**
il/elle	**vécut**	il/elle	**eut**	**vécu**
nous	**vécûmes**	nous	**eûmes**	**vécu**
vous	**vécûtes**	vous	**eûtes**	**vécu**
ils/elles	**vécurent**	ils/elles	**eurent**	**vécu**

Conditionnel

présent		passé		
je	**vivrais**	j'	**aurais**	**vécu**
tu	**vivrais**	tu	**aurais**	**vécu**
il/elle	**vivrait**	il/elle	**aurait**	**vécu**
nous	**vivrions**	nous	**aurions**	**vécu**
vous	**vivriez**	vous	**auriez**	**vécu**
ils/elles	**vivraient**	ils/elles	**auraient**	**vécu**

VIVRE 87

Infinitif

présent	passé	
vivre	avoir	vécu

Participe

présent	passé	
vivant	vécu/ue,	vécus/ues
	ayant	vécu

Impératif

présent	passé	
vis	aie	vécu
vivons	ayons	vécu
vivez	ayez	vécu

Subjonctif

présent		passé		
que je	**vive**	que j'	**aie**	**vécu**
que tu	**vives**	que tu	**aies**	**vécu**
qu'il/elle	**vive**	qu'il/elle	**ait**	**vécu**
que nous	**vivions**	que nous	**ayons**	**vécu**
que vous	**viviez**	que vous	**ayez**	**vécu**
qu'ils/elles	**vivent**	qu'ils/elles	**aient**	**vécu**

imparfait		plus-que-parfait		
que je	**vécusse**	que j'	**eusse**	**vécu**
que tu	**vécusses**	que tu	**eusses**	**vécu**
qu'il/elle	**vécût**	qu'il/elle	**eût**	**vécu**
que nous	**vécussions**	que nous	**eussions**	**vécu**
que vous	**vécussiez**	que vous	**eussiez**	**vécu**
qu'ils/elles	**vécussent**	qu'ils/elles	**eussent**	**vécu**

88 CROIRE

3e groupe

Indicatif

présent		passé composé		
je	**crois**	j'	**ai**	**cru**
tu	**crois**	tu	**as**	**cru**
il/elle	**croit**	il/elle	**a**	**cru**
nous	**croyons**	nous	**avons**	**cru**
vous	**croyez**	vous	**avez**	**cru**
ils/elles	**croient**	ils/elles	**ont**	**cru**
imparfait		**plus-que-parfait**		
je	**croyais**	j'	**avais**	**cru**
tu	**croyais**	tu	**avais**	**cru**
il/elle	**croyait**	il/elle	**avait**	**cru**
nous	**croyions**	nous	**avions**	**cru**
vous	**croyiez**	vous	**aviez**	**cru**
ils/elles	**croyaient**	ils/elles	**avaient**	**cru**
futur simple		**futur antérieur**		
je	**croirai**	j'	**aurai**	**cru**
tu	**croiras**	tu	**auras**	**cru**
il/elle	**croira**	il/elle	**aura**	**cru**
nous	**croirons**	nous	**aurons**	**cru**
vous	**croirez**	vous	**aurez**	**cru**
ils/elles	**croiront**	ils/elles	**auront**	**cru**
passé simple		**passé antérieur**		
je	**crus**	j'	**eus**	**cru**
tu	**crus**	tu	**eus**	**cru**
il/elle	**crut**	il/elle	**eut**	**cru**
nous	**crûmes**	nous	**eûmes**	**cru**
vous	**crûtes**	vous	**eûtes**	**cru**
ils/elles	**crurent**	ils/elles	**eurent**	**cru**

Conditionnel

présent		passé		
je	**croirais**	j'	**aurais**	**cru**
tu	**croirais**	tu	**aurais**	**cru**
il/elle	**croirait**	il/elle	**aurait**	**cru**
nous	**croirions**	nous	**aurions**	**cru**
vous	**croiriez**	vous	**auriez**	**cru**
ils/elles	**croiraient**	ils/elles	**auraient**	**cru**

Infinitif

présent	passé	
croire	avoir	cru

Participe

présent	passé	
croyant	cru/ue,	crus/ues
	ayant	cru

Impératif

présent	passé	
crois	aie	cru
croyons	ayons	cru
croyez	ayez	cru

Subjonctif

présent		passé		
que je	croie	que j'	aie	cru
que tu	croies	que tu	aies	cru
qu'il/elle	croie	qu'il/elle	ait	cru
que nous	croyions	que nous	ayons	cru
que vous	croyiez	que vous	ayez	cru
qu'ils/elles	croient	qu'ils/elles	aient	cru

imparfait		plus-que-parfait		
que je	crusse	que j'	eusse	cru
que tu	crusses	que tu	eusses	cru
qu'il/elle	crût	qu'il/elle	eût	cru
que nous	crussions	que nous	eussions	cru
que vous	crussiez	que vous	eussiez	cru
qu'ils/elles	crussent	qu'ils/elles	eussent	cru

89 BOIRE

3e groupe

Indicatif

présent		passé composé		
je	**bois**	j'	**ai**	**bu**
tu	**bois**	tu	**as**	**bu**
il/elle	**boit**	il/elle	**a**	**bu**
nous	**buvons**	nous	**avons**	**bu**
vous	**buvez**	vous	**avez**	**bu**
ils/elles	**boivent**	ils/elles	**ont**	**bu**
imparfait		**plus-que-parfait**		
je	**buvais**	j'	**avais**	**bu**
tu	**buvais**	tu	**avais**	**bu**
il/elle	**buvait**	il/elle	**avait**	**bu**
nous	**buvions**	nous	**avions**	**bu**
vous	**buviez**	vous	**aviez**	**bu**
ils/elles	**buvaient**	ils/elles	**avaient**	**bu**
futur simple		**futur antérieur**		
je	**boirai**	j'	**aurai**	**bu**
tu	**boiras**	tu	**auras**	**bu**
il/elle	**boira**	il/elle	**aura**	**bu**
nous	**boirons**	nous	**aurons**	**bu**
vous	**boirez**	vous	**aurez**	**bu**
ils/elles	**boiront**	ils/elles	**auront**	**bu**
passé simple		**passé antérieur**		
je	**bus**	j'	**eus**	**bu**
tu	**bus**	tu	**eus**	**bu**
il/elle	**but**	il/elle	**eut**	**bu**
nous	**bûmes**	nous	**eûmes**	**bu**
vous	**bûtes**	vous	**eûtes**	**bu**
ils/elles	**burent**	ils/elles	**eurent**	**bu**

Conditionnel

présent		passé		
je	**boirais**	j'	**aurais**	**bu**
tu	**boirais**	tu	**aurais**	**bu**
il/elle	**boirait**	il/elle	**aurait**	**bu**
nous	**boirions**	nous	**aurions**	**bu**
vous	**boiriez**	vous	**auriez**	**bu**
ils/elles	**boiraient**	ils/elles	**auraient**	**bu**

BOIRE 89

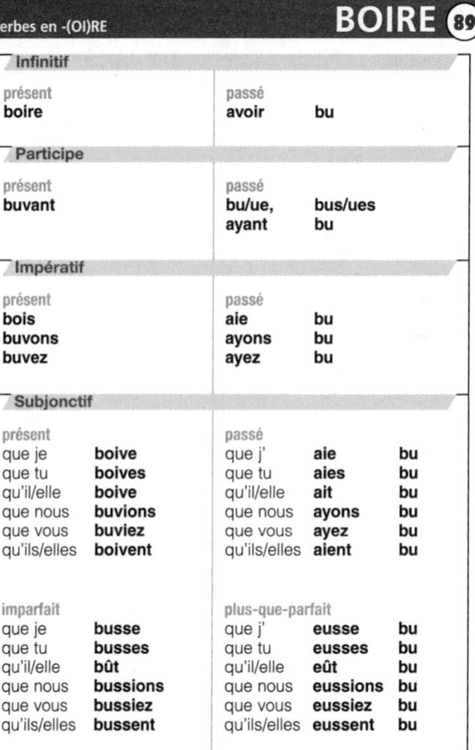

Infinitif

présent	passé	
boire	**avoir**	**bu**

Participe

présent	passé	
buvant	**bu/ue,**	**bus/ues**
	ayant	**bu**

Impératif

présent	passé	
bois	**aie**	**bu**
buvons	**ayons**	**bu**
buvez	**ayez**	**bu**

Subjonctif

présent		passé		
que je	**boive**	que j'	**aie**	**bu**
que tu	**boives**	que tu	**aies**	**bu**
qu'il/elle	**boive**	qu'il/elle	**ait**	**bu**
que nous	**buvions**	que nous	**ayons**	**bu**
que vous	**buviez**	que vous	**ayez**	**bu**
qu'ils/elles	**boivent**	qu'ils/elles	**aient**	**bu**

imparfait		plus-que-parfait		
que je	**busse**	que j'	**eusse**	**bu**
que tu	**busses**	que tu	**eusses**	**bu**
qu'il/elle	**bût**	qu'il/elle	**eût**	**bu**
que nous	**bussions**	que nous	**eussions**	**bu**
que vous	**bussiez**	que vous	**eussiez**	**bu**
qu'ils/elles	**bussent**	qu'ils/elles	**eussent**	**bu**

90 SE DISTRAIRE

3e groupe

Indicatif

présent		passé composé		
je me	distrais	je me	suis	distrait/te
tu te	distrais	tu t'	es	distrait/te
il/elle se	distrait	il/elle s'	est	distrait/te
nous nous	distrayons	nous nous	sommes	distraits/tes
vous vous	distrayez	vous vous	êtes	distraits/tes
ils/elles se	distraient	ils/elles se	sont	distraits/tes
imparfait		**plus-que-parfait**		
je me	distrayais	je m'	étais	distrait/te
tu te	distrayais	tu t'	étais	distrait/te
il/elle se	distrayait	il/elle s'	était	distrait/te
nous nous	distrayions	nous nous	étions	distraits/tes
vous vous	distrayiez	vous vous	étiez	distraits/tes
ils/elles se	distrayaient	ils/elles s'	étaient	distraits/tes
futur simple		**futur antérieur**		
je me	distrairai	je me	serai	distrait/te
tu te	distrairas	tu te	seras	distrait/te
il/elle se	distraira	il/elle se	sera	distrait/te
nous nous	distrairons	nous nous	serons	distraits/tes
vous vous	distrairez	vous vous	serez	distraits/tes
ils/elles se	distrairont	ils/elles se	seront	distraits/tes
passé simple		**passé antérieur**		
inusité		je me	fus	distrait/te
		tu te	fus	distrait/te
		il/elle se	fut	distrait/te
		nous nous	fûmes	distraits/tes
		vous vous	fûtes	distraits/tes
		ils/elles se	furent	distraits/tes

Conditionnel

présent		passé		
je me	distrairais	je me	serais	distrait/te
tu te	distrairais	tu te	serais	distrait/te
il/elle se	distrairait	il/elle se	serait	distrait/te
nous nous	distrairions	nous nous	serions	distraits/tes
vous vous	distrairiez	vous vous	seriez	distraits/tes
ils/elles se	distrairaient	ils/elles se	seraient	distraits/tes

SE DISTRAIRE 90

Infinitif

présent		passé	
se	distraire	s'être	distrait/te, distraits/tes

Participe

présent		passé	
se	distrayant	distrait/te,	distraits/tes
		s'étant	distrait/te/ts/tes

Impératif

présent	passé
distrais-toi	*inusité*
distrayons-nous	
distrayez-vous	

Subjonctif

présent		passé		
que je me	distraie	que je me	sois	distrait/te
que tu te	distraies	que tu te	sois	distrait/te
qu'il/elle se	distraie	qu'il/elle se	soit	distrait/te
que nous nous	distrayions	que nous nous	soyons	distraits/tes
que vous vous	distrayiez	que vous vous	soyez	distraits/tes
qu'ils/elles se	distraient	qu' ils/elles se	soient	distraits/tes

imparfait		plus-que-parfait		
inusité		que je me	fusse	distrait/te
		que tu te	fusses	distrait/te
		qu'il/elle se	fût	distrait/te
		que nous nous	fussions	distraits/tes
		que vous vous	fussiez	distraits/tes
		qu' ils/elles se	fussent	distraits/tes

91 PLAIRE

3e groupe

Indicatif

présent		passé composé		
je	**plais**	j'	**ai**	**plu**
tu	**plais**	tu	**as**	**plu**
il/elle	**plaît**	il/elle	**a**	**plu**
nous	**plaisons**	nous	**avons**	**plu**
vous	**plaisez**	vous	**avez**	**plu**
ils/elles	**plaisent**	ils/elles	**ont**	**plu**
imparfait		**plus-que-parfait**		
je	**plaisais**	j'	**avais**	**plu**
tu	**plaisais**	tu	**avais**	**plu**
il/elle	**plaisait**	il/elle	**avait**	**plu**
nous	**plaisions**	nous	**avions**	**plu**
vous	**plaisiez**	vous	**aviez**	**plu**
ils/elles	**plaisaient**	ils/elles	**avaient**	**plu**
futur simple		**futur antérieur**		
je	**plairai**	j'	**aurai**	**plu**
tu	**plairas**	tu	**auras**	**plu**
il/elle	**plaira**	il/elle	**aura**	**plu**
nous	**plairons**	nous	**aurons**	**plu**
vous	**plairez**	vous	**aurez**	**plu**
ils/elles	**plairont**	ils/elles	**auront**	**plu**
passé simple		**passé antérieur**		
je	**plus**	j'	**eus**	**plu**
tu	**plus**	tu	**eus**	**plu**
il/elle	**plut**	il/elle	**eut**	**plu**
nous	**plûmes**	nous	**eûmes**	**plu**
vous	**plûtes**	vous	**eûtes**	**plu**
ils/elles	**plurent**	ils/elles	**eurent**	**plu**

Conditionnel

présent		passé		
je	**plairais**	j'	**aurais**	**plu**
tu	**plairais**	tu	**aurais**	**plu**
il/elle	**plairait**	il/elle	**aurait**	**plu**
nous	**plairions**	nous	**aurions**	**plu**
vous	**plairiez**	vous	**auriez**	**plu**
ils/elles	**plairaient**	ils/elles	**auraient**	**plu**

PLAIRE 91

Infinitif

présent	passé	
plaire	**avoir**	**plu**

Participe

présent	passé	
plaisant	**plu**	
	ayant	**plu**

Impératif

présent	passé	
plais	**aie**	**plu**
plaisons	**ayons**	**plu**
plaisez	**ayez**	**plu**

Subjonctif

présent		passé		
que je	**plaise**	que j'	**aie**	**plu**
que tu	**plaises**	que tu	**aies**	**plu**
qu'il/elle	**plaise**	qu'il/elle	**ait**	**plu**
que nous	**plaisions**	que nous	**ayons**	**plu**
que vous	**plaisiez**	que vous	**ayez**	**plu**
qu'ils/elles	**plaisent**	qu'ils/elles	**aient**	**plu**

imparfait		plus-que-parfait		
que je	**plusse**	que j'	**eusse**	**plu**
que tu	**plusses**	que tu	**eusses**	**plu**
qu'il/elle	**plût**	qu'il/elle	**eût**	**plu**
que nous	**plussions**	que nous	**eussions**	**plu**
que vous	**plussiez**	que vous	**eussiez**	**plu**
qu'ils/elles	**plussent**	qu'ils/elles	**eussent**	**plu**

92 CROÎTRE

3e groupe

Indicatif

présent		passé composé		
je	**croîs**	j'	**ai**	**crû**
tu	**croîs**	tu	**as**	**crû**
il/elle	**croît**	il/elle	**a**	**crû**
nous	**croissons**	nous	**avons**	**crû**
vous	**croissez**	vous	**avez**	**crû**
ils/elles	**croissent**	ils/elles	**ont**	**crû**
imparfait		**plus-que-parfait**		
je	**croissais**	j'	**avais**	**crû**
tu	**croissais**	tu	**avais**	**crû**
il/elle	**croissait**	il/elle	**avait**	**crû**
nous	**croissions**	nous	**avions**	**crû**
vous	**croissiez**	vous	**aviez**	**crû**
ils/elles	**croissaient**	ils/elles	**avaient**	**crû**
futur simple		**futur antérieur**		
je	**croîtrai**	j'	**aurai**	**crû**
tu	**croîtras**	tu	**auras**	**crû**
il/elle	**croîtra**	il/elle	**aura**	**crû**
nous	**croîtrons**	nous	**aurons**	**crû**
vous	**croîtrez**	vous	**aurez**	**crû**
ils/elles	**croîtront**	ils/elles	**auront**	**crû**
passé simple		**passé antérieur**		
je	**crûs**	j'	**eus**	**crû**
tu	**crûs**	tu	**eus**	**crû**
il/elle	**crût**	il/elle	**eut**	**crû**
nous	**crûmes**	nous	**eûmes**	**crû**
vous	**crûtes**	vous	**eûtes**	**crû**
ils/elles	**crûrent**	ils/elles	**eurent**	**crû**

Conditionnel

présent		passé		
je	**croîtrais**	j'	**aurais**	**crû**
tu	**croîtrais**	tu	**aurais**	**crû**
il/elle	**croîtrait**	il/elle	**aurait**	**crû**
nous	**croîtrions**	nous	**aurions**	**crû**
vous	**croîtriez**	vous	**auriez**	**crû**
ils/elles	**croîtraient**	ils/elles	**auraient**	**crû**

Infinitif

présent	passé	
croître	avoir	crû

Participe

présent	passé	
croissant	crû/crue,	crus/crues
	ayant	crû

Impératif

présent	passé	
croîs	aie	crû
croissons	ayons	crû
croissez	ayez	crû

Subjonctif

présent		passé		
que je	croisse	que j'	aie	crû
que tu	croisses	que tu	aies	crû
qu'il/elle	croisse	qu'il/elle	ait	crû
que nous	croissions	que nous	ayons	crû
que vous	croissiez	que vous	ayez	crû
qu'ils/elles	croissent	qu'ils/elles	aient	crû

imparfait		plus-que-parfait		
que je	crûsse	que j'	eusse	crû
que tu	crûsses	que tu	eusses	crû
qu'il/elle	crût	qu'il/elle	eût	crû
que nous	crûssions	que nous	eussions	crû
que vous	crûssiez	que vous	eussiez	crû
qu'ils/elles	crûssent	qu'ils/elles	eussent	crû

93 ACCROÎTRE

3e groupe

Indicatif

présent		passé composé		
j'	accrois	j'	ai	accru
tu	accrois	tu	as	accru
il/elle	accroît	il/elle	a	accru
nous	accroissons	nous	avons	accru
vous	accroissez	vous	avez	accru
ils/elles	accroissent	ils/elles	ont	accru
imparfait		**plus-que-parfait**		
j'	accroissais	j'	avais	accru
tu	accroissais	tu	avais	accru
il/elle	accroissait	il/elle	avait	accru
nous	accroissions	nous	avions	accru
vous	accroissiez	vous	aviez	accru
ils/elles	accroissaient	ils/elles	avaient	accru
futur simple		**futur antérieur**		
j'	accroîtrai	j'	aurai	accru
tu	accroîtras	tu	auras	accru
il/elle	accroîtra	il/elle	aura	accru
nous	accroîtrons	nous	aurons	accru
vous	accroîtrez	vous	aurez	accru
ils/elles	accroîtront	ils/elles	auront	accru
passé simple		**passé antérieur**		
j'	accrus	j'	eus	accru
tu	accrus	tu	eus	accru
il/elle	accrut	il/elle	eut	accru
nous	accrûmes	nous	eûmes	accru
vous	accrûtes	vous	eûtes	accru
ils/elles	accrurent	ils/elles	eurent	accru

Conditionnel

présent		passé		
j'	accroîtrais	j'	aurais	accru
tu	accroîtrais	tu	aurais	accru
il/elle	accroîtrait	il/elle	aurait	accru
nous	accroîtrions	nous	aurions	accru
vous	accroîtriez	vous	auriez	accru
ils/elles	accroîtraient	ils/elles	auraient	accru

Infinitif

présent	passé	
accroître	avoir	accru

Participe

présent	passé	
accroissant	accru/ue,	accrus/ues
	ayant	accru

Impératif

présent	passé	
accrois	aie	accru
accroissons	ayons	accru
accroissez	ayez	accru

Subjonctif

présent		passé		
que j'	accroisse	que j'	aie	accru
que tu	accroisses	que tu	aies	accru
qu'il/elle	accroisse	qu'il/elle	ait	accru
que nous	accroissions	que nous	ayons	accru
que vous	accroissiez	que vous	ayez	accru
qu'ils/elles	accroissent	qu'ils/elles	aient	accru

imparfait		plus-que-parfait		
que j'	accrusse	que j'	eusse	accru
que tu	accrusses	que tu	eusses	accru
qu'il/elle	accrût	qu'il/elle	eût	accru
que nous	accrussions	que nous	eussions	accru
que vous	accrussiez	que vous	eussiez	accru
qu'ils/elles	accrussent	qu'ils/elles	eussent	accru

94 CONCLURE

3e groupe

Indicatif

présent		passé composé		
je	**conclus**	j'	**ai**	**conclu**
tu	**conclus**	tu	**as**	**conclu**
il/elle	**conclut**	il/elle	**a**	**conclu**
nous	**concluons**	nous	**avons**	**conclu**
vous	**concluez**	vous	**avez**	**conclu**
ils/elles	**concluent**	ils/elles	**ont**	**conclu**
imparfait		**plus-que-parfait**		
je	**concluais**	j'	**avais**	**conclu**
tu	**concluais**	tu	**avais**	**conclu**
il/elle	**concluait**	il/elle	**avait**	**conclu**
nous	**concluions**	nous	**avions**	**conclu**
vous	**concluiez**	vous	**aviez**	**conclu**
ils/elles	**concluaient**	ils/elles	**avaient**	**conclu**
futur simple		**futur antérieur**		
je	**conclurai**	j'	**aurai**	**conclu**
tu	**concluras**	tu	**auras**	**conclu**
il/elle	**conclura**	il/elle	**aura**	**conclu**
nous	**conclurons**	nous	**aurons**	**conclu**
vous	**conclurez**	vous	**aurez**	**conclu**
ils/elles	**concluront**	ils/elles	**auront**	**conclu**
passé simple		**passé antérieur**		
je	**conclus**	j'	**eus**	**conclu**
tu	**conclus**	tu	**eus**	**conclu**
il/elle	**conclut**	il/elle	**eut**	**conclu**
nous	**conclûmes**	nous	**eûmes**	**conclu**
vous	**conclûtes**	vous	**eûtes**	**conclu**
ils/elles	**conclurent**	ils/elles	**eurent**	**conclu**

Conditionnel

présent		passé		
je	**conclurais**	j'	**aurais**	**conclu**
tu	**conclurais**	tu	**aurais**	**conclu**
il/elle	**conclurait**	il/elle	**aurait**	**conclu**
nous	**conclurions**	nous	**aurions**	**conclu**
vous	**concluriez**	vous	**auriez**	**conclu**
ils/elles	**concluraient**	ils/elles	**auraient**	**conclu**

Infinitif

présent	passé	
conclure	**avoir**	**conclu**

Participe

présent	passé	
concluant	**conclu/ue,**	**conclus/ues**
	ayant	**conclu**

Impératif

présent	passé	
conclus	**aie**	**conclu**
concluons	**ayons**	**conclu**
concluez	**ayez**	**conclu**

Subjonctif

présent		passé		
que je	**conclue**	que j'	**aie**	**conclu**
que tu	**conclues**	que tu	**aies**	**conclu**
qu'il/elle	**conclue**	qu'il/elle	**ait**	**conclu**
que nous	**concluions**	que nous	**ayons**	**conclu**
que vous	**concluiez**	que vous	**ayez**	**conclu**
qu'ils/elles	**concluent**	qu'ils/elles	**aient**	**conclu**

imparfait		plus-que-parfait		
que je	**conclusse**	que j'	**eusse**	**conclu**
que tu	**conclusses**	que tu	**eusses**	**conclu**
qu'il/elle	**conclût**	qu'il/elle	**eût**	**conclu**
que nous	**conclussions**	que nous	**eussions**	**conclu**
que vous	**conclussiez**	que vous	**eussiez**	**conclu**
qu'ils/elles	**conclussent**	qu'ils/elles	**eussent**	**conclu**

95 RÉSOUDRE

3e groupe

Indicatif

présent		passé composé		
je	**résous**	j'	**ai**	**résolu**
tu	**résous**	tu	**as**	**résolu**
il/elle	**résout**	il/elle	**a**	**résolu**
nous	**résolvons**	nous	**avons**	**résolu**
vous	**résolvez**	vous	**avez**	**résolu**
ils/elles	**résolvent**	ils/elles	**ont**	**résolu**
imparfait		**plus-que-parfait**		
je	**résolvais**	j'	**avais**	**résolu**
tu	**résolvais**	tu	**avais**	**résolu**
il/elle	**résolvait**	il/elle	**avait**	**résolu**
nous	**résolvions**	nous	**avions**	**résolu**
vous	**résolviez**	vous	**aviez**	**résolu**
ils/elles	**résolvaient**	ils/elles	**avaient**	**résolu**
futur simple		**futur antérieur**		
je	**résoudrai**	j'	**aurai**	**résolu**
tu	**résoudras**	tu	**auras**	**résolu**
il/elle	**résoudra**	il/elle	**aura**	**résolu**
nous	**résoudrons**	nous	**aurons**	**résolu**
vous	**résoudrez**	vous	**aurez**	**résolu**
ils/elles	**résoudront**	ils/elles	**auront**	**résolu**
passé simple		**passé antérieur**		
je	**résolus**	j'	**eus**	**résolu**
tu	**résolus**	tu	**eus**	**résolu**
il/elle	**résolut**	il/elle	**eut**	**résolu**
nous	**résolûmes**	nous	**eûmes**	**résolu**
vous	**résolûtes**	vous	**eûtes**	**résolu**
ils/elles	**résolurent**	ils/elles	**eurent**	**résolu**

Conditionnel

présent		passé		
je	**résoudrais**	j'	**aurais**	**résolu**
tu	**résoudrais**	tu	**aurais**	**résolu**
il/elle	**résoudrait**	il/elle	**aurait**	**résolu**
nous	**résoudrions**	nous	**aurions**	**résolu**
vous	**résoudriez**	vous	**auriez**	**résolu**
ils/elles	**résoudraient**	ils/elles	**auraient**	**résolu**

RÉSOUDRE 95

Infinitif

présent	passé	
résoudre	avoir	résolu

Participe

présent	passé	
résolvant	résolu/ue,	résolus/ues
	ayant	résolu

Impératif

présent	passé	
résous	aie	résolu
résolvons	ayons	résolu
résolvez	ayez	résolu

Subjonctif

présent		passé		
que je	résolve	que j'	aie	résolu
que tu	résolves	que tu	aies	résolu
qu'il/elle	résolve	qu'il/elle	ait	résolu
que nous	résolvions	que nous	ayons	résolu
que vous	résolviez	que vous	ayez	résolu
qu'ils/elles	résolvent	qu'ils/elles	aient	résolu

imparfait		plus-que-parfait		
que je	résolusse	que j'	eusse	résolu
que tu	résolusses	que tu	eusses	résolu
qu'il/elle	résolût	qu'il/elle	eût	résolu
que nous	résolussions	que nous	eussions	résolu
que vous	résolussiez	que vous	eussiez	résolu
qu'ils/elles	résolussent	qu'ils/elles	eussent	résolu

96 MOUDRE

3e groupe

Indicatif

présent		passé composé		
je	**mouds**	j'	**ai**	**moulu**
tu	**mouds**	tu	**as**	**moulu**
il/elle	**moud**	il/elle	**a**	**moulu**
nous	**moulons**	nous	**avons**	**moulu**
vous	**moulez**	vous	**avez**	**moulu**
ils/elles	**moulent**	ils/elles	**ont**	**moulu**
imparfait		**plus-que-parfait**		
je	**moulais**	j'	**avais**	**moulu**
tu	**moulais**	tu	**avais**	**moulu**
il/elle	**moulait**	il/elle	**avait**	**moulu**
nous	**moulions**	nous	**avions**	**moulu**
vous	**mouliez**	vous	**aviez**	**moulu**
ils/elles	**moulaient**	ils/elles	**avaient**	**moulu**
futur simple		**futur antérieur**		
je	**moudrai**	j'	**aurai**	**moulu**
tu	**moudras**	tu	**auras**	**moulu**
il/elle	**moudra**	il/elle	**aura**	**moulu**
nous	**moudrons**	nous	**aurons**	**moulu**
vous	**moudrez**	vous	**aurez**	**moulu**
ils/elles	**moudront**	ils/elles	**auront**	**moulu**
passé simple		**passé antérieur**		
je	**moulus**	j'	**eus**	**moulu**
tu	**moulus**	tu	**eus**	**moulu**
il/elle	**moulut**	il/elle	**eut**	**moulu**
nous	**moulûmes**	nous	**eûmes**	**moulu**
vous	**moulûtes**	vous	**eûtes**	**moulu**
ils/elles	**moulurent**	ils/elles	**eurent**	**moulu**

Conditionnel

présent		passé		
je	**moudrais**	j'	**aurais**	**moulu**
tu	**moudrais**	tu	**aurais**	**moulu**
il/elle	**moudrait**	il/elle	**aurait**	**moulu**
nous	**moudrions**	nous	**aurions**	**moulu**
vous	**moudriez**	vous	**auriez**	**moulu**
ils/elles	**moudraient**	ils/elles	**auraient**	**moulu**

Infinitif

présent	passé	
moudre	**avoir**	**moulu**

Participe

présent	passé	
moulant	**moulu/ue,**	**moulus/ues**
	ayant	**moulu**

Impératif

présent	passé	
mouds	**aie**	**moulu**
moulons	**ayons**	**moulu**
moulez	**ayez**	**moulu**

Subjonctif

présent		passé		
que je	**moule**	que j'	**aie**	**moulu**
que tu	**moules**	que tu	**aies**	**moulu**
qu'il/elle	**moule**	qu'il/elle	**ait**	**moulu**
que nous	**moulions**	que nous	**ayons**	**moulu**
que vous	**mouliez**	que vous	**ayez**	**moulu**
qu'ils/elles	**moulent**	qu'ils/elles	**aient**	**moulu**

imparfait		plus-que-parfait		
que je	**moulusse**	que j'	**eusse**	**moulu**
que tu	**moulusses**	que tu	**eusses**	**moulu**
qu'il/elle	**moulût**	qu'il/elle	**eût**	**moulu**
que nous	**moulussions**	que nous	**eussions**	**moulu**
que vous	**moulussiez**	que vous	**eussiez**	**moulu**
qu'ils/elles	**moulussent**	qu'ils/elles	**eussent**	**moulu**

97 COUDRE

3e groupe

Indicatif

présent		passé composé		
je	**couds**	j'	**ai**	**cousu**
tu	**couds**	tu	**as**	**cousu**
il/elle	**coud**	il/elle	**a**	**cousu**
nous	**cousons**	nous	**avons**	**cousu**
vous	**cousez**	vous	**avez**	**cousu**
ils/elles	**cousent**	ils/elles	**ont**	**cousu**
imparfait		**plus-que-parfait**		
je	**cousais**	j'	**avais**	**cousu**
tu	**cousais**	tu	**avais**	**cousu**
il/elle	**cousait**	il/elle	**avait**	**cousu**
nous	**cousions**	nous	**avions**	**cousu**
vous	**cousiez**	vous	**aviez**	**cousu**
ils/elles	**cousaient**	ils/elles	**avaient**	**cousu**
futur simple		**futur antérieur**		
je	**coudrai**	j'	**aurai**	**cousu**
tu	**coudras**	tu	**auras**	**cousu**
il/elle	**coudra**	il/elle	**aura**	**cousu**
nous	**coudrons**	nous	**aurons**	**cousu**
vous	**coudrez**	vous	**aurez**	**cousu**
ils/elles	**coudront**	ils/elles	**auront**	**cousu**
passé simple		**passé antérieur**		
je	**cousis**	j'	**eus**	**cousu**
tu	**cousis**	tu	**eus**	**cousu**
il/elle	**cousit**	il/elle	**eut**	**cousu**
nous	**cousîmes**	nous	**eûmes**	**cousu**
vous	**cousîtes**	vous	**eûtes**	**cousu**
ils/elles	**cousirent**	ils/elles	**eurent**	**cousu**

Conditionnel

présent		passé		
je	**coudrais**	j'	**aurais**	**cousu**
tu	**coudrais**	tu	**aurais**	**cousu**
il/elle	**coudrait**	il/elle	**aurait**	**cousu**
nous	**coudrions**	nous	**aurions**	**cousu**
vous	**coudriez**	vous	**auriez**	**cousu**
ils/elles	**coudraient**	ils/elles	**auraient**	**cousu**

Infinitif

présent	passé	
coudre	avoir	cousu

Participe

présent	passé	
cousant	cousu/ue,	cousus/ues
	ayant	cousu

Impératif

présent	passé	
couds	aie	cousu
cousons	ayons	cousu
cousez	ayez	cousu

Subjonctif

présent		passé		
que je	**couse**	que j'	**aie**	**cousu**
que tu	**couses**	que tu	**aies**	**cousu**
qu'il/elle	**couse**	qu'il/elle	**ait**	**cousu**
que nous	**cousions**	que nous	**ayons**	**cousu**
que vous	**cousiez**	que vous	**ayez**	**cousu**
qu'ils/elles	**cousent**	qu'ils/elles	**aient**	**cousu**

imparfait		plus-que-parfait		
que je	**cousisse**	que j'	**eusse**	**cousu**
que tu	**cousisses**	que tu	**eusses**	**cousu**
qu'il/elle	**cousît**	qu'il/elle	**eût**	**cousu**
que nous	**cousissions**	que nous	**eussions**	**cousu**
que vous	**cousissiez**	que vous	**eussiez**	**cousu**
qu'ils/elles	**cousissent**	qu'ils/elles	**eussent**	**cousu**

98 CLORE

3e groupe

Indicatif

présent		passé composé		
je	**clos**	j'	**ai**	**clos**
tu	**clos**	tu	**as**	**clos**
il/elle	**clôt**	il/elle	**a**	**clos**
nous	**closons**	nous	**avons**	**clos**
vous	**closez**	vous	**avez**	**clos**
ils/elles	**closent**	ils/elles	**ont**	**clos**

imparfait		plus-que-parfait		
inusité		j'	**avais**	**clos**
		tu	**avais**	**clos**
		il/elle	**avait**	**clos**
		nous	**avions**	**clos**
		vous	**aviez**	**clos**
		ils/elles	**avaient**	**clos**

futur simple		futur antérieur		
je	**clorai**	j'	**aurai**	**clos**
tu	**cloras**	tu	**auras**	**clos**
il/elle	**clora**	il/elle	**aura**	**clos**
nous	**clorons**	nous	**aurons**	**clos**
vous	**clorez**	vous	**aurez**	**clos**
ils/elles	**cloront**	ils/elles	**auront**	**clos**

passé simple		passé antérieur		
inusité		j'	**eus**	**clos**
		tu	**eus**	**clos**
		il/elle	**eut**	**clos**
		nous	**eûmes**	**clos**
		vous	**eûtes**	**clos**
		ils/elles	**eurent**	**clos**

Conditionnel

présent		passé		
je	**clorais**	j'	**aurais**	**clos**
tu	**clorais**	tu	**aurais**	**clos**
il/elle	**clorait**	il/elle	**aurait**	**clos**
nous	**clorions**	nous	**aurions**	**clos**
vous	**cloriez**	vous	**auriez**	**clos**
ils/elles	**cloraient**	ils/elles	**auraient**	**clos**

Infinitif

présent	passé	
clore	**avoir**	**clos**

Participe

présent	passé	
closant	**clos/ose,**	**clos/oses**
	ayant	**clos**

Impératif

présent	passé	
clos	**aie**	**clos**
inusité	**ayons**	**clos**
inusité	**ayez**	**clos**

Subjonctif

présent		passé		
que je	**close**	que j'	**aie**	**clos**
que tu	**closes**	que tu	**aies**	**clos**
qu'il/elle	**close**	qu'il/elle	**ait**	**clos**
que nous	**closions**	que nous	**ayons**	**clos**
que vous	**closiez**	que vous	**ayez**	**clos**
qu'ils/elles	**closent**	qu'ils/elles	**aient**	**clos**

imparfait		plus-que-parfait		
inusité		que j'	**eusse**	**clos**
		que tu	**eusses**	**clos**
		qu'il/elle	**eût**	**clos**
		que nous	**eussions**	**clos**
		que vous	**eussiez**	**clos**
		qu'ils/elles	**eussent**	**clos**

99 SE REPAÎTRE

3e groupe

Indicatif

présent		passé composé		
je me	repais	je me	suis	repu/ue
tu te	repais	tu t'	es	repu/ue
il/elle se	repaît	il/elle s'	est	repu/ue
nous nous	repaissons	nous nous	sommes	repus/ues
vous vous	repaissez	vous vous	êtes	repus/ues
ils/elles se	repaissent	ils/elles se	sont	repus/ues
imparfait		**plus-que-parfait**		
je me	repaissais	je m'	étais	repu/ue
tu te	repaissais	tu t'	étais	repu/ue
il/elle se	repaissait	il/elle s'	était	repu/ue
nous nous	repaissions	nous nous	étions	repus/ues
vous vous	repaissiez	vous vous	étiez	repus/ues
ils/elles se	repaissaient	ils/elles s'	étaient	repus/ues
futur simple		**futur antérieur**		
je me	repaîtrai	je me	serai	repu/ue
tu te	repaîtras	tu te	seras	repu/ue
il/elle se	repaîtra	il/elle se	sera	repu/ue
nous nous	repaîtrons	nous nous	serons	repus/ues
vous vous	repaîtrez	vous vous	serez	repus/ues
ils/elles se	repaîtront	ils/elles se	seront	repus/ues
passé simple		**passé antérieur**		
je me	repus	je me	fus	repu/ue
tu te	repus	tu te	fus	repu/ue
il/elle se	reput	il/elle se	fut	repu/ue
nous nous	repûmes	nous nous	fûmes	repus/ues
vous vous	repûtes	vous vous	fûtes	repus/ues
ils/elles se	repurent	ils/elles se	furent	repus/ues

Conditionnel

présent		passé		
je me	repaîtrais	je me	serais	repu/ue
tu te	repaîtrais	tu te	serais	repu/ue
il/elle se	repaîtrait	il/elle se	serait	repu/ue
nous nous	repaîtrions	nous nous	serions	repus/ues
vous vous	repaîtriez	vous vous	seriez	repus/ues
ils/elles se	repaîtraient	ils/elles se	seraient	repus/ues

SE REPAÎTRE 99

Infinitif

présent		passé	
se	**repaître**	s'**être**	**repu/ue, repus/ues**

Participe

présent		passé	
se	**repaissant**	**repu/ue,**	**repus/ues**
		s'**étant**	**repu/ue/us/ues**

Impératif

présent	passé
repais-toi	*inusité*
repaissons-nous	
repaissez-vous	

Subjonctif

présent		passé		
que je me	**repaisse**	que je me	**sois**	**repu/ue**
que tu te	**repaisses**	que tu te	**sois**	**repu/ue**
qu'il/elle se	**repaisse**	qu'il/elle se	**soit**	**repu/ue**
que nous nous	**repaissions**	que nous nous	**soyons**	**repus/ues**
que vous vous	**repaissiez**	que vous vous	**soyez**	**repus/ues**
qu'ils/elles se	**repaissent**	qu'ils/elles se	**soient**	**repus/ues**

imparfait		plus-que-parfait		
que je me	**repusse**	que je me	**fusse**	**repu/ue**
que tu te	**repusses**	que tu te	**fusses**	**repu/ue**
qu'il/elle se	**repût**	qu'il/elle se	**fût**	**repu/ue**
que nous nous	**repussions**	que nous nous	**fussions**	**repus/ues**
que vous vous	**repussiez**	que vous vous	**fussiez**	**repus/ues**
qu'ils/elles se	**repussent**	qu'ils/elles se	**fussent**	**repus/ues**

100 CONFIRE

3e groupe

Indicatif

présent		passé composé		
je	**confis**	j'	**ai**	**confit**
tu	**confis**	tu	**as**	**confit**
il/elle	**confit**	il/elle	**a**	**confit**
nous	**confisons**	nous	**avons**	**confit**
vous	**confisez**	vous	**avez**	**confit**
ils/elles	**confisent**	ils/elles	**ont**	**confit**
imparfait		**plus-que-parfait**		
je	**confisais**	j'	**avais**	**confit**
tu	**confisais**	tu	**avais**	**confit**
il/elle	**confisait**	il/elle	**avait**	**confit**
nous	**confisions**	nous	**avions**	**confit**
vous	**confisiez**	vous	**aviez**	**confit**
ils/elles	**confisaient**	ils/elles	**avaient**	**confit**
futur simple		**futur antérieur**		
je	**confirai**	j'	**aurai**	**confit**
tu	**confiras**	tu	**auras**	**confit**
il/elle	**confira**	il/elle	**aura**	**confit**
nous	**confirons**	nous	**aurons**	**confit**
vous	**confirez**	vous	**aurez**	**confit**
ils/elles	**confiront**	ils/elles	**auront**	**confit**
passé simple		**passé antérieur**		
je	**confis**	j'	**eus**	**confit**
tu	**confis**	tu	**eus**	**confit**
il/elle	**confit**	il/elle	**eut**	**confit**
nous	**confîmes**	nous	**eûmes**	**confit**
vous	**confîtes**	vous	**eûtes**	**confit**
ils/elles	**confirent**	ils/elles	**eurent**	**confit**

Conditionnel

présent		passé		
je	**confirais**	j'	**aurais**	**confit**
tu	**confirais**	tu	**aurais**	**confit**
il/elle	**confirait**	il/elle	**aurait**	**confit**
nous	**confirions**	nous	**aurions**	**confit**
vous	**confiriez**	vous	**auriez**	**confit**
ils/elles	**confiraient**	ils/elles	**auraient**	**confit**

CONFIRE 100

Infinitif

présent	passé	
confire	**avoir**	**confit**

Participe

présent	passé	
confisant	**confit/te,**	**confits/tes**
	ayant	**confit**

Impératif

présent	passé	
confis	**aie**	**confit**
confisons	**ayons**	**confit**
confisez	**ayez**	**confit**

Subjonctif

présent		passé		
que je	**confise**	que j'	**aie**	**confit**
que tu	**confises**	que tu	**aies**	**confit**
qu'il/elle	**confise**	qu'il/elle	**ait**	**confit**
que nous	**confisions**	que nous	**ayons**	**confit**
que vous	**confisiez**	que vous	**ayez**	**confit**
qu'ils/elles	**confisent**	qu'ils/elles	**aient**	**confit**

imparfait		plus-que-parfait		
que je	**confisse**	que j'	**eusse**	**confit**
que tu	**confisses**	que tu	**eusses**	**confit**
qu'il/elle	**confît**	qu'il/elle	**eût**	**confit**
que nous	**confissions**	que nous	**eussions**	**confit**
que vous	**confissiez**	que vous	**eussiez**	**confit**
qu'ils/elles	**confissent**	qu'ils/elles	**eussent**	**confit**

Le répertoire des verbes

MODE D'EMPLOI

Ce répertoire permet de retrouver comment se conjuguent et se construisent tous les verbes courants de la langue. Les numéros renvoient aux tableaux de conjugaison.

• Pour chaque verbe, sont indiqués :

- le ou les modes de construction (transitive directe ou indirecte, intransitive) ;

- les prépositions généralement utilisées pour introduire le complément (C.O.I., C.O.S. ou C.C.), mentionnées entre parenthèses ;

- l'emploi pronominal éventuel (à cette voix, l'auxiliaire de conjugaison est toujours « être ») ;

- l'auxiliaire qui permet de former les temps composés à la voix active quand ce n'est pas « avoir » qui est obligatoire ;

- les particularités orthographiques ;

- les particularités d'emploi.

• Les verbes essentiellement pronominaux (qui n'existent pas à la voix active) sont suivis de **-se-** ou **-s'-**.

• Les verbes propres à la francophonie sont signalés par l'indication du pays ou de la région où ils sont employés : Afrique, Belgique, Québec, Suisse.

ABRÉVIATIONS UTILISÉES

T	emploi transitif direct (avec un C.O.D.)
TI	emploi transitif indirect (avec un C.O.I.)
I	emploi intransitif (avec un C.C. ou sans complément)
Pr	verbe souvent conjugué à la voix pronominale (à cette voix, toujours avec « être » aux temps composés)
U	verbe unipersonnel (= impersonnel), n'existe qu'à la 3e personne du singulier
Déf	verbe défectif (= dont certaines formes sont inusitées)
p.p. inv.	verbe dont le participe passé est toujours invariable
p.p. inv.	participe passé invariable dans l'emploi indiqué
+ être	verbe actif qui forme ses temps composés avec l'auxiliaire « être »
+ être ou avoir	verbe actif qui peut former ses temps composés avec l'auxiliaire « être » ou avec l'auxiliaire « avoir », selon la nuance de sens.

A

abaisser **T / Pr** (à)	12
abandonner **T / Pr** (à)	12
abasourdir **T**	35
abâtardir **T**	35
abattre **T / I,** p.p.inv. / **Pr**	74
abcéder **I / p.p.inv.**	20
abdiquer **T / I,** p.p.inv.	16
abêtir **T / Pr**	35
abhorrer **T**	12
abîmer **T / Pr**	12
abjurer **T**	12
ablater **T / Pr**	12
abolir **T**	35
abominer **T**	12
abonder **I / p.p.inv.**	12
abonner **T / Pr** (à)	12
abonnir **T / Pr**	35
aborder **I,** p.p.inv. / **T**	12
aboucher **T / Pr** (avec)	12
abouler **T / Pr**	12
abouter **T**	12
aboutir **Ti** (à) / **I / p.p.inv.**	35
aboyer **I / Ti** (à, après, contre) / **p.p.inv.**	31
abraser **T**	12
abréagir **I / p.p.inv.**	35
abréger **T**	21
abreuver **T / Pr** (à, de)	12
abriter **T / Pr**	12
abroger **T**	17
abrutir **T**	35
absenter **-s'-** (de) **+ être**	12
absorber **T / Pr** (dans)	12
absoudre **T**	95
abstenir **-s'-** (de) **+ être**	4
abstraire **T / Pr** (de) / **Déf :** pas de passé simple, pas de subj. imparf.	90
abuser **Ti** (de), p.p.inv. / **T / Pr**	12
accabler **T**	12
accaparer **T / Pr** (de), Belgique	12
accastiller **T**	12
accéder **Ti** (à) / **p.p.inv.**	20
accélérer **T / I,** p.p.inv. / **Pr**	20
accentuer **T / Pr**	13
accepter **T**	12
accessoiriser **T**	12
accidenter **T**	12
acclamer **T**	12
acclimater **T / Pr** (à)	12
accointer **-s'-** (avec) **+ être**	12
accoler **T**	12
accommoder **T / I,** p.p.inv. / **Pr** (à, avec, de)	12
accompagner **T**	12
accomplir **T / Pr**	35
accorder **T / Pr**	12
accoster **T**	12
accoter **T / Pr**	12
accoucher **I,** p.p.inv. / **Ti** (de), p.p.inv. / **T**	12
accouder **-s'- + être**	12
accouer **T**	13
accoupler **T / Pr**	12
accourcir **T**	35
accourir **I / + être ou avoir**	42
accoutrer **T / Pr**	12
accoutumer **T / Pr** (à)	12
accréditer **T / Pr**	12
accrocher **T / Pr**	12
accroire **T / Déf :** usité seulement à l'inf., après *faire* et *laisser* *(en faire accroire à quelqu'un)*	88
accroître T / Pr	**93**
accroupir **-s'- + être**	35
accueillir **T**	46
acculer **T**	12
acculturer **T**	12
accumuler **T / Pr**	12
accuser **T**	12
acérer **T**	20
acétifier **T**	15
achalander **T**	12
acharner **-s'-** (sur, contre) **+ être**	12
acheminer **T / Pr** (vers)	12
acheter T	**28**
achever **T**	25
achopper **I / p.p.inv.**	12
achromatiser **T**	12

acidifier **T** 15
aciduler **T** 12
aciérer **T** 20
acoquiner **-s'-** (avec, à) **+ être** 12
acquérir T **44**
acquiescer I / Ti (à) **/ p.p.inv.** **19**
acquitter **T / Pr** (de) 12
actionner **T** 12
activer **T / Pr** 12
actualiser **T** 12
adapter **T / Pr** (à) 12
additionner **T** 12
adhérer **Ti** (à) / **p.p.inv.** 20
adjectiver **T** 12
adjectiviser **T** 12
adjoindre **T / Pr** 71
adjuger **T / Pr** 17
adjurer **T** 12
admettre **T** 6
administrer **T** 12
admirer **T** 12
admonester **T** 12
adonner **-s'-** (à) **+ être** 12
adopter **T** 12
adorer **T / Pr** 12
adosser **T / Pr** (à, contre) 12
adouber **T** 12
adoucir **T / Pr** 35
adresser **T / Pr** (à) 12
adsorber **T** 12
aduler **T** 12
adultérer **T** 20
advenir **I / + être / Déf :** usité seulement à l'inf., aux 3es pers. et au part. passé. 4
aérer **T / Pr** 20
affabuler **I / p.p.inv.** 12
affadir **T** 35
affaiblir **T / Pr** 35
affairer **-s'-** (auprès de) **+ être** 12
affaisser **T / Pr** 12
affaler **T / Pr** (sur) 12
affamer **T** 12
afféager **T** 17
affecter **T / Pr** (de) 12
affectionner **T** 12
affermer **T** 12
affermir **T** 35
afficher **T / Pr** 12
affiler **T** 12
affilier **T / Pr** (à) 15
affiner **T / Pr** 12
affirmer **T / Pr** 12
affleurer **T / I,** p.p.inv. 12
affliger **T / Pr** (de) 17
afflouer **T** 13
affluer **I / p.p.inv.** 13
affoler **T / Pr** 12
affouager **T** 17
affouiller **T** 12
affourager **T** 17
affourcher **T** 12
affranchir **T / Pr** (de) 35
affréter **T** 20
affriander **T** 12
affrioler **T** 12
affronter **T / Pr** 12
affruiter **I,** p.p.inv. / **T** 12
affubler **T / Pr** (de) 12
affûter **T** 12
africaniser **T / Pr** 12
agacer **T** 18
agencer **T** 18
agenouiller **-s'- + être** 12
agglomérer **T / Pr** 20
agglutiner **T / Pr** (à) 12
aggraver **T / Pr** 12
agir **I,** p.p.inv. / **T** 35
agir **-s'-** (de) **+ être U / p.p.inv.** 35
agiter **T / Pr** 12
agneler **I / p.p.inv.** 25
agonir **T** 35
agoniser **I / p.p.inv.** 12
agrafer **T** 12
agrainer **T** 12
agrandir **T / Pr** 35
agréer **T / Ti** (à), p.p.inv. / -é- partout 14
agréger **T / Pr** (à) 21
agrémenter **T** 12
agresser **T** 12
agriffer **-s'- + être** 12
agripper **T / Pr** (à) 12
aguerrir **T / Pr** 35
aguicher **T** 12
ahaner **I / p.p.inv.** 12
ahurir **T** 35
aicher **T** 12

Verbe	N°
aider **T / Ti** (à), p.p.inv. **/ Pr** (de)	12
aigrir **T / I,** p.p.inv. **/ Pr**	35
aiguiller **T**	12
aiguilleter **T**	27
aiguillonner **T**	12
aiguiser **T**	12
ailler **T**	12
aimanter **T**	12
aimer T / Pr	**12**
airer **I / p.p.inv.**	12
ajointer **T**	12
ajourer **T**	12
ajourner **T**	12
ajouter **T / Pr** (à)	12
ajuster **T**	12
alanguir **T / Pr**	35
alarmer **T / Pr** (de)	12
alcaliniser **T**	12
alcooliser **T / Pr**	12
alerter **T**	12
aléser **T**	20
aleviner **T**	12
aliéner **T**	20
aligner **T / Pr**	12
alimenter **T**	12
aliter **T / Pr**	12
allaiter **T**	12
allécher **T**	20
alléger **T**	21
alléguer **T** / -gu- partout	20
aller I / + être / Pr	**3**
allier **T / Pr** (à, avec)	15
allonger **T / I,** p.p.inv. **/ Pr**	17
allotir **T**	35
allouer **T**	13
allumer **T / Pr**	12
alluvionner **I / p.p.inv.**	12
alourdir **T**	35
alpaguer **T** / -gu- partout	16
alphabétiser **T**	12
altérer **T**	20
alterner **I,** p.p.inv. **/ T**	12
aluminer **T**	12
aluner **T**	12
alunir **I / p.p.inv.**	35
amadouer **T / Pr**	13
amaigrir **T / Pr**	35
amalgamer **T / Pr**	12
amariner **T**	12
amarrer **T**	12
amasser **T / Pr**	12
amatir **T**	35
ambiancer **I / p.p.inv.** / Afrique	18
ambitionner **T**	12
ambler **I / p.p.inv.**	12
ambrer **T**	12
améliorer **T / Pr**	12
aménager **T**	17
amender **T / Pr**	12
amener **T / Pr**	25
amenuiser **T / Pr**	12
américaniser **T / Pr**	12
amerrir **I / p.p.inv.**	35
ameublir **T**	35
ameuter **T**	12
amidonner **T**	12
amincir **T / Pr**	35
amnistier **T**	15
amocher **T**	12
amodier **T**	15
amoindrir **T / Pr**	35
amollir **T / Pr**	35
amonceler **T / Pr**	23
amorcer **T / Pr**	18
amortir **T / Pr**	35
amouracher **-s'-** (de) **+ être**	12
amplifier **T**	15
amputer **T**	12
amuïr **-s'- + être** / -ï- partout	35
amurer **T**	12
amuser **T / Pr**	12
analyser **T / Pr**	12
anastomoser **T / Pr**	12
anathématiser **T**	12
anatomiser **T**	12
ancrer **T / Pr**	12
anéantir **T / Pr**	35
anémier **T**	15
anesthésier **T**	15
anglaiser **T**	12
angliciser **T / Pr**	12
angoisser **T**	12
anhéler **I / p.p.inv.**	20
animaliser **T**	12
animer **T / Pr**	12
aniser **T**	12
ankyloser **T / Pr**	12

anneler **T** 23
annexer **T / Pr** 12
annihiler **T** 12
annoncer **T** 18
annoter **T** 12
annualiser **T** 12
annuler **T** 12
anoblir **T** 35
anodiser **T** 12
ânonner **I,** p.p.inv. / **T** 12
anordir **I / p.p.inv.** 35
antéposer **T** 12
anticiper **T / I,** p.p.inv. / **Ti** (sur), p.p.inv. 12
antidater **T** 12
antiparasiter **T** 12
apaiser **T / Pr** 12
apercevoir **T / Pr** (de) 51
apeurer **T** 12
apiquer **T** 16
apitoyer **T / Pr** (sur) 31
aplanir **T** 35
aplatir **T / I,** p.p.inv. / **Pr** 35
aplomber **T / Pr** / Québec 12
apostasier **T / I,** p.p.inv. 15
aposter **T** 12
apostiller **T** 12
apostropher **T** 12
appairer **T** 12
apparaître **I / + être** 75
appareiller **T / I,** p.p.inv. 12
apparenter **-s'-** (à) **+ être** 12
apparier **T / Pr** 15
apparoir **I / Déf :** usité seulement à l'inf. prés. et à la 3e pers. du sing. de l'ind. prés. *(il appert que…)* / Langage juridique —
appartenir **Ti** (à) / **U / Pr / p.p.inv.** 4
appâter **T** 12
appauvrir **T / Pr** 35
appeler **T / Ti** (de, à), p.p. inv. / **Pr** **23**
appendre **T** 66
appesantir **T / Pr** (sur) 35
applaudir **T / Ti** (à), p.p.inv. / **Pr** (de) 35
appliquer **T / Pr** (à) 16
appointer **T** 12
appondre **T** / Suisse 66
apponter **I / p.p.inv.** 12
apporter **T** 12
apposer **T** 12
apprécier **T / Pr** 15
appréhender **T** 12
apprendre **T** 68
apprêter **T / Pr** (à) 12
apprivoiser **T / Pr** 12
approcher **T / I,** p.p.inv. / **Ti** (de), p.p. inv. / **Pr** (de) 12
approfondir **T** 35
approprier **T / Pr** 15
approuver **T** 12
approvisionner **T** 12
appuyer **T / I,** p.p.inv. / **Pr** (à, sur) 32
apurer **T** 12
arabiser **T / Pr** 12
araser **T** 12
arbitrer **T** 12
arborer **T** 12
arc-bouter **T / Pr** (contre, à, sur) 12
architecturer **T** 12
archiver **T** 12
arçonner **T** 12
argenter **T** 12
arguer **T / Ti** (de), p.p.inv. **34**
argumenter **I,** p.p.inv. / **T** 12
ariser **T** 12
armer **T / Pr** (de) 12
armorier **T** 15
arnaquer **T** 16
aromatiser **T** 12
arpéger **T** 21
arpenter **T** 12
arquer **T** 16
arracher **T / Pr** (de, à) 12
arraisonner **T** 12
arranger **T / Pr** 17
arrenter **T** 12
arrérager **I,** p.p.inv. / **Pr** 17
arrêter **T / I,** p.p.inv. / **Pr** (de + inf.) 12
arriérer **T** 20
arrimer **T** 12

arriser **T**	12	assortir **T / Pr** (à, avec, de)	35	attirer **T**	12
arriver **I / U /+ être**	12	assoupir **T / Pr**	35	attiser **T**	12
arroger **-s'- + être**	17	assouplir **T / Pr**	35	attraire **T**	90
arrondir **T / Pr**	35	assourdir **T**	35	attraper **T**	12
arroser **T**	12	assouvir **T**	35	attremper **T**	12
articuler **T / Pr** (sur)	12	assujettir **T**	35	attribuer **T / Pr**	13
ascensionner **T**	12	assumer **T / Pr**	12	attrister **T / Pr**	12
aseptiser **T**	12	assurer **T / I,** p.p.inv. / **Pr**	12	attrouper **T / Pr**	12
asperger **T**	17	asticoter **T**	12	auditer **T**	12
asphalter **T**	12	astiquer **T**	16	auditionner **T / I,** p.p.inv.	12
asphyxier **T / Pr**	15	astreindre **T / Pr** (à)	70	augmenter **T / I,** p.p.inv.	12
aspirer **T / Ti** (à), p.p.inv.	12	atermoyer **I / p.p. inv.**	31	augurer **T**	12
assagir **T / Pr**	35	atomiser **T**	12	auréoler **T**	12
assaillir **T**	47	atrophier **-s'- + être**	15	aurifier **T**	15
assainir **T**	35	attabler **-s'- + être**	12	ausculter **T**	12
assaisonner **T**	12	attacher **T / I,** p.p.inv. / **Pr** (à)	12	authentifier **T**	15
assassiner **T**	12	attaquer **T / Pr** (à)	16	authentiquer **T**	16
assécher **T / Pr**	20	attarder **-s'- + être**	12	autocensurer **-s'- + être**	12
assembler **T / Pr**	12	atteindre **T / Ti** (à), **p.p.inv.**	70	autofinancer **-s'- + être**	18
assener **T**	25	atteler **T / Pr** (à)	23	autographier **T**	15
asséner **T**	20	attendre **T / I,** p.p.inv. / **Ti,** p.p.inv. / **Pr** (à)	66	automatiser **T**	12
asseoir T / Pr	**58 ou 59**	attendrir **T / Pr**	35	autoproclamer **-s'- + être**	12
assermenter **T**	12	attenter **Ti** (à) / **p.p.inv.**	12	autopsier **T**	15
asservir **T**	35	atténuer **T / Pr**	13	autoriser **T / Pr** (de)	12
assiéger **T**	21	atterrer **T**	12	avachir **-s'- + être**	35
assigner **T**	12	atterrir **I / p.p.inv.**	35	avaler **T**	12
assimiler **T / Pr** (à)	12	attester **T**	12	avaliser **T**	12
assister **T / Ti** (à), p.p.inv.	12	attiédir **T**	35	avancer **T / I,** p.p.inv. / **Pr**	18
associer **T / Pr** (à, avec)	15	attifer **T / Pr**	12	avantager **T**	17
assoiffer **T**	12	attiger **I / p.p.inv.**	17	avarier **T**	15
assoler **T**	12				
assombrir **T / Pr**	35				
assommer **T**	12				

Verbe	Modèle
border **T**	12
borner **T / Pr** (à)	12
bornoyer **I,** p.p.inv. / **T**	31
bosseler **T**	23
bosser **T / I,** p.p.inv.	12
bossuer **T**	13
bostonner **I / p.p.inv.**	12
botteler **T**	23
botter **T**	12
boubouler **I / p.p.inv.**	12
boucaner **T**	12
boucharder **T**	12
boucher **T**	12
bouchonner **T / I,** p.p.inv.	12
boucler **T / I,** p.p.inv.	12
bouder **I,** p.p.inv. / **T**	12
boudiner **T**	12
bouffer **I,** p.p.inv. / **T** / **Pr** dans l'expression *se bouffer le nez*	12
bouffir **T / I,** p.p.inv.	35
bouffonner **I / p.p.inv.**	12
bouger **I,** p.p.inv. / **T**	17
bougonner **T / I,** p.p.inv.	12
bouillir I, p.p.inv. / **T**	**39**
bouillonner **I,** p.p.inv. / **T**	12
bouillotter **I / p.p.inv.**	12
boulanger **I,** p.p.inv. / **T**	17
bouler **I / p.p.inv.**	12
bouleverser **T**	12
boulocher **I / p.p.inv.**	12
boulonner **T, I,** p.p.inv.	12
boulotter **T, I,** p.p.inv.	12
boumer **I / U / p.p.inv.** avec le pronom démonstratif familier : *ça boume*	12
bouquiner **I,** p.p.inv. / **T**	12
bourdonner **I / p.p.inv.**	12
bourgeonner **I / p.p.inv.**	12
bourlinguer **I / p.p.inv.** / -gu- partout	16
bourrer **T / I,** p.p.inv. / **Pr**	12
boursicoter **I / p.p.inv.**	12
boursoufler **T / Pr**	12
bousculer **T / Pr**	12
bousiller **T**	12
bouter **T**	12
boutonner **T / I,** p.p.inv. / **Pr**	12
bouturer **I,** p.p.inv. / **T**	12
boxer **I,** p.p.inv. / **T**	12
boyauter **-se- + être**	12
boycotter **T**	12
braconner **I / p.p.inv.**	12
brader **T**	12
brailler **T / I,** p.p.inv.	12
braire **I / Déf :** usité seulement à l'inf. prés. et aux 3es pers. de l'ind. prés. et futur, ainsi qu'au conditionnel prés.	90
braiser **T**	12
bramer **I / p.p.inv.**	12
brancarder **T**	12
brancher **T / I ,** p.p.inv. / **Pr** (sur)	12
brandir **T**	35
branler **I,** p.p.inv. / **T / Pr**	12
braquer **T / I,** p.p.inv. / **Pr** (contre)	16
braser **T**	12
brasiller **I / p.p.inv.**	12
brasser **T / Pr**	12
braver **T**	12
bredouiller **I,** p.p.inv. / **T**	12
brêler **T**	12
brésiller **T / I,** p.p.inv. / **Pr**	12
bretteler **T**	23
bretter **T**	12
breveter **T**	27
bricoler **I,** p.p.inv. / **T**	12
brider **T**	12
bridger **I / p.p.inv.**	17
briefer **T**	12
briffer **I,** p.p.inv. / **T**	12
briguer **T** / -gu- partout	16
brillanter **T**	12
brillantiner **T**	12
briller **I / p.p.inv.**	12
brimbaler **T / I,** p.p.inv.	12
brimer **T**	12
bringuebaler **T / I,** p.p.inv.	12
bringuer **I,** p.p.inv. / **Pr** / Suisse / -gu- partout	16
brinquebaler **T / I,** p.p.inv.	12

briquer **T** 16
briqueter **T** 27
briser **T / I,** p.p.inv. / **Pr** 12
brocanter **I / p.p.inv.** 12
brocarder **T** 12
brocher **T** 12
broder **T** 12
broncher **I / p.p.inv.** 12
bronzer **T / I,** p.p.inv. 12
brosser **T / Pr** 12
brouetter **T** 12
brouillasser **U / p.p.inv.** 12
brouiller **T / Pr** 12
brouillonner **T** 12
brouter **T / I,** p.p.inv. 12
broyer **T** 31
bruiner **U / p.p.inv.** 12
bruir **T** 35
bruire I / p.p.inv. / Déf **80**
bruisser **I / p.p.inv.** 12
bruiter **T** 12
brûler **T / I,** p.p.inv. / **Pr** 12
brumasser **U / p.p.inv.** 12
brumer **U / p.p.inv.** 12
brunir **T / I,** p.p.inv. 35
brusquer **T** 16
brutaliser **T** 12
bûcher **T / I,** p.p.inv. 12
budgéter **T** 20
budgétiser **T** 12
buffler **T** 12
buller **I / p.p.inv.** 12
bureaucratiser **T** 12
buriner **T** 12
buser **T /** Belgique 12
busquer **T** 16
buter **Ti** (sur, contre), p.p.inv. / **T / Pr** 12
butiner **I,** p.p.inv. / **T** 12
butter **T** 12

C

cabaler **I / p.p.inv.** 12
cabaner **T / I,** p.p.inv. 12
câbler **T** 12
cabosser **T** 12
caboter **I / p.p.inv.** 12
cabotiner **I / p.p.inv.** 12
cabrer **T / Pr** 12
cabrioler **I / p.p.inv.** 12
cacaber **I / p.p.inv.** 12
cacarder **I / p.p.inv.** 12
cacher **T / Pr** 12
cacheter **T** 27
cadastrer **T** 12
cadenasser **T** 12
cadencer **T** 18
cadmier **T** 15
cadrer **I** (avec), p.p.inv. **/ T** 12
cafarder **I,** p.p.inv. / **T** 12
cafouiller **I / p.p.inv.** 12
cafter **I,** p.p.inv. / **T** 12
cahoter **T / I,** p.p.inv. 12
cailler **T / I,** p.p.inv. / **Pr** 12
caillouter **T** 12
cajoler **T / I,** p.p.inv. 12
calaminer **-se- + être** 12
calancher **I / p.p.inv.** 12
calandrer **T** 12
calciner **T / Pr** 12
calculer **T / I,** p.p.inv. 12
caler **T / I,** p.p.inv. 12
caleter **I,** p.p.inv. / **Pr** 12
calfater **T** 12
calfeutrer **T / Pr** 12
calibrer **T** 12
câliner **T** 12
calligraphier **T / I,** p.p.inv. 15
calmer **T / Pr** 12
calmir **I / p.p.inv.** 35
calomnier **T** 15
calorifuger **T** 17
calotter **T** 12
calquer **T** 16
calter **I,** p.p.inv. / **Pr** 12
cambrer **T / Pr** 12
cambrioler **T** 12
camer **-se- + être** 12
camionner **T** 12
camoufler **T / Pr** 12
camper **I,** p.p.inv. / **T / Pr** 12
canaliser **T** 12
canarder **T / I,** p.p.inv. 12
cancaner **I / p.p.inv.** 12
cancériser **-se- + être** 12
candir **T / Pr** 35

caner **I / p.p.inv.** 12
canner **I,** p.p.inv. / **T** 12
cannibaliser **T** 12
canoniser **T** 12
canonner **T** 12
canoter **I / p.p.inv.** 12
cantiner **I / p.p.inv.** 12
cantonner **T / I,** p.p.inv. / **Pr** 12
canuler **T** 12
caoutchouter **T** 12
caparaçonner **T** 12
capéer **I / p.p.inv.** / -é- partout 14
capeler **T** 23
caper **T** 12
capeyer **I / p.p.inv.** / -y- partout 30
capitaliser **T / I,** p.p.inv. 12
capitonner **T** 12
capituler **I / p.p.inv.** 12
caporaliser **T** 12
capoter **T / I,** p.p.inv. 12
capsuler **T** 12
capter **T** 12
captiver **T** 12
capturer **T** 12
caquer **T** 16
caqueter **I / p.p.inv.** 27
caracoler **I / p.p.inv.** 12
caractériser **T / Pr** (par) 12
caramboler **I,** p.p.inv. / **T** 12
caraméliser **I,** p.p.inv. / **T** 12
carapater **-se- + être** 12
carbonater **T** 12
carboniser **T** 12
carbonitrurer **T** 12
carburer **T / I,** p.p.inv. 12
carcailler **I / p.p.inv.** 12
carder **T** 12
carencer **T** 18
caréner **T** 20
caresser **T** 12
carguer **T** / -gu- partout 16
caricaturer **T** 12
carier **T / Pr** 15
carillonner **I,** p.p.inv. / **T** 12
carotter **T** 12
carreler **T** 23
carrer **T / Pr** 12
carrosser **T** 12
carroyer **T** 31
cartelliser **T** 12
carter **T** 12
cartographier **T** 15
cartonner **T / I** 12
cascader **I / p.p.inv.** 12
casemater **T** 12
caser **T / Pr** 12
caserner **T** 12
casquer **I,** p.p.inv. / **T** 16
casser **T / I,** p.p.inv. / **Pr** 12
castrer **T** 12
cataloguer **T** / -gu- partout 16
catalyser **T** 12
catapulter **T** 12
catastropher **T** 12
catcher **I / p.p.inv.** 12
catéchiser **T** 12
catégoriser **T** 12
catir **T** 35
cauchemarder **I / p.p.inv.** 12
causer **T / Ti** (de, sur), p.p.inv. 12
cautériser **T** 12
cautionner **T** 12
cavalcader **I / p.p.inv.** 12
cavaler **I,** p.p.inv. / **T / Pr** 12
caver **T / I,** p.p.inv. 12
caviarder **T** 12
céder T / I, p.p.inv. / **Ti** (à), p.p.inv. **20**
ceindre **T** 70
ceinturer **T** 12
célébrer **T** 20
celer **T** 25
cémenter **T** 12
cendrer **T** 12
censurer **T** 12
centraliser **T** 12
centrer **T** 12
centrifuger **T** 17
centupler **T / I,** p.p.inv. 12
cercler **T** 12
cerner **T** 12
certifier **T** 15

césariser **T**	12
cesser **T / I,** p.p.inv.	12
chabler **T**	12
chagriner **T**	12
chahuter **T / I,** p.p.inv.	12
chaîner **T**	12
chaloir **U / Déf :** usité seulement dans l'expression *peu me (te, lui…) chaut*	—
chalouper **I / p.p.inv.**	12
chamailler **-se- + être**	12
chamarrer **T**	12
chambarder **T**	12
chambouler **T**	12
chambrer **T**	12
chamoiser **T**	12
champagniser **T**	12
champlever **T**	25
chanceler **I / p.p.inv.**	23
chancir **I / p.p.inv.**	35
chanfreiner **T**	12
changer **T / I,** p.p.inv. / **Ti** (de), p.p.inv. / **Pr**	17
chansonner **T**	12
chanter **I,** p.p.inv. / **T**	12
chantonner **T / I,** p.p.inv.	12
chantourner **T**	12
chaparder **T**	12
chapeauter **T**	12
chaperonner **T**	12
chapitrer **T**	12
chaponner **T**	12
chaptaliser **T**	12
charbonner **T / I,** p.p.inv.	12
charcuter **T**	12
charger **T / Pr** (de)	17
charioter **I / p.p.inv.**	12
charmer **T**	12
charpenter **T**	12
charrier **T / I,** p.p.inv.	15
charroyer **T**	31
chasser **T / I,** p.p.inv.	12
châtier **T**	15
chatonner **I / p.p.inv.**	12
chatouiller **T**	12
chatoyer **I / p.p.inv.**	31
châtrer **T**	12
chauffer **T / I,** p.p.inv. / **Pr**	12
chauler **T**	12
chaumer **T / I,** p.p.inv.	12
chausser **T / I,** p.p.inv. / **Pr**	12
chauvir **I / p.p.inv.** / Suit le modèle de *aimer* (12) au plur. du prés. de l'ind. et de l'impér., à l'ind. imparf., au subj. prés. et au part. prés.	35
chavirer **I,** p.p.inv. / **T**	12
cheminer **I / p.p.inv.**	12
chemiser **T**	12
chercher **T**	12
chérir **T**	35
chevaler **T**	12
chevaucher **T / I,** p.p.inv. / **Pr**	12
cheviller **T**	12
chevreter **I / p.p.inv.**	27
chevretter **I / p.p.inv.**	12
chevroter **I / p.p.inv.**	12
chiader **I,** p.p.inv. / **T**	12
chialer **I / p.p.inv.**	12
chicaner **I,** p.p.inv. / **T**	12
chicoter **I / p.p.inv.**	12
chier **I,** p.p.inv. / **T**	15
chiffonner **T**	12
chiffrer **T / I,** p.p.inv. / **Pr**	12
chiner **T / I,** p.p.inv.	12
chinoiser **I / p.p.inv.**	12
chiper **T**	12
chipoter **I / p.p.inv.**	12
chiquer **T / I,** p.p.inv.	16
chlinguer **I / p.p.inv.** / -gu- partout	16
chloroformer **T**	12
chlorurer **T**	12
choir I / + être / Déf	**63**
choisir **T**	35
chômer **I,** p.p.inv. / **T**	12
choper **T**	12
choquer **T**	16
chorégraphier **T**	15
chosifier **T**	15
chouchouter **T**	12
chouriner **T**	12
choyer **T**	31
christianiser **T**	12
chromer **T**	12

chromiser **T** 12
chroniciser **-se- + être** 12
chronométrer **T** 20
chuchoter **I,** p.p.inv. **/ T** 12
chuinter **I / p.p.inv.** 12
chuter **I / p.p.inv.** 12
cibler **T** 12
cicatriser **T / I,** p.p.inv. **/ Pr** 12
ciller **I / p.p.inv.** 12
cimenter **T** 12
cingler **I,** p.p.inv. **/ T** 12
cintrer **T** 12
circoncire **T** 100
circonscrire **T** 81
circonvenir **T** 4
circulariser **T** 12
circuler **I / p.p.inv.** 12
cirer **T** 12
cisailler **T** 12
ciseler **T** 25
citer **T** 12
civiliser **T** 12
clabauder **I / p.p.inv.** 12
claboter **I,** p.p.inv. **/ T** 12
claironner **I,** p.p.inv. **/ T** 12
clamecer **I / p.p.inv.** 18
clamer **T** 12
clamser **I / p.p.inv.** 12
clapir **I / p.p.inv.** 35
clapoter **I / p.p.inv.** 12
clapper **I / p.p.inv.** 12
claquemurer **T / Pr** 12

claquer **I,** p.p.inv. **/ T / Pr** 16
claqueter **I / p.p.inv.** 27
clarifier **T** 15
classer **T / Pr** 12
classifier **T** 15
claudiquer **I / p.p.inv.** 16
claustrer **T / Pr** 12
claver **T** 12
claveter **T** 27
clayonner **T** 12
clicher **T** 12
cligner **T / I,** p.p.inv. 12
clignoter **I / p.p.inv.** 12
climatiser **T** 12
cliquer **I / p.p.inv.** 16
cliqueter **I / p.p.inv.** 27
clisser **T** 12
cliver **T / Pr** 12
clochardiser **T / Pr** 12
clocher **I / p.p.inv.** 12
cloisonner **T** 12
cloîtrer **T / Pr** 12
cloner **T** 12
clopiner **I / p.p.inv.** 12
cloquer **I / p.p.inv.** 16
clore T / Déf **98**
clôturer **T / I,** p.p.inv. 12
clouer **T** 13
clouter **T** 12
coaguler **T / I,** p.p.inv. **/ Pr** 12
coalescer **T** 19
coaliser **T / Pr** (contre) 12
coasser **I / p.p.inv.** 12

cocher **T** 12
côcher **T** 12
cochonner **I,** p.p.inv. **/ T** 12
cocoler **T** / Suisse 12
cocoter **I / p.p.inv.** 12
cocotter **I / p.p.inv.** 12
cocufier **T** 15
coder **T** 12
codifier **T** 15
coéditer **T** 12
coexister **I / p.p.inv.** 12
coffrer **T** 12
cofinancer **T** 18
cogérer **T** 20
cogiter **I,** p.p.inv. **/ T** 12
cogner **I,** p.p.inv. **/ Ti** (à, contre, sur, dans), p.p.inv. **/ T / Pr** 12
cohabiter **I / p.p.inv.** 12
cohériter **I / p.p.inv.** 12
coiffer **T / Pr** 12
coincer **T / Pr** 18
coïncider **I / p.p.inv.** 12
coïter **I / p.p.inv.** 12
cokéfier **T** 15
collaborer **I / Ti** (à) **/ p.p.inv.** 12
collationner **T** 12
collecter **T** 12
collectionner **T** 12
collectiviser **T** 12
coller **T / I,** p.p.inv. **/ Ti** (à), p.p.inv. 12

Verbe	Modèle
colleter **-se- + être**	27
colliger **T**	17
colloquer **T**	16
colmater **T**	12
coloniser **T**	12
colorer **T**	12
colorier **T**	15
coloriser **T**	12
colporter **T**	12
coltiner **T / Pr**	12
combattre **T / I,** p.p.inv.	74
combiner **T / Pr**	12
combler **T**	12
commander **T / I,** p.p.inv. / **Ti** (à), p.inv. / **Pr**	12
commanditer **T**	12
commémorer **T**	12
commencer **T / Ti** (à + inf., par), p.p.inv. / **I,** p.p.inv.	18
commenter **T**	12
commercer **Ti** (avec) / **p.p.inv.**	18
commercialiser **T**	12
commérer **I** / **p.p.inv.**	20
commettre **T / Pr**	6
commissionner **T**	12
commotionner **T**	12
commuer **T**	13
communaliser **T**	12
communier **I,** p.p.inv. / **T**	15
communiquer **T / Ti** (avec, sur), p.p.inv.	16
commuter **T**	12
compacter **T**	12
comparaître **I** / **p.p.inv.**	75
comparer **T**	12
comparoir **I / Déf :** usité seulement à l'inf. prés. et au part. prés. *(comparant)* ; on emploie *comparaître* pour les autres formes	—
compartimenter **T**	12
compasser **T**	12
compatir **Ti** (à) / **p.p.inv.**	35
compenser **T**	12
compiler **T**	12
compisser **T**	12
complaire **Ti** (à) / **Pr** (dans) / **p.p.inv.** même à la voix pronominale	91
complanter **T**	12
compléter **T / Pr**	20
complexer **T**	12
complexifier **T**	15
complimenter **T**	12
compliquer **T / Pr**	16
comploter **T / I,** p.p.inv.	12
comporter **T / Pr**	12
composer **T / I,** p.p.inv.	12
composter **T**	12
comprendre **T**	68
compresser **T**	12
comprimer **T**	12
compromettre **T / I,** p.p.inv. / **Pr**	6
comptabiliser **T**	12
compter **T / Ti** (avec, sur), p.p.inv. / **I,** p.p.inv.	12
compulser **T**	12
concasser **T**	12
concéder **T**	20
concélébrer **T**	20
concentrer **T / Pr**	12
conceptualiser **T**	12
concerner **T**	12
concerter **T / Pr**	12
concevoir **T**	51
concilier **T / Pr**	15
conclure T / Ti (à), p.p.inv. / **I,** p.p.inv.	**94**
concocter **T**	12
concorder **I / p.p.inv.**	12
concourir **Ti** (à) / **I** / **p.p.inv.**	42
concréter **T / Pr**	20
concrétiser **T / Pr**	12
concurrencer **T**	18
condamner **T**	12
condenser **T / Pr**	12
condescendre **Ti** (à) / **p.p.inv.**	66
conditionner **T**	12
conduire T / Pr	**85**
confectionner **T**	12
confédérer **T**	20

conférer **I** (avec), p.p.inv. / **T** 20
confesser **T / Pr** 12
confier **T / Pr** 15
confiner **Ti** (à), p.p.inv. / **T / Pr** 12
confire T / Pr **100**
confirmer **T** 12
confisquer **T** 16
confluer **I / p.p.inv.** 13
confondre **T / Pr** 66
conformer **T / Pr** (à) 12
conforter **T** 12
confronter **T** 12
congédier **T** 15
congeler **T / Pr** 25
congestionner **T / Pr** 12
conglomérer **T** 20
conglutiner **T** 12
congratuler **T** 12
congréer **T** / -é- partout 14
conjecturer **T** 12
conjuguer **T** / -gu- partout 16
conjurer **T** 12
connaître T / Ti (de), p.p.inv. / **Pr** **75**
connecter **T** 12
connoter **T** 12
conquérir **T** 44
consacrer **T / Pr** (à) 12
conscientiser **T** 12
conseiller **T** 12
consentir **Ti** (à), p.p.inv. / **T** 38
conserver **T / Pr** 12
considérer **T** 20
consigner **T** 12
consister **Ti** (à, dans, en) / **p.p.inv.** 12
consoler **T / Pr** 12
consolider **T** 12
consommer **T / I,** p.p.inv. 12
conspirer **I,** p.p.inv. / **T** 12
conspuer **T** 13
constater **T** 12
consteller **T** 12
consterner **T** 12
constiper **T** 12
constituer **T / Pr** 13
constitutionnaliser **T** 12
construire **T** 85
consulter **T** / **I,** p.p.inv. 12
consumer **T / Pr** 12
contacter **T** 12
contagionner **T** 12
containériser **T** 12
contaminer **T** 12
contempler **T** 12
conteneuriser **T** 12
contenir **T / Pr** 4
contenter **T / Pr** (de) 12
conter **T** 12
contester **T** 12
contingenter **T** 12
continuer **T / Ti** (à), p.p.inv. / **I,** p.p.inv. / **Pr** 13
contorsionner **-se- + être** 12
contourner **T** 12
contracter **T / Pr** 12
contractualiser **T** 12
contracturer **T** 12
contraindre **T** 69
contrarier **T** 15
contraster **I,** p.p.inv. / **Ti** (avec), p.p.inv. / **T** 12
contre-attaquer **T / I,** p.p.inv. 16
contrebalancer **T / Pr** 18
contre-braquer **T / I,** p.p.inv. 16
contrebuter **T** 12
contrecarrer **T** 12
contredire **T / Pr** 78
contrefaire **T** 5
contreficher **-se-** (de) **+ être** 12
contrefoutre **-se-** (de) **+ être / Déf. :** inusité au passé simple et au subj. imparf. 66
contre-indiquer **T** 16
contre-manifester **I / p.p.inv.** 12
contremarquer **T** 16
contre-miner **T** 12
contre-passer **T** 12
contreplaquer **T** 16
contrer **T** 12
contresigner **T** 12
contre-tirer **T** 12
contretyper **T** 12

contrevenir **Ti** (à) / **p.p.inv.** 4
contreventer **T** 12
contribuer **Ti** (à) / **p.p.inv.** 13
contrister **T** 12
contrôler **T / Pr** 12
controverser **T** 12
contusionner **T** 12
convaincre **T** 73
convenir **Ti** (de, à), p.p.inv. / **U** (de) **+ être ou avoir / Pr** / Attention : p.p.inv. à la voix pronominale 4
conventionner **T** 12
converger **I / p.p.inv.** 17
converser **I / p.p.inv.** 12
convertir **T** 35
convier **T** 15
convoiter **T** 12
convoler **I / p.p.inv.** 12
convoquer **T** 16
convoyer **T** 31
convulser **T** 12
convulsionner **T** 12
coopérer **Ti** (à) / **p.p.inv.** 20
coopter **T** 12
coordonner **T** 12
copartager **T** 17
copermuter **T** 12
copier **T / Ti** (sur), p.p.inv. 15
copiner **I / p.p.inv.** 12
coposséder **T** 20
coproduire **T** 85
copuler **I / p.p.inv.** 12
coqueter **I / p.p.inv.** 27
coquiller **I / p.p.inv.** 12
cordeler **T** 23
corder **T** 12
cordonner **T** 12
cornaquer **T** 16
corner **I**, p.p.inv. / **T** 12
correctionnaliser **T** 12
corréler **T** 20
correspondre **I / Ti** (à) / **p.p.inv.** 66
corriger **T / Pr** 17
corroborer **T** 12
corroder **T** 12
corrompre **T** 72
corroyer **T** 31
corser **T / Pr** 12
corseter **T** 28
cosigner **T** 12
cosser **I / p.p.inv.** 12
costumer **T** 12
coter **T / I**, p.p.inv. 12
cotir **T** 35
cotiser **I**, p.p.inv. / **Pr** 12
cotonner **-se- + être** 12
côtoyer **T** 31
couchailler **I / p.p.inv.** 12
coucher **T / I**, p.p.inv. / **Pr** 12
couder **T** 12
coudoyer **T** 31
coudre T **97**
couillonner **T** 12
couiner **I / p.p.inv.** 12
couler **I**, p.p.inv. / **T** / **Pr** 12
coulisser **T / I**, p.p.inv. 12
coupailler **T** 12
couper **T / Ti** (à), p.p.inv. / **I**, p.p.inv. / **Pr** 12
coupler **T** 12
courailler **I / p.p.inv.** 12
courbaturer **T** 12
courber **T / I**, p.p.inv. / **Pr** 12
courcailler **I / p.p.inv.** 12
courir I, p.p.inv. / **T** **42**
couronner **T / Pr** 12
courroucer **T** 18
courser **T** 12
courtauder **T** 12
court-circuiter **T** 12
courtiser **T** 12
cousiner **I / p.p.inv.** 12
coûter **I**, p.p.inv. / **T** 12
couver **T / I**, p.p.inv. 12
couvrir **T / Pr** 45
craboter **T** 12
cracher **I**, p.p.inv. / **Ti** (sur), p.p.inv. / **T** 12
crachiner **U / p.p.inv.** 12
crachoter **I / p.p.inv.** 12
crachouiller **I / p.p.inv.** 12
crailler **I / p.p.inv.** 12
craindre T / I, p.p.inv. **69**
cramer **I**, p.p.inv. / **T** 12
cramponner **T / Pr** (à) 12
crâner **I / p.p.inv.** 12

cranter **T** 12
crapahuter **I / p.p.inv.** 12
crapaüter **I / p.p.inv.** 12
craqueler **T / Pr** 23
craquer **I,** p.p.inv. / **T** 16
craqueter **I / p.p.inv.** 27
crasher **-se- + être** 12
cravacher **T / I,** p.p.inv. 12
cravater **T** 12
crawler **I / p.p.inv.** 12
crayonner **T** 12
crécher **I / p.p.inv.** 20
crédibiliser **T** 12
créditer **T** 12
créer T / -é- partout **14**
crémer **I / p.p.inv.** 20
créneler **T** 23
créner **T** 20
créoliser **-se- + être** 12
créosoter **T** 12
crêper **T / Pr** dans l'expression familière *se crêper le chignon* 12
crépir **T** 35
crépiter **I / p.p.inv.** 12
crétiniser **T** 12
creuser **T / Pr** 12
crevasser **T / Pr** 12
crever **I,** p.p.inv. / **T / Pr** (à) 25
crevoter **I / p.p.inv.** / Suisse 12
criailler **I / p.p.inv.** 12
cribler **T** 12
crier **I,** p.p.inv. / **Ti** (après, contre), p.p.inv. / **T** 15
criminaliser **T** 12
crisper **T / Pr** 12
crisser **I / p.p.inv.** 12
cristalliser **T / I,** p.p.inv. / **Pr** 12
criticailler **T** 12
critiquer **T** 16
croasser **I / p.p.inv.** 12
crocher **T / I,** p.p.inv. / Suisse 12
crocheter **T** 28
croire T / Ti (à, en), p.p.inv. / **I,** p.p.inv. / **Pr** **88**
croiser **T / I,** p.p.inv. / **Pr** 12
croître I / p.p.inv. **92**
croquer **I,** p.p.inv. / **T** 16
crosser **T** 12
crotter **I / p.p.inv.** 12
crouler **I / p.p.inv.** 12
croupir **I / p.p.inv.** 35
croustiller **I / p.p.inv.** 12
croûter **I / p.p.inv.** 12
crucifier **T** 15
crypter **T** 12
cuber **T / I,** p.p.inv. 12
cueillir T **46**
cuirasser **T / Pr** 12
cuire **T / I,** p.p.inv. 85
cuisiner **I,** p.p.inv. / **T** 12
cuiter **-se- + être** 12
cuivrer **T** 12
culbuter **T / I,** p.p.inv. 12
culer **I / p.p.inv.** 12
culminer **I / p.p.inv.** 12
culotter **T** 12
culpabiliser **T / I,** p.p.inv. 12
cultiver **T / Pr** 12
cumuler **T / I,** p.p.inv. 12
curer **T / Pr** 12
cureter **T** 27
cuveler **T** 23
cuver **I,** p.p.inv. / **T** 12
cyanoser **T** 12
cyanurer **T** 12
cycliser **T** 12
cylindrer **T** 12

D

dactylographier **T** 15
daigner **T** (+ inf.) / **p.p.inv.** 12
daller **T** 12
damasquiner **T** 12
damasser **T** 12
damer **T** 12
damner **T / Pr** 12
dandiner **-se- + être** 12
danser **I,** p.p.inv. / **T** 12
dansoter **I / p.p.inv.** 12
dansotter **I / p.p.inv.** 12
darder **T** 12
dater **T / I,** p.p.inv. 12
dauber **T / I,** p.p.inv. 12

déambuler **I / p.p.inv.** 12
débâcher **T** 12
débâcler **T / I,** p.p.inv. 12
débagouler **I,** p.p.inv. **/ T** 12
débâillonner **T** 12
déballer **T** 12
déballonner **-se- + être** 12
débalourder **T** 12
débander **T / Pr** 12
débaptiser **T** 12
débarbouiller **T / Pr** 12
débarder **T** 12
débarquer **T / I,** p.p.inv. 16
débarrasser **T / Pr** (de) 12
débarrer **T** 12
débâter **T** 12
débâtir **T** 35
débattre **T / Ti** (de), p.p.inv. **/ Pr** 74
débaucher **T** 12
débecqueter **T** 27
débecter **T** 1
débenzoler **T** 12
débéqueter **T** 28
débiliter **T** 12
débillarder **T** 12
débiner **T / Pr** 12
débiter **T** 12
déblatérer **Ti** (contre) **/ p.p.inv.** 20
déblayer **T** 29 ou 30
débloquer **T / I,** p.p.inv. 16
débobiner **T** 12
déboiser **T / Pr** 12
déboîter **T / I,** p.p.inv. **/ Pr** 12
débonder **T / Pr** 12
déborder **I,** p.p.inv. **/ T / Ti** (de), p.p.inv. **/ Pr** 12
débosseler **T** 23
débotter **T** 12
déboucher **T / I,** p.p.inv. 12
déboucler **T** 12
débouillir **T** 39
débouler **I,** p.p.inv. **/ T** 12
déboulonner **T** 12
débouquer **I / p.p.inv.** 16
débourber **T** 12
débourrer **T / I,** p.p.inv. 12
débourser **T** 12
déboussoler **T** 12
débouter **T** 12
déboutonner **T / Pr** 12
débrailler **-se- + être** 12
débrancher **T** 12
débraser **T** 12
débrayer **T / I,** p.p.inv. 29 ou 30
débrider **T** 12
débrocher **T** 12
débrouiller **T / Pr** 12
débroussailler **T** 12
débrousser **T /** Afrique 12
débucher **I,** p.p.inv. **/ T** 12
débudgétiser **T** 12
débureaucratiser **T** 12
débusquer **T** 16
débuter **I,** p.p.inv. **/ T** 12
décacheter **T** 27
décadenasser **T** 12
décadrer **T** 12
décaisser **T** 12
décalaminer **T** 12
décalcifier **T / Pr** 15
décaler **T / Pr** 12
décalotter **T** 12
décalquer **T** 16
décamper **I / p.p.inv.** 12
décaniller **I / p.p.inv.** 12
décanter **T / Pr** 12
décapeler **T** 23
décaper **T** 12
décapitaliser **I / p.p.inv.** 12
décapiter **T** 12
décapoter **T** 12
décapsuler **T** 12
décapuchonner **T** 12
décarbonater **T** 12
décarburer **T** 12
décarcasser **-se- + être** 12
décarreler **T** 23
décatir **T / Pr** 35
décauser **I / p.p.inv.** / Belgique 12
décavaillonner **T** 12
décaver **T** 12
décéder **I / + être** 20
déceler **T** 25
décélérer **I / p.p.inv.** 20

décentraliser **T** 12
décentrer **T** 12
décercler **T** 12
décérébrer **T** 20
décerner **T** 12
décerveler **T** 23
décevoir **T** 51
déchaîner **T / Pr** 12
déchanter **I / p.p.inv.** 12
déchaperonner **T** 12
décharger **T / I,** p.p.inv. / **Pr** (de) 17
décharner **T** 12
déchaumer **T** 12
déchausser **T / Pr** 12
déchiffonner **T** 12
déchiffrer **T** 12
déchiqueter **T** 27
déchirer **T / Pr** 12
déchlorurer **T** 12
déchoir I / T / + être ou avoir / Déf **65**
déchristianiser **T** 12
décider **T / I,** p.p.inv. / **Ti** (de), p.p.inv. / **Pr** (à) 12
décimaliser **T** 12
décimer **T** 12
décintrer **T** 12
déclamer **T / I,** p.p.inv. 12
déclarer **T / Pr** 12
déclasser **T** 12
déclaveter **T** 27
déclencher **T / Pr** 12
décliner **I,** p.p.inv. / **T** 12
décliqueter **T** 27
décloisonner **T** 12
déclore **T / Déf :** usité seulement à l'inf. et au part. passé *(déclos, déclose/ses)* 98
déclouer **T** 13
décocher **T** 12
décoder **T** 12
décoffrer **T** 12
décoiffer **T** 12
décoincer **T / Pr** 18
décolérer **I / p.p.inv.** 20
décollectiviser **T** 12
décoller **T / I,** p.p.inv. 12
décolleter **T** 27
décoloniser **T** 12
décolorer **T** 12
décommander **T** 12
décompenser **I / p.p.inv.** 12
décomplexer **T** 12
décomposer **T / Pr** 12
décompresser **I / p.p.inv.** 12
décomprimer **T** 12
décompter **T / I,** p.p.inv. 12
déconcentrer **T / Pr** 12
déconcerter **T** 12
déconditionner **T** 12
déconfire **T** 100
décongeler **T** 25
décongestionner **T** 12
déconnecter **T / I,** p.p.inv. 12
déconner **I / p.p.inv.** 12
déconseiller **T** 12
déconsidérer **T / Pr** 20
déconsigner **T** 12
déconstruire **T** 85
décontaminer **T** 12
décontenancer **T / Pr** 18
décontracter **T / Pr** 12
déconventionner **T** 12
décorder **-se- + être** 12
décorer **T** 12
décorner **T** 12
décortiquer **T** 16
découcher **I / p.p.inv.** 12
découdre **T / I** dans l'expression familière *en découdre avec quelqu'un* (à l'inf.) 97
découler **Ti** (de) / **p.p.inv.** 12
découper **T / Pr** 12
découpler **T** 12
décourager **T / Pr** 17
découronner **T** 12
découvrir **T / I,** p.p.inv. / **Pr** 45
décrasser **T** 12
décrédibiliser **T** 12
décrêper **T** 12
décrépir **T / Pr** 35
décrépiter **T** 12
décréter **T** 20
décreuser **T** 12
décrier **T** 15
décriminaliser **T** 12
décrire **T** 81
décrisper **T** 12

décrocher **T / I,** p.p.inv. 12
décroiser **T** 12
décroître **I / p.p.inv.** *(décru)* 93
décrotter **T** 12
décruer **T** 13
décruser **T** 12
décrypter **T** 12
décuivrer **T** 12
déculasser **T** 12
déculotter **T / Pr** 12
déculpabiliser **T** 12
décupler **T / I,** p.p.inv. 12
décuver **T** 12
dédaigner **T / Ti** (de + inf.), p.p.inv. 12
dédicacer **T** 18
dédier **T** 15
dédifférencier **-se- + être** 15
dédire **-se- + être** 78
dédommager **T** 17
dédorer **T** 12
dédouaner **T / Pr** 12
dédoubler **T** 12
dédramatiser **T** 12
déduire **T** 85
défaillir I / p.p.inv. 47
défaire **T / Pr** (de) 5
défalquer **T** 16
défatiguer **T** / -gu- partout 16
défaufiler **T** 12
défausser **T / Pr** (de, sur) 12
défavoriser **T** 12
défendre **T / Pr** 66
défenestrer **T** 12
déféquer **I,** p.p.inv. / **T** 20
déférer **T / Ti** (à), p.p.inv. 20
déferler **T / I,** p.p.inv. 12
déferrer **T** 12
défeuiller **T** 12
défeutrer **T** 12
défibrer **T** 12
déficeler **T** 23
défier **T / Pr** (de) 15
défigurer **T** 12
défiler **I,** p.p.inv. / **T / Pr** 12
définir **T** 35
défiscaliser **T** 12
déflagrer **I / p.p.inv.** 12
défléchir **T** 35
défleurir **T / I,** p.p.inv. 35
déflorer **T** 12
défolier **T** 15
défoncer **T / Pr** 18
déforcer **T** / Belgique 18
déformer **T** 12
défouler **T / Pr** 12
défourner **T** 12
défraîchir **T** 35
défrayer **T** 29 ou 30
défricher **T** 12
défriper **T** 12
défriser **T** 12
défroisser **T** 12
défroncer **T** 18
défroquer **I,** p.p.inv. / **Pr** 16
défruiter **T** 12
dégager **T / Pr** 17
dégainer **T** 12
déganter **-se- + être** 12
dégarnir **T / Pr** 35
dégasoliner **T** 12
dégauchir **T** 35
dégazer **T / I,** p.p.inv. 12
dégazoliner **T** 12
dégazonner **T** 12
dégeler **T / I,** p.p.inv. / **Pr** 25
dégénérer **I / p.p.inv.** 20
dégermer **T** 12
dégivrer **T** 12
déglacer **T** 18
déglinguer **T** / -gu- partout 16
dégluer **T** 13
déglutir **T / I,** p.p.inv. 35
dégobiller **T / I,** p.p.inv. 12
dégoiser **T / I,** p.p.inv. 12
dégommer **T** 12
dégonfler **T / Pr** 12
dégorger **T / I,** p.p.inv. 17
dégoter **T** 12
dégotter **T** 12
dégouliner **I / p.p.inv.** 12
dégoupiller **T** 12
dégourdir **T** 35
dégoûter **T** 12
dégoutter **I / p.p.inv.** 12
dégrader **T / Pr** 12

Verbe	N°
dégrafer **T**	12
dégraisser **T / I,** p.p.inv.	12
dégravoyer **T**	31
dégréer **T /** -é- partout	14
dégrever **T**	25
dégringoler **I,** p.p.inv. / **T**	12
dégripper **T**	12
dégriser **T / Pr**	12
dégrosser **T**	12
dégrossir **T**	35
dégrouiller **-se- + être**	12
dégrouper **T**	12
déguerpir **I / p.p.inv.**	35
dégueuler **T / I,** p.p.inv.	12
déguiller **T / I,** p.p.inv. / Suisse	12
déguiser **T / Pr**	12
dégurgiter **T**	12
déguster **T**	12
déhaler **T / Pr**	12
déhancher **-se- + être**	12
déharnacher **T**	12
déhouiller **T**	12
déifier **T**	15
déjanter **T**	12
déjauger **I,** p.p.inv. / **T**	17
déjeter **T**	27
déjeuner **I / p.p.inv.**	12
déjouer **T**	13
déjucher **I,** p.p.inv. / **T**	12
déjuger **-se- + être**	17
délabrer **T / Pr**	12
délacer **T**	18
délainer **T**	12
délaisser **T**	12
délaiter **T**	12
délarder **T**	12
délasser **T / Pr**	12
délaver **T**	12
délayer **T**	29 ou 30
délecter **-se-** (de) **+ être**	12
délégitimer **T**	12
déléguer **T** / -gu- partout	20
délester **T**	12
délibérer **I / p.p.inv.**	20
délier **T**	15
délimiter **T**	12
délinéer **T /** -é- partout	14
délirer **I / p.p.inv.**	12
délisser **T**	12
déliter **T / Pr**	12
délivrer **T**	12
délocaliser **T**	12
déloger **I,** p.p.inv. / **T,** Belgique	17
délurer **T**	12
délustrer **T**	12
déluter **T**	12
démagnétiser **T**	12
démaigrir **T**	35
démailler **T**	12
démailloter **T**	12
démancher **T / I,** p.p.inv. / **Pr**	12
demander **T / Ti** (après), p.p.inv. / **Pr**	12
démanger **T**	17
démanteler **T**	25
démantibuler **T**	12
démaquiller **T**	12
démarcher **T**	12
démarier **T**	15
démarquer **T / I,** p.p.inv. / **Pr** (de)	16
démarrer **T / I,** p.p.inv.	12
démascler **T**	12
démasquer **T / Pr**	16
démastiquer **T**	16
démâter **T / I,** p.p.inv.	12
dématérialiser **T**	12
démazouter **T**	12
démédicaliser **T**	12
démêler **T**	12
démembrer **T**	12
déménager **T / I,** p.p.inv.	17
démener **-se- + être**	25
démentir **T / Pr**	38
démerder **-se- + être**	12
démériter **I / p.p.inv.**	12
démettre **T / Pr**	6
démeubler **T**	12
demeurer **I / + être ou avoir**	12
démieller **T**	12
démilitariser **T**	12
déminer **T**	12
déminéraliser **T**	12
démissionner **I,** p.p.inv. / **T**	12
démobiliser **T**	12
démocratiser **T**	12
démoder **-se- + être**	12

Verbe	Modèle
démoduler **T**	12
démolir **T**	35
démonétiser **T**	12
démonter **T / Pr**	12
démontrer **T**	12
démoraliser **T**	12
démordre **Ti** (de) / **p.p.inv.** / Usité à la tournure négative *(il n'en démord pas…)*	66
démotiver **T**	12
démoucheter **T**	27
démouler **T**	12
démoustiquer **T**	16
démultiplier **T / I,** p.p.inv.	15
démunir **T / Pr** (de)	35
démuseler **T**	23
démutiser **T**	12
démystifier **T**	15
démythifier **T**	15
dénantir **T**	35
dénasaliser **T**	12
dénationaliser **T**	12
dénatter **T**	12
dénaturaliser **T**	12
dénaturer **T**	12
dénazifier **T**	15
dénébuler **T**	12
dénébuliser **T**	12
déneiger **T**	17
déniaiser **T**	12
dénicher **T / I,** p.p.inv.	12
dénicotiniser **T**	12
dénier **T**	15
dénigrer **T**	12
dénitrer **T**	12
dénitrifier **T**	15
déniveler **T**	23
dénombrer **T**	12
dénommer **T**	12
dénoncer **T**	18
dénoter **T**	12
dénouer **T**	13
dénoyauter **T**	12
dénoyer **T**	31
densifier **T**	15
denteler **T**	23
dénucléariser **T**	12
dénuder **T / Pr**	12
dénuer **-se-** (de) **+ être**	13
dépailler **T**	12
dépalisser **T**	12
dépanner **T**	12
dépaqueter **T**	27
déparasiter **T**	12
dépareiller **T**	12
déparer **T**	12
déparier **T**	15
déparler **I / p.p.inv.**	12
départager **T**	17
départementaliser **T**	12
départir **T / Pr** (de)	35 ou 38
dépasser **T / I,** p.p.inv. / **Pr**	12
dépassionner **T**	12
dépatouiller **-se- + être**	12
dépatrier **T**	15
dépaver **T**	12
dépayser **T**	12
dépecer T	**26**
dépêcher **T / Pr**	12
dépeigner **T**	12
dépeindre **T**	70
dépénaliser **T**	12
dépendre **T / Ti** (de), p.p.inv. / **U,** p.p.inv. dans les expressions *cela dépend, il dépend de toi (lui, nous…) que…*	66
dépenser **T / Pr**	12
dépérir **I / p.p.inv.**	35
dépersonnaliser **T**	12
dépêtrer **T / Pr** (de)	12
dépeupler **T / Pr**	12
déphaser **T**	12
déphosphater **T**	12
déphosphorer **T**	12
dépiauter **T**	12
dépiler **T**	12
dépiquer **T**	16
dépister **T**	12
dépiter **T / Pr**	12
déplacer **T / Pr**	18
déplafonner **T**	12
déplaire **Ti** (à) / **Pr / p.p.inv.** même à la voix pronominale	91
déplanter **T**	12
déplâtrer **T**	12
déplier **T**	15
déplisser **T**	12
déplomber **T**	12
déplorer **T**	12

déployer **T**	31
déplumer **T / Pr**	12
dépoétiser **T**	12
dépointer **T**	12
dépolariser **T**	12
dépolir **T**	35
dépolitiser **T**	12
dépolluer **T**	13
déporter **T**	12
déposer **T**	12
déposséder **T**	20
dépoter **T / I,** p.p.inv. / **U,** p.p.inv. (avec le pronom démonstratif familier : *ça dépote*)	12
dépouiller **T / Pr**	12
dépourvoir **T / Pr** (de, en)	54
dépoussiérer **T**	20
dépraver **T**	12
déprécier **T / Pr**	15
déprendre **-se-** (de) **+ être**	68
dépressuriser **T**	12
déprimer **T / I,** p.p.inv.	12
dépriser **T**	12
déprogrammer **T**	12
dépuceler **T**	23
dépulper **T**	12
dépurer **T**	12
députer **T**	12
déqualifier **T**	15
déraciner **T**	12
dérader **I / p.p.inv.**	12
dérager **I / p.p.inv.**	17
déraidir **T**	35
dérailler **I / p.p.inv.**	12
déraisonner **I / p.p.inv.**	12
déramer **I,** p.p.inv. / **T**	12
déranger **T / Pr**	17
déraper **I / p.p.inv.**	12
déraser **T**	12
dératiser **T**	12
dérayer **T**	30
déréaliser **T**	12
déréglementer **T**	12
dérégler **T / Pr**	20
déréguler **T**	12
déresponsabiliser **T**	12
dérider **T / Pr**	12
dériver **T / Ti** (de), p.p.inv. / **I,** p.p.inv.	12
dériveter **T**	27
dérober **T / Pr** (à, sous)	12
dérocher **T / I,** p.p.inv.	12
déroder **T**	12
déroger **Ti** (à) / **p.p.inv.**	17
dérougir **T / I,** p.p.inv.	35
dérouiller **T / I,** p.p.inv.	12
dérouler **T / Pr**	12
dérouter **T**	12
désabonner **T / Pr**	12
désabuser **T**	12
désaccorder **T**	12
désaccoupler **T**	12
désaccoutumer **T / Pr** (de)	12
désacraliser **T**	12
désactiver **T**	12
désadapter **T**	12
désaérer **T**	20
désaffecter **T**	12
désaffilier **T**	15
désagréger **T / Pr**	21
désaimanter **T**	12
désaisonnaliser **T**	12
désajuster **T**	12
désaliéner **T**	20
désaligner **T**	12
désalper **I / p.p.inv.** / Suisse	12
désaltérer **T / Pr**	20
désambiguïser **T**	12
désamidonner **T**	12
désamorcer **T**	18
désapparier **T**	15
désappointer **T**	12
désapprendre **T**	68
désapprouver **T**	12
désapprovisionner **T**	12
désarçonner **T**	12
désargenter **T**	12
désarmer **T / I,** p.p.inv.	12
désarrimer **T**	12
désarticuler **T / Pr**	12
désassembler **T**	12
désassimiler **T**	12
désassortir **T**	35
désatelliser **T**	12
désavantager **T**	17
désavouer **T**	13
désaxer **T**	12
desceller **T**	12
descendre **I + être / T + avoir**	66

déscolariser **T**	12	désensabler **T**	12	désiler **T**	12
déséchouer **T**	13	désensibiliser **T / Pr**	12	désillusionner **T**	12
désectoriser **T**	12	désensimer **T**	12	désincarcérer **T**	20
désembourber **T**	12	désensorceler **T**	23	désincarner **-se- + être**	12
désembourgeoiser **T**	12	désentoiler **T**	12	désincruster **T**	12
désembouteiller **T**	12	désentortiller **T**	12	désindexer **T**	12
désembuer **T**	13	désentraver **T**	12	désindustrialiser **T**	12
désemparer **I / p.p.inv. /** Usité dans l'expression *sans désemparer* (= sans cesser)	12	désenvaser **T**	12	désinfecter **T**	12
désemplir **I,** p.p.inv. / **Pr /** Usité surtout à la tournure négative : *ce magasin ne désemplit pas*	35	désenvelopper **T**	12	désinformer **T**	12
désencadrer **T**	12	désenvenimer **T**	12	désinhiber **T**	12
désenchaîner **T**	12	désenverguer **T** / -gu- partout	16	désinsectiser **T**	12
désenchanter **T**	12	désépaissir **T**	35	désintégrer **T / Pr**	20
désenclaver **T**	12	déséquilibrer **T**	12	désintéresser **T / Pr** (de)	12
désencoller **T**	12	déséquiper **T**	12	désintoxiquer **T**	16
désencombrer **T**	12	déserter **T / I,** p.p.inv.	12	désinvestir **T / I,** p.p.inv.	35
désencrasser **T**	12	désertifier **-se- + être**	15	désirer **T**	12
désencrer **T**	12	désespérer **T / I,** p.p.inv. / **Ti** (de), p.p.inv. / **Pr**	20	désister **-se- + être**	12
désendetter **-se- + être**	12	désétatiser **T**	12	désobéir **Ti** (à) / **p.p.inv.** sauf à la voix passive : *elle a été désobéie*	35
désenflammer **T**	12	désexciter **T**	12	désobliger **T**	17
désenfler **T / I,** p.p.inv.	12	désexualiser **T**	12	désobstruer **T**	13
désenfumer **T**	12	déshabiller **T / Pr**	12	désodoriser **T**	12
désengager **T / Pr**	17	déshabituer **T / Pr** (de)	13	désoler **T / Pr** (de)	12
désengorger **T**	17	désherber **T**	12	désolidariser **T / Pr** (de)	12
désengrener **T**	25	déshériter **T**	12	désoperculer **T**	12
désenivrer **T / I,** p.p.inv.	12	déshonorer **T / Pr**	12	désopiler **T**	12
désennuyer **T**	32	déshuiler **T**	12	désorganiser **T**	12
désenrayer **T**	30	déshumaniser **T**	12	désorienter **T**	12
		déshumidifier **T**	15	désosser **T**	12
		déshydrater **T / Pr**	12	désoxyder **T**	12
		déshydrogéner **T**	20		
		désidéologiser **T**	12		
		désigner **T**	12		

désoxygéner **T** 20
desquamer **I**, p.p.inv. **/ Pr** 12
dessabler **T** 12
dessaisir **T / Pr** (de) 35
dessaler **T / I**, p.p.inv. **/ Pr** 12
dessangler **T** 12
dessaouler **T / I**, p.p.inv. 12
dessécher **T / Pr** 20
desseller **T** 12
desserrer **T** 12
dessertir **T** 35
desservir **T** 37
dessiller **T** 12
dessiner **T / I**, p.p.inv. **/ Pr** 12
dessoler **T** 12
dessouder **T** 12
dessoûler **T / I**, p.p.inv. 12
dessuinter **T** 12
déstabiliser **T** 12
déstaliniser **T** 12
destiner **T** 12
destituer **T** 13
déstocker **T** 12
déstructurer **T** 12
désulfiter **T** 12
désulfurer **T** 12
désunir **T / Pr** 35
désurchauffer **T** 12
désynchroniser **T** 12
désyndicaliser **T** 12
détacher **T / Pr** (de) 12
détailler **T** 12
détaler **I / p.p.inv.** 12
détalonner **T** 12
détartrer **T** 12
détaxer **T** 12
détecter **T** 12
déteindre **T / I**, p.p.inv. 70
dételer **T / I**, p.p.inv. 23
détendre **T / Pr** 66
détenir **T** 4
déterger **T** 17
détériorer **T / Pr** 12
déterminer **T / Pr** (à) 12
déterrer **T** 12
détester **T / Pr** 12
détirer **T** 12
détoner **I / p.p.inv.** 12
détonner **I / p.p.inv.** 12
détordre **T** 66
détortiller **T** 12
détourer **T** 12
détourner **T / Pr** (de) 12
détoxiquer **T** 16
détracter **T** 12
détraquer **T / Pr** 16
détremper **T** 12
détromper **T** 12
détrôner **T** 12
détroquer **T** 16
détrousser **T** 12
détruire **T** 85
dévaler **T / I**, p.p.inv. 12
dévaliser **T** 12
dévaloriser **T** 12
dévaluer **T** 13
devancer **T** 18
dévaster **T** 12
développer **T / Pr** 12
devenir **I / + être** 4
dévergonder **-se- + être** 12
déverguer **T / -gu- partout** 16
dévernir **T** 35
déverrouiller **T** 12
déverser **T** 12
dévêtir **T / Pr** 41
dévider **T** 12
dévier **I**, p.p.inv. **/ T** 15
deviner **T** 12
dévirer **T** 12
dévirginiser **T** 12
déviriliser **T** 12
dévisager **T** 17
deviser **I**, p.p.inv. **/ T**, Suisse 12
dévisser **T / I**, p.p.inv. 12
dévitaliser **T** 12
dévitrifier **T** 15
dévoiler **T / Pr** 12
devoir T / U + être / Pr **10**
dévolter **T** 12
dévorer **T** 12
dévouer **-se-** (à) **+ être** 13
dévoyer **T** 31
diaboliser **T** 12
diagnostiquer **T** 16
dialectiser **T** 12

dialoguer **I / p.p.inv. / -gu- partout** 16
dialyser **T** 12
diamanter **T** 12
diaphragmer **T / I,** p.p.inv. 12
diaprer **T** 12
dicter **T** 12
diéséliser **T** 12
diéser **T** 20
diffamer **T** 12
différencier **T / Pr** 15
différentier **T** 15
différer **T / Ti** (de, sur), p.p.inv. 20
diffracter **T** 12
diffuser **T** 12
digérer **T** 20
digitaliser **T** 12
dilacérer **T** 20
dilapider **T** 12
dilater **T / Pr** 12
diligenter **T** 12
diluer **T / Pr** 13
dimensionner **T** 12
diminuer **T / I,** p.p.inv. 13
dindonner **T** 12
dîner **I / p.p.inv.** 12
dinguer **I / p.p.inv. / -gu- partout** 16
diphtonguer **T / -gu- partout** 16
diplômer **T** 12
dire T 77
diriger **T** 17
discerner **T** 12
discipliner **T** 12
discontinuer **I / Déf :** usité seulement à l'inf., dans l'expression *sans discontinuer* —
disconvenir **Ti** (de) **/ p.p.inv.** 4
discorder **I / p.p.inv.** 12
discounter **T / I,** p.p.inv. 12
discourir **I / p.p.inv.** 42
discréditer **T / Pr** 12
discriminer **T** 12
disculper **T / Pr** 12
discutailler **I / p.p.inv.** 12
discuter **T / Ti** (de), p.p.inv. 12
disgracier **T** 15
disjoindre **T** 71
disjoncter **I,** p.p.inv. **/ T** 12
disloquer **T** 16
disparaître **I / + être ou avoir** 75
dispatcher **T** 12
dispenser **T / Pr** (de) 12
disperser **T / Pr** 12
disposer **T / Ti** (de), p.p.inv. / **Pr** (à) 12
disputer **T / Pr** 12
disqualifier **T / Pr** 15
disséminer **T** 12
disséquer **T** 20
disserter **I / p.p.inv.** 12
dissimuler **T / Pr** 12
dissiper **T / Pr** 12
dissocier **T** 15
dissoner **I / p.p.inv.** 12
dissoudre **T / Déf :** pas de passé simple, pas de subj. imparf. 95
dissuader **T** 12
distancer **T** 18
distancier **T / Pr** (de) 15
distendre **T / Pr** 66
distiller **T / I,** p.p.inv. 12
distinguer T / Pr / -gu- partout 16
distordre **T** 66
distraire T / Pr / Déf. 90
distribuer **T** 13
divaguer **I / p.p.inv. / -gu- partout** 16
diverger **I / p.p.inv.** 17
diversifier **T** 15
divertir **T / Pr** (de) 35
diviniser **T** 12
diviser **T / Pr** 12
divorcer **I / p.p.inv.** 18
divulguer **T / -gu- partout** 16
documenter **T / Pr** (sur) 12
dodeliner **Ti** (de) / **p.p.inv.** 12
dodiner **Ti** (de) **/ p.p.inv.** 12
dogmatiser **I / p.p.inv.** 12
doigter **T** 12
doler **T** 12

domestiquer **T** 16
domicilier **T** 15
dominer **I,** p.p.inv. / **T** / **Pr** 12
dompter **T** 12
donner **T** / **I,** p.p.inv. / **Ti** (de), p.p.inv. / **Pr** 12
doper **T** / **Pr** 12
dorer **T** 12
dorloter **T** 12
dormir I / p.p.inv. **37**
doser **T** 12
doter **T** 12
doubler **T** / **I,** p.p.inv. / **Pr** (de) 12
doublonner **I** / **p.p.inv.** 12
doucher **T** / **Pr** 12
doucir **T** 35
douer **T** / **Déf :** usité à l'inf., au part. passé et aux temps composés 13
douter **Ti** (de), p.p.inv. / **Pr** (de) 12
dracher **U** / **p.p.inv.** / Belgique ; Zaïre 12
dragéifier **T** 15
drageonner **I** / **p.p.inv.** 12
draguer **T** / -gu- partout 16
drainer **T** 12
dramatiser **T** 12
draper **T** / **Pr** 12
draver **T** / Québec 12
drayer **T** 29 ou 30
dresser **T** / **Pr** 12
dribbler **I,** p.p.inv. / **T** 12
driller **T** 12
driver **I,** p.p.inv. / **T** 12
droguer **T** / **I,** p.p.inv. / **Pr** / -gu- partout 16
droper **I,** p.p.inv. / **T** 12
dropper **I,** p.p.inv. / **T** 12
drosser **T** 12
dudgeonner **T** 12
dulcifier **T** 15
duper **T** 12
duplexer **T** 12
dupliquer **T** / **Pr** 16
durcir **T** / **I,** p.p.inv. / **Pr** 35
durer **I** / **p.p.inv.** 12
duveter **-se- + être** 27
dynamiser **T** 12
dynamiter **T** 12

E

ébahir **T** / **Pr** 35
ébarber **T** 12
ébattre **-s'- + être** 74
ébaucher **T** 12
ébaudir **-s'- + être** 35
ébavurer **T** 12
éberluer **T** 13
ébiseler **T** 23
éblouir **T** 35
éborgner **T** 12
ébouillanter **T** / **Pr** 12
ébouler **T** / **Pr** 12
ébourgeonner **T** 12
ébouriffer **T** 12
ébourrer **T** 12
ébouter **T** 12
ébrancher **T** 12
ébranler **T** / **Pr** 12
ébraser **T** 12
ébrécher **T** 20
ébrouer **-s'- + être** 13
ébruiter **T** / **Pr** 12
écacher **T** 12
écailler **T** / **Pr** 12
écaler **T** 12
écanguer **T** / -gu- partout 16
écarquiller **T** 12
écarteler **T** 25
écarter **T** / **Pr** 12
échafauder **T** / **I,** p.p.inv. 12
échalasser **T** 12
échancrer **T** 12
échanger **T** 17
échantillonner **T** 12
échapper **I,** p.p.inv. / **Ti** (à, de), p.p.inv. / **Pr** / **T** dans l'expression *l'échapper belle* 12
échardonner **T** 12
écharner **T** 12
écharper **T** 12
échauder **T** 12
échauffer **T** / **Pr** 12
échelonner **T** 12
écheniller **T** 12

écher **T** 20
écheveler **T** 23
échiner **-s'- + être** 12
échographier **T** 15
échoir Ti (à) / **I / + être / Déf** **64**
échopper **T** 12
échouer **T / I,** p.p.inv. **/ Pr** 13
écimer **T** 12
éclabousser **T** 12
éclaircir **T / Pr** 35
éclairer **T / Pr** 12
éclater **I,** p.p.inv. / **Pr** 12
éclipser **T / Pr** 12
éclisser **T** 12
éclore **I / + être ou avoir / Déf :** usité seulement à l'inf., aux 3es pers. et au part. passé 98
écluser **T** 12
écobuer **T** 13
écœurer **T** 12
éconduire **T** 85
économiser **T** 12
écoper **T / Ti** (de), p.p.inv. 12
écorcer **T** 18
écorcher **T / Pr** 12
écorner **T** 12
écosser **T** 12
écouler **T / Pr** 12
écourter **T** 12
écouter **T / Pr** 12
écouvillonner **T** 12

écrabouiller **T** 12
écraser **T / I,** p.p.inv. **/ Pr** 12
écrémer **T** 20
écrêter **T** 12
écrier **-s'- + être** 15
écrire T / I, p.p.inv. **81**
écrivailler **I / p.p.inv.** 12
écrivasser **I / p.p.inv.** 12
écrouer **T** 13
écrouir **T** 35
écrouler **-s'- + être** 12
écroûter **T** 12
écuisser **T** 12
écumer **T / I,** p.p.inv. 12
écurer **T** 12
écussonner **T** 12
édenter **T** 12
édicter **T** 12
édifier **T** 15
éditer **T** 12
édulcorer **T** 12
éduquer **T** 16
éfaufiler **T** 12
effacer **T / Pr** 18
effaner **T** 12
effarer **T** 12
effaroucher **T** 12
effectuer **T** 13
efféminer **T** 12
effeuiller **T / Pr** 12
effiler **T** 12
effilocher **T / Pr** 12
effleurer **T** 12
effleurir **I / p.p.inv.** 35

effondrer **T / Pr** 12
efforcer **-s'-** (de) **+ être** 18
effranger **T** 17
effrayer **T / Pr** 29 ou 30
effriter **T / Pr** 12
égailler **-s'- + être** 12
égaler **T** 12
égaliser **T / I,** p.p.inv. 12
égarer **T / Pr** 12
égayer **T / Pr** 29 ou 30
égermer **T** 12
égorger **T / Pr** 17
égosiller **-s'- + être** 12
égoutter **T / Pr** 12
égrainer **T / Pr** 12
égrapper **T** 12
égratigner **T / Pr** 12
égrener **T / Pr** 25
égriser **T** 12
égruger **T** 17
égueuler **T** 12
éjaculer **T / I,** p.p.inv. 12
éjecter **T** 12
éjointer **T** 12
élaborer **T** 12
élaguer **T / -gu-** partout 16
élancer **I,** p.p.inv. **/ T / Pr** 18
élargir **T / Pr** 35
électrifier **T** 15
électriser **T** 12
électrocuter **T** 12
électrolyser **T** 12

élégir **T** 35
élever **T / Pr** 25
élider **T** 12
éliminer **T** 12
élinguer **T** / -gu- partout 16
élire **T** 82
éloigner **T / Pr** 12
élonger **T** 17
élucider **T** 12
élucubrer **T** 12
éluder **T** 12
émacier **T / Pr** 15
émailler **T** 12
émanciper **T / Pr** 12
émaner **Ti** (de) / **p.p.inv.** 12
émarger **T / Ti** (à), p.p.inv. 17
émasculer **T** 12
emballer **T / Pr** 12
embarbouiller **T / Pr** 12
embarquer **T / I,** p.p.inv. / **Pr** 16
embarrasser **T** / **Pr** (de) 12
embarrer **I,** p.p.inv. / **Pr** 12
embastiller **T** 12
embattre **T** 74
embaucher **T** 12
embaumer **T / I,** p.p.inv. 12
embecquer **T** / -cqu- partout 16
embéguiner **T / Pr** 12
embellir **T / I,** p.p.inv. 35
emberlificoter **T / Pr** 12
embêter **T** 12
emblaver **T** 12
embobeliner **T** 12
embobiner **T** 12
emboîter **T / Pr** 12
embosser **T** 12
emboucher **T** 12
embouer **T / p.p.inv.** 13
embouquer **I,** p.p.inv. / **T** 16
embourber **T / Pr** 12
embourgeoiser **T / Pr** 12
embourrer **T** 12
embouteiller **T** 12
emboutir **T** 35
embrancher **T / Pr** 12
embraquer **T** 16
embraser **T / Pr** 12
embrasser **T / Pr** 12
embrayer **T / Ti** (sur) / p.p.inv. 29 ou 30
embrever **T** 25
embrigader **T** 12
embringuer **T** / -gu- partout 16
embrocher **T** 12
embrouiller **T / Pr** 12
embroussailler **T / Pr** 12
embrumer **T** 12
embuer **T** 13
embusquer **T / Pr** 16
émécher **T** 20
émerger **I / p.p.inv.** 17
émeriser **T** 12
émerveiller **T / Pr** (de) 12
émettre **T / I,** p.p.inv. 6
émietter **T** 12
émigrer **I / p.p.inv.** 12
émincer **T** 18
emmagasiner **T** 12
emmailloter **T** 12
emmancher **T / Pr** 12
emmêler **T** 12
emménager **T / I,** p.p.inv. 17
emmener **T** 25
emmerder **T / Pr** 12
emmétrer **T** 20
emmieller **T** 12
emmitoufler **T / Pr** 12
emmouscailler **T** 12
emmurer **T** 12
émonder **T** 12
émorfiler **T** 12
émotionner **T** 12
émotter **T** 12
émoudre **T** 96
émousser **T** 12
émoustiller **T** 12
émouvoir T / Pr (de) **55**
empailler **T** 12
empaler **T / Pr** 12
empalmer **T** 12
empanacher **T** 12
empanner **I / p.p.inv.** 12
empaqueter **T** 27
emparer **-s'-** (de) **+ être** 12
empâter **T / Pr** 12

empatter **T** 12
empaumer **T** 12
empêcher **T / Pr** (de) 12
empenner **T** 12
emperler **T** 12
empeser **T** 25
empester **T / I,** p.p.inv. 12
empêtrer **T / Pr** (dans) 12
empierrer **T** 12
empiéter **Ti / p.p.inv.** 20
empiffrer **-s'-** (de) **+ être** 12
empiler **T / Pr** 12
empirer **I / p.p.inv.** 12
emplir **T** 35
employer T / Pr 31
emplumer **T** 12
empocher **T** 12
empoigner **T / Pr** 12
empoisonner **T / Pr** 12
empoisser **T** 12
empoissonner **T** 12
emporter **T / Pr** 12
empoter **T** 12
empourprer **T / Pr** 12
empoussiérer **T** 20
empreindre **T** 70
empresser **-s'-** (de + inf.) **+ être** 12
emprésurer **T** 12
emprisonner **T** 12
emprunter **T** 12
empuantir **T** 35
émuler **T** 12
émulsifier **T** 15
émulsionner **T** 12

enamourer **-s'- + être** 12
énamourer **-s'- + être** 12
encabaner **T** 12
encadrer **T** 12
encager **T** 17
encaisser **T** 12
encanailler **-s'- + être** 12
encapuchonner **T / Pr** 12
encaquer **T** 16
encarter **T** 12
encaserner **T** 12
encasteler **-s'- + être** 25
encastrer **T / Pr** (dans) 12
encaustiquer **T** 16
encaver **T** 12
enceindre **T** 70
enceinter **T** / Afrique 12
encenser **T / I,** p.p.inv. 12
encercler **T** 12
enchaîner **T / I,** p.p.inv. / **Pr** 12
enchanter **T** 12
enchâsser **T** 12
enchausser **T** 12
enchemiser **T** 12
enchérir **I / p.p.inv.** 35
enchevaucher **T** 12
enchevêtrer **T / Pr** 12
enclaver **T** 12
enclencher **T / Pr** 12
encliqueter **T** 27
enclore **T / Déf :** pas de part. prés., d'ind. imparf. et passé simple, de subj. imparf., d'impér. prés. ; pas de plur. à l'ind. prés. 98
enclouer **T** 13
encocher **T** 12
encoder **T** 12
encoller **T** 12
encombrer **T / Pr** (de) 12
encorder **-s'- + être** 12
encorner **T** 12
encoubler **-s'- + être** / Suisse 12
encourager **T** 17
encourir **T** 42
encrasser **T / Pr** 12
encrer **T** 12
encroûter **T / Pr** 12
encuver **T** 12
endenter **T** 12
endetter **T / Pr** 12
endeuiller **T** 12
endêver **I / p.p.inv. / Déf :** usité familièrement à l'inf.prés. : *faire endêver* (= faire enrager) 12
endiabler **I / p.p.inv.** 12
endiguer **T** / -gu- partout 16
endimancher **-s'- + être** 12
endivisionner **T** 12
endoctriner **T** 12
endolorir **T / Déf :** usité surtout au part.passé et aux 3es pers. 35

endommager **T**	17
endormir **T / Pr**	37
endosser **T**	12
enduire **T**	85
endurcir **T / Pr**	35
endurer **T**	12
énerver **T / Pr**	12
enfaîter **T**	12
enfanter **T**	12
enfariner **T**	12
enfermer **T / Pr**	12
enferrer **T / Pr**	12
enficher **T**	12
enfieller **T**	12
enfiévrer **T**	20
enfiler **T**	12
enflammer **T / Pr**	12
enfler **T / I,** p.p.inv.	12
enfleurer **T**	12
enfoncer **T / I,** p.p.inv. **/ Pr**	18
enfouir **T / Pr**	35
enfourcher **T**	12
enfourner **T**	12
enfreindre **T**	70
enfuir **-s'- + être**	40
enfumer **T**	12
enfutailler **T**	12
enfûter **T**	12
engager **T / Pr**	17
engainer **T**	12
engamer **T**	12
engazonner **T**	12
engendrer **T**	12
engerber **T**	12
englober **T**	12
engloutir **T / Pr**	35
engluer **T / Pr**	13
engober **T**	12
engommer **T**	12
engoncer **T**	18
engorger **T / Pr**	17
engouer **-s'-** (de) **+ être**	12
engouffrer **T / Pr**	12
engourdir **T**	35
engraisser **T / I,** p.p.inv.	12
engranger **T**	17
engraver **T**	12
engrener **T / I,** p.p.inv.	25
engrosser **T**	12
engueuler **T / Pr**	12
enguirlander **T**	12
enhardir **T / Pr**	35
enharnacher **T**	12
enherber **T**	12
enivrer **T**	12
enjamber **T / I,** p.p.inv.	12
enjaveler **T**	23
enjoindre **T**	71
enjôler **T**	12
enjoliver **T**	12
enjuguer **T** / -gu- partout	16
enkyster **-s'- + être**	12
enlacer **T / Pr**	18
enlaidir **T / I,** p.p.inv.	35
enlever **T**	25
enliasser **T**	12
enlier **T**	15
enliser **T / Pr**	12
enluminer **T**	12
enneiger **T**	17
ennoblir **T**	35
ennoyer **T**	31
ennuager **T**	17
ennuyer **T / Pr**	32
énoncer **T**	18
enorgueillir **T / Pr** (de)	35
énouer **T**	13
enquérir **-s'-** (de) **+ être**	44
enquêter **I / p.p.inv.**	12
enquiquiner **T**	12
enraciner **T / Pr**	12
enrager **I / p.p.inv.**	17
enrayer **T / Pr**	29 ou 30
enrégimenter **T**	12
enregistrer **T**	12
enrêner **T**	12
enrhumer **T / Pr**	12
enrichir **T / Pr**	35
enrober **T**	12
enrocher **T**	12
enrôler **T / Pr**	12
enrouer **T / Pr**	13
enrouler **T**	12
enrubanner **T**	12
ensabler **T / Pr**	12
ensacher **T**	12
ensaisiner **T**	12
ensanglanter **T**	12
enseigner **T**	12
ensemencer **T**	18
enserrer **T**	12

ensevelir **T / Pr**	35
ensiler **T**	12
ensoleiller **T**	12
ensorceler **T**	23
ensoufrer **T**	12
ensuivre **-s'- + être / Déf :** usité seulement à l'inf. et aux 3es pers.	86
entabler **T**	12
entacher **T**	12
entailler **T**	12
entamer **T**	12
entartrer **T**	12
entasser **T**	12
entendre **T / Pr**	66
enténébrer **T**	20
enter **T**	12
entériner **T**	12
enterrer **T / Pr**	12
entêter **T / Pr** (à, dans)	12
enthousiasmer **T / Pr** (pour)	12
enticher **-s'-** (de) **+ être**	12
entoiler **T**	12
entôler **T**	12
entonner **T**	12
entortiller **T / Pr**	12
entourer **T / Pr** (de)	12
entraider **-s'- + être**	12
entr'aimer **-s'- + être**	12
entraîner **T / Pr**	12
entr'apercevoir **T**	51
entrapercevoir **T**	51
entraver **T / I,** p.p.inv.	12
entrebâiller **T**	12
entrechoquer **T / Pr**	16
entrecouper **T**	12
entrecroiser **T / Pr**	12
entre-déchirer **-s'- + être**	12
entre-dévorer **-s'- + être**	12
entr'égorger **-s'- + être**	17
entre-haïr **-s'- + être**	36
entre-heurter **-s'- + être**	12
entrelacer **T / Pr**	18
entrelarder **T**	12
entremêler **T / Pr**	12
entremettre **-s'- + être**	6
entreposer **T**	12
entreprendre **T**	68
entrer **I + être / T + avoir**	12
entretailler **-s'- + être**	12
entretenir **T / Pr** (de)	4
entre-tisser **T**	12
entretoiser **T**	12
entre-tuer **-s'- + être**	13
entrevoir **T**	52
entrouvrir **T**	45
entuber **T**	12
énucléer **T** / -é- partout	14
énumérer **T**	20
énuquer **-s'- + être** / Suisse	16
envahir **T**	35
envaser **T**	12
envelopper **T**	12
envenimer **T / Pr**	12
enverguer **T** / -gu- partout	16
envider **T**	12
envier **T**	15
environner **T / Pr**	12
envisager **T**	17
envoiler **-s'- + être**	12
envoler **-s'- + être**	12
envoûter **T**	12
envoyer T / Pr	**33**
épaissir **T / I,** p.p.inv. **/ Pr**	35
épamprer **T**	12
épancher **T / Pr**	12
épandre **T**	67
épanneler **T**	23
épanner **T**	12
épanouir **T / Pr**	35
épargner **T / Pr**	12
éparpiller **T / Pr**	12
épater **T**	12
épaufrer **T**	12
épauler **T / I,** p.p.inv.	12
épeler **T**	23
épépiner **T**	12
éperonner **T**	12
épeurer **T**	12
épicer **T**	18
épier / **I,** p.p.inv. / **T**	15
épierrer **T**	12
épiler **T**	12
épiloguer **I** (sur) / **p.p.inv.** / -gu- partout	16

Verbe	Modèle
épincer **T**	18
épinceter **T**	27
épiner **T**	12
épingler **T**	12
épisser **T**	12
éployer **T**	31
éplucher **T**	12
épointer **T**	12
éponger **T / Pr**	17
épouiller **T**	12
époumoner **-s'- + être**	12
épouser **T**	12
épousseter **T**	27
époustoufler **T**	12
époutir **T**	35
épouvanter **T**	12
épreindre **T**	70
éprendre **-s'-** (de) **+ être**	68
éprouver **T**	12
épucer **T**	18
épuiser **T**	12
épurer **T**	12
équarrir **T**	35
équerrer **T**	12
équeuter **T**	12
équilibrer **T / Pr**	12
équiper **T / Pr**	12
équivaloir **Ti** (à) **/ p.p.inv.**	56
équivoquer **I / p.p.inv.**	16
éradiquer **T**	16
érafler **T**	12
érailler **T**	12
éreinter **T**	12
ergoter **I / p.p.inv.**	12
ériger **T / Pr**	17
éroder **T**	12
érotiser **T**	12
errer **I / p.p.inv.**	12
éructer **I,** p.p.inv. **/ T**	12
esbigner **-s'- + être**	12
esbroufer **T**	12
escalader **T**	12
escaloper **T**	12
escamoter **T**	12
escarrifier **T**	15
escher **T**	12
esclaffer **-s'- + être**	12
escompter **T**	12
escorter **T**	12
escrimer **-s'-** (à) **+ être**	12
escroquer **T**	16
espacer **T**	18
espérer **T / Ti** (en), p.p.inv.	20
espionner **T**	12
esquicher **T**	12
esquinter **T**	12
esquisser **T**	12
esquiver **T / Pr**	12
essaimer **I / p.p.inv.**	12
essanger **T**	17
essarter **T**	12
essayer **T / Pr** (à)	29 ou 30
essorer **T**	12
essoriller **T**	12
essoucher **T**	12
essouffler **T / Pr**	12
essuyer T	**32**
estamper **T**	12
estampiller **T**	12
ester **I / Déf :** usité seulement à l'inf. *(ester en justice)*	—
estérifier **T**	15
esthétiser **I,** p.p.inv. **/ T**	12
estimer **T / Pr**	12
estiver **T / I,** p.p.inv.	12
estomaquer **T**	16
estomper **T / Pr**	12
estoquer **T**	16
estourbir **T**	35
estrapasser **T**	12
estropier **T**	15
établer **T**	12
établir **T / Pr**	35
étager **T / Pr**	17
étalager **T**	17
étaler **T / Pr**	12
étalinguer **T** / -gu- partout	16
étalonner **T**	12
étamer **T**	12
étamper **T**	12
étancher **T**	12
étançonner **T**	12
étarquer **T**	16
étatiser **T**	12
étayer **T**	29 ou 30
éteindre **T / Pr**	70
étendre **T / Pr**	66
éterniser **T / Pr**	12

éternuer **I / p.p.inv.**	13	évaser **T / Pr**	12	exécuter **T / Pr**	12
étêter **T**	12	éveiller **T / Pr**	12	exemplifier **T**	15
éthérifier **T**	15	éventer **T / Pr**	12	exempter **T**	12
éthériser **T**	12	éventrer **T**	12	exercer **T / Pr**	18
étinceler **I / p.p.inv.**	23	évertuer **-s'-** (à) **+ être**	13	exfiltrer **T**	12
étioler **T / Pr**	12	évider **T**	12	exfolier **T**	15
étiqueter **T**	27	évincer **T**	18	exhaler **T / Pr**	12
étirer **T / Pr**	12	éviscérer **T**	20	exhausser **T**	12
étoffer **T**	12	éviter **T / I,** p.p.inv.	12	exhéréder **T**	20
étoiler **T**	12	évoluer **I / p.p.inv.**	13	exhiber **T / Pr**	12
étonner **T / Pr** (de)	12	évoquer **T**	16	exhorter **T**	12
étouffer **T / I,** p.p.inv. **/ Pr**	12	exacerber **T**	12	exhumer **T**	12
étouper **T**	12	exagérer **T / I,** p.p.inv. **/ Pr**	20	exiger **T**	17
étoupiller **T**	12	exalter **T / Pr**	12	exiler **T / Pr**	12
étourdir **T / Pr**	35	examiner **T**	12	exister **I / p.p.inv.**	12
étrangler **T / Pr**	12	exaspérer **T**	20	exonder **-s'- + être**	12
être I / p.p.inv.	**1**	exaucer **T**	18	exonérer **T**	20
étrécir **T**	35	excaver **T**	12	exorciser **T**	12
étreindre **T**	70	excéder **T**	20	expatrier **T / Pr**	15
étrenner **T / I,** p.p.inv.	12	exceller **I / p.p.inv.**	12	expectorer **T**	12
étrésillonner **T**	12	excentrer **T**	12	expédier **T**	15
étriller **T**	12	excepter **T**	12	expérimenter **T**	12
étriper **T**	12	exciper **Ti** (de) **/ p.p.inv.**	12	expertiser **T**	12
étriquer **T**	16	exciser **T**	12	expier **T**	15
étudier T / Pr	**15**	exciter **T / Pr**	12	expirer **T / I,** p.p.inv.	12
étuver **T**	12	exclamer **-s'- + être**	12	expliciter **T**	12
euphoriser **T**	12	exclure **T**	94	expliquer **T / Pr**	16
européaniser **T / Pr**	12	excommunier **T**	15	exploiter **T**	12
évacuer **T**	13	excorier **T**	15	explorer **T**	12
évader **-s'- + être**	12	excréter **T**	20	exploser **I / p.p.inv.**	12
évaluer **T**	13	excursionner **I / p.p.inv.**	12	exporter **T**	12
évangéliser **T**	12	excuser **T / Pr**	12	exposer **T / Pr**	12
évanouir **-s'- + être**	35	exécrer **T**	20	exprimer **T / Pr**	12
évaporer **T / Pr**	12			exproprier **T**	15
				expulser **T**	12

expurger **T** 17
exsuder **I,** p.p.inv. / **T** 12
extasier **-s'- + être** 15
exténuer **T / Pr** 13
extérioriser **T / Pr** 12
exterminer **T** 12
extirper **T / Pr** 12
extorquer **T** 16
extrader **T** 12
extraire **T / Pr** (de) / **Déf :** pas de passé simple, pas de subj. imparf. 90
extrapoler **T / I,** p.p.inv. 12
extravaguer **I / p.p.inv.** / -gu- partout 16
extravaser **-s'- + être** 12
extruder **T / I,** p.p.inv. 12
exulcérer **T** 20
exulter **I / p.p.inv.** 12

F

fabriquer **T** 16
fabuler **I / p.p.inv.** 12
facetter **T** 12
fâcher **T / Pr** 12
faciliter **T** 12
façonner **T / Pr** 12
factoriser **T** 12
facturer **T** 12
fagoter **T / Pr** 12
faiblir **I / p.p.inv.** 35
failler **-se- + être** 12
faillir **I / Ti** (à) / **p.p.inv.** / **Déf :** usité surtout à l'inf. et aux temps composés *(j'ai failli…)* 47
fainéanter **I / p.p.inv.** 12
faire T / Pr **5**
faisander **T / Pr** 12
falloir U / p.p.inv. / Pr uniquement dans certaines expressions (*il s'en fallut de peu…*) **11**
falsifier **T** 15
faluner **T** 12
familiariser **T / Pr** (avec) 12
fanatiser **T** 12
faner **T / Pr** 12
fanfaronner **I / p.p.inv.** 12
fantasmer **I / p.p.inv.** 12
farcir **T / Pr** 35
farder **T / Pr** 12
farfouiller **I / p.p.inv.** 12
fariner **T** 12
farter **T** 12
fasciner **T** 12
fasciser **T** 12
faseyer **I / p.p.inv.** 30
fatiguer **T / I,** p.p.inv. / **Pr** / -gu- partout 16
faucarder **T** 12
faucher **T** 12
faufiler **T / Pr** 12
fausser **T** 12
fauter **I / p.p.inv.** 12
favoriser **T** 12
faxer **T** 12
fayoter **I / p.p.inv.** 12
féconder **T** 12
féculer **T** 12
fédéraliser **T** 12
fédérer **T** 20
feindre **T / I,** p.p.inv. 70
feinter **T / I,** p.p.inv. 12
fêler **T / Pr** 12
féliciter **T / Pr** (de) 12
féminiser **T / Pr** 12
fendiller **T / Pr** 12
fendre **T / Pr** 66
fenêtrer **T** 12
férir **T / Déf. :** usité seulement à l'inf. prés. *(sans coup férir)* et au part. passé *(féru/ue/us/ues)* —
ferler **T** 12
fermenter **I / p.p.inv.** 12
fermer **T / I,** p.p.inv. 12
ferrailler **I,** p.p.inv. / **T** 12
ferrer **T** 12
ferrouter **T** 12
fertiliser **T** 12
fesser **T** 12
festonner **T** 12
festoyer **I / p.p.inv.** 31
fêter **T** 12
feuiller **I / p.p.inv.** 12
feuilleter **T** 27
feuler **I / p.p.inv.** 12
feutrer **T / I,** p.p.inv. / **Pr** 12

Verbe	Modèle
fiabiliser **T**	12
fiancer **T / Pr**	18
ficeler **T**	23
fiche **Pr** (de) / Part. passé : *fichu/ue/us/ues*	12
ficher **T**	12
fidéliser **T**	12
fienter **I / p.p.inv.**	12
fier **-se-** (à) **+ être**	15
figer **T**	17
fignoler **T / I,** p.p.inv.	12
figurer **T / I,** p.p.inv. / **Pr**	12
filer **T / I,** p.p.inv.	12
fileter **T**	28
filialiser **T**	12
filigraner **T**	12
filmer **T**	12
filocher **I / p.p.inv.**	12
filouter **T**	12
filtrer **T / I,** p.p.inv.	12
finaliser **T**	12
financer **T**	18
finasser **I / p.p.inv.**	12
finir T / I, p.p.inv.	**35**
fiscaliser **T**	12
fissionner **T / I,** p.p.inv.	12
fissurer **T**	12
fixer **T / Pr**	12
flageller **T**	12
flageoler **I / p.p.inv.**	12
flagorner **T**	12
flairer **T**	12
flamber **I,** p.p.inv. / **T**	12
flamboyer **I / p.p.inv.**	31
flancher **I / p.p.inv.**	12
flâner **I / p.p.inv.**	12
flanquer **T**	16
flasher **Ti** (sur), p.p.inv. / **T**	12
flatter **T / Pr** (de)	12
flécher **T**	20
fléchir **T / I,** p.p.inv.	35
flemmarder **I / p.p.inv.**	12
flétrir **T / Pr**	35
fleurer **T / I,** p.p.inv.	12
fleureter **I / p.p.inv.**	27
fleurir **I,** p.p.inv. / **T**	35
flexibiliser **T**	12
flibuster **I / p.p.inv.**	12
flinguer **T / Pr** / -gu- partout	16
flipper **I / p.p.inv.**	12
flirter **I / p.p.inv.**	12
floconner **I / p.p.inv.**	12
floculer **I / p.p.inv.**	12
floquer **T**	16
flotter **I,** p.p.inv. / **T** / **U,** p.p.inv.	12
flouer **T**	13
fluctuer **I / p.p.inv.**	13
fluer **I / p.p.inv.**	13
fluidifier **T**	15
fluidiser **T**	12
flûter **I / p.p.inv.**	12
focaliser **T**	12
foirer **I / p.p.inv.**	12
foisonner **I / p.p.inv.**	12
folâtrer **I / p.p.inv.**	12
folioter **T**	12
fomenter **T**	12
foncer **T / I,** p.p.inv.	18
fonctionnaliser **T**	12
fonctionnariser **T**	12
fonctionner **I / p.p.inv.**	12
fonder **T / Pr** (sur)	12
fondre **T / I,** p.p.inv. / **Pr**	66
forcer **T / I,** p.p.inv. / **Pr**	18
forcir **I / p.p.inv.**	35
forclore **T / Déf :** usité seulement à l'inf. et au part. passé	—
forer **T**	12
forfaire **Ti** (à) / **p.p.inv.** / **Déf :** usité seulement à l'inf. prés., au sing. de l'ind. prés., au part. passé et aux temps composés	5
forger **T**	17
forjeter **T / I,** p.p.inv.	27
forlancer **T**	18
forligner **I / p.p.inv.**	12
forlonger **T**	17
formaliser **T / Pr**	12
formater **T**	12
former **T / Pr**	12
formoler **T**	12
formuler **T**	12
forniquer **I / p.p.inv.**	16
fortifier **T**	15
fossiliser **T / Pr**	12
fossoyer **T**	31
fouailler **T**	12
foudroyer **T**	31

fouetter **T / I,** p.p.inv. 12
fouger **T / I,** p.p.inv. 17
fouiller **T / I,** p.p.inv / **Pr** 12
fouiner **I / p.p.inv.** 12
fouir **T** 35
fouler **T / Pr** 12
foulonner **T** 12
fourbir **T** 35
fourcher **I / p.p.inv.** 12
fourgonner **I / p.p.inv.** 12
fourguer **T** / -gu- partout 16
fourmiller **I / Ti** (de) / **p.p.inv.** 12
fournir **T / Ti** (à), p.p.inv. / **Pr** 35
fourrager **I / p.p.inv.** 17
fourrer **T / Pr** 12
fourvoyer **T / Pr** 31
foutre **T / Pr** (de) / **Déf :** inusité au passé simple et au subj. imparf. 66
fracasser **T** 12
fractionner **T** 12
fracturer **T** 12
fragiliser **T** 12
fragmenter **T** 12
fraîchir **I / p.p.inv.** 35
fraiser **T** 12
framboiser **T** 12
franchir **T** 35
franchiser **T** 12
franciser **T** 12
francophoniser **T /** Québec 12
franger **T** 17
fransquillonner **I / p.p.inv.** / Belgique 12
frapper **T / I,** p.p.inv. / **Pr** 12
fraser **T** 12
fraterniser **I / p.p.inv.** 12
frauder **T / I,** p.p.inv. 12
frayer **T / Ti** (avec), p.p.inv. / **I,** p.p.inv. 29 ou 30
fredonner **T / I,** p.p.inv. 12
frégater **T** 12
freiner **T / I,** p.p.inv. 12
frelater **T** 12
frémir **I / p.p.inv.** 35
fréquenter **T / I,** p.p.inv., Afrique 12
fréter **T** 20
frétiller **I / p.p.inv.** 12
fretter **T** 12
fricasser **T** 12
fricoter **T / Ti** (avec), p.p.inv. 12
frictionner **T** 12
frigorifier **T** 15
frimer **I / p.p.inv.** 12
fringuer **T / Pr** / -gu- partout 16
friper **T** 12
frire **T / I,** p.p.inv. / **Déf** 100
friser **T / I,** p.p.inv. 12
frisotter **T / I,** p.p.inv. 12
frissonner **I / p.p.inv.** 12
fritter **T** 12
froisser **T / Pr** 12
frôler **T** 12
froncer **T** 18
fronder **T** 12
frotter **T / I,** p.p.inv. / **Pr** (à) 12
frouer **I / p.p.inv.** 13
froufrouter **I / p.p.inv.** 12
fructifier **I / p.p.inv.** 15
frustrer **T** 12
fuguer **I / p.p.inv.** / -gu- partout 16
fuir I, p.p.inv. / **T** **40**
fulgurer **I / p.p.inv.** 12
fulminer **I,** p.p.inv. / **T** 12
fumer **I,** p.p.inv. / **T** 12
fumiger **T** 17
fureter **I / p.p.inv.** 28
fuseler **T** 23
fuser **I / p.p.inv.** 12
fusiller **T** 12
fusionner **T / I,** p.p.inv. 12
fustiger **T** 17

G

gabarier **T** 15
gabionner **T** 12
gâcher **T** 12
gadgétiser **T** 12
gaffer **T / I,** p.p.inv. / **Pr,** Suisse 12

gager **T** 17
gagner **T / I,** p.p.inv. 12
gainer **T** 12
galber **T** 12
galéjer **I / p.p.inv.** 20
galérer **I / p.p.inv.** 20
galeter **T** 27
galipoter **T** 12
galonner **T** 12
galoper **I / p.p.inv.** 12
galvaniser **T** 12
galvauder **T** 12
gambader **I / p.p.inv.** 12
gamberger **I,** p.p.inv. / **T** 12
gambiller **I / p.p.inv.** 12
gaminer **I / p.p.inv.** 12
gangrener **T / Pr** 25
ganser **T** 12
ganter **T / I,** p.p.inv. 12
garancer **T** 18
garantir **T** 35
garder **T / Pr** (de) 12
garer **T / Pr** 12
gargariser **-se-** (de) **+ être** 12
gargouiller **I / p.p.inv.** 12
garnir **T / Pr** 35
garrotter **T** 12
gaspiller **T** 12
gâter **T / Pr** 12
gâtifier **I / p.p.inv.** 15
gatter **T** / Suisse 12
gauchir **I,** p.p.inv. / **T** 35
gaufrer **T** 12
gauler **T** 12
gausser **-se-** (de) **+ être** 12
gaver **T / Pr** (de) 12
gazéifier **T** 15
gazer **T / I,** p.p.inv. 12
gazonner **T** 12
gazouiller **I / p.p.inv.** 12
geindre **I / p.p.inv.** 70
geler **T / I,** p.p.inv. / **U,** p.p.inv. **25**
gélifier **T** 15
géminer **T** 12
gémir **I / p.p.inv.** 35
gemmer **T** 12
gendarmer **-se- + être** 12
gêner **T / Pr** 12
généraliser **T / Pr** 12
générer **T** 20
gerber **T / I,** p.p.inv. 12
gercer **T / Pr** 18
gérer **T** 20
germaniser **T** 12
germer **I / p.p.inv.** 12
gésir **I / Déf** **49**
gesticuler **I / p.p.inv.** 12
gicler **I / p.p.inv.** 12
gifler **T** 12
gigoter **I / p.p.inv.** 12
gîter **I / p.p.inv.** 12
givrer **T** 12
glacer **T** 18
glairer **T** 12
glaiser **T** 12
glander **I / p.p.inv.** 12
glandouiller **I / p.p.inv.** 12
glaner **T** 12
glapir **I / p.p.inv.** 35
glatir **I / p.p.inv.** 35
gléner **T** 20
glisser **I,** p.p.inv. / **T / Pr** 12
globaliser **T** 12
glorifier **T / Pr** (de) 15
gloser **Ti** (sur), p.p.inv. / **T** 12
glouglouter **I / p.p.inv.** 12
glousser **I / p.p.inv.** 12
glycériner **T** 12
gober **T / Pr** 12
goberger **-se- + être** 17
godailler **I / p.p.inv.** 12
goder **I / p.p.inv.** 12
godiller **I / p.p.inv.** 12
goinfrer **-se- + être** 12
gominer **-se- + être** 12
gommer **T** 12
gondoler **T / I,** p.p.inv. / **Pr** 12
gonfler **T / I,** p.p.inv. / **Pr** 12
gorger **T** 17
gouacher **T** 12
gouailler **I / p.p.inv.** 12
goudronner **T** 12
goujonner **T** 12
goupiller **T / Pr** 12
gourer **-se- + être** 12
gourmander **T** 12
goûter **T / Ti** (à, de), p.p.inv. / **I,** p.p.inv. 12

goutter **I / p.p.inv.** 12
gouverner **T / I,** p.p.inv. 12
gracier **T** 15
graduer **T** 13
grafigner **T /** Québec 12
grailler **I,** p.p.inv. / **T** 12
graillonner **I / p.p.inv.** 12
grainer **I,** p.p.inv. / **T** 12
graisser **T / I,** p.p.inv. 12
grammaticaliser **T** 12
grandir **I,** p.p.inv. / **T** 35
graniter **T** 12
granuler **T** 12
graphiter **T** 12
grappiller **T / I,** p.p.inv. 12
grasseyer **I,** p.p.inv. / **T /** -y- partout 30
gratifier **T** 15
gratiner **T** 12
gratter **T / I,** p.p.inv. 12
graver **T** 12
gravillonner **T** 12
gravir **T** 35
graviter **I / p.p.inv.** 12
gréciser **T** 12
grecquer **T** 16
gréer **T /** -é- partout 14
greffer **T / Pr** 12
grêler **T / U,** p.p.inv. 12
grelotter **I / p.p.inv.** 12
grenader **T** 12
grenailler **T** 12
greneler **T** 23
grener **I,** p.p.inv. / **T** 25
grenouiller **I / p.p.inv.** 12
gréser **T** 20
grésiller **I / U / p.p.inv.** 12
grever **T** 25
gribouiller **I,** p.p.inv. / **T** 12
griffer **T** 12
griffonner **T** 12
grigner **I / p.p.inv.** 12
grignoter **T** 12
grillager **T** 17
griller **T / I,** p.p.inv. 12
grimacer **I / p.p.inv.** 18
grimer **T** 12
grimper **I,** p.p.inv. / **T** 12
grincer **I / p.p.inv.** 18
gripper **I,** p.p.inv. / **Pr** 12
grisailler **T / I,** p.p.inv. 12
griser **T** 12
grisoller **I / p.p.inv.** 12
grisonner **I / p.p.inv.** 12
griveler **T / I,** p.p.inv. 23
grognasser **I / p.p.inv.** 12
grogner **I / p.p.inv.** 12
grognonner **I / p.p.inv.** 12
grommeler **T / I,** p.p.inv. 23
gronder **I,** p.p.inv. / **T** 12
grossir **T / I,** p.p.inv. 35
grossoyer **T** 31
grouiller **I /** p.p.inv. / **Pr** 12
grouper **T / I,** p.p.inv. / **Pr** 12
gruger **T** 17
grumeler **-se- + être** 23
gruter **T** 12
guéer **T /** -é- partout 14
guérir **T / I,** p.p.inv. / **Pr** 35
guerroyer **I / p.p.inv.** 31
guêtrer **T** 12
guetter **T** 12
gueuler **I,** p.p.inv. / **T** 12
gueuletonner **I / p.p.inv.** 12
gueuser **I / p.p.inv.** 12
guider **T** 12
guigner **T** 12
guillemeter **T** 27
guillocher **T** 12
guillotiner **T** 12
guincher **I / p.p.inv.** 12
guinder **T** 12
guiper **T** 12
guniter **T** 12

H

habiliter **T** 12
habiller **T / Pr** 12
habiter **T / I,** p.p.inv. 12
habituer **T / Pr** (à) 13
hacher **T** 12
hachurer **T** 12
haïr T / Pr 36
halener **T** 25
haler **T** 12
hâler **T** 12

haleter **I / p.p.inv.**	28
halluciner **T**	12
hancher **T / Pr**	12
handicaper **T**	12
hannetonner **T**	12
hanter **T**	12
happer **T**	12
haranguer **T** / -gu- partout	16
harasser **T**	12
harceler **T**	25
harder **T**	12
harmoniser **T / Pr**	12
harnacher **T**	12
harponner **T**	12
hasarder **T / Pr**	12
hâter **T / Pr**	12
haubaner **T**	12
hausser **T / I,** p.p.inv., Belgique	12
haver **T**	12
havir **T**	35
héberger **T**	17
hébéter **T**	20
hébraïser **T**	12
héler **T**	20
helléniser **T**	12
hennir **I / p.p.inv.**	35
herbager **T**	17
herber **T**	12
herboriser **I / p.p.inv.**	12
hercher **I / p.p.inv.**	12
hérisser **T / Pr**	12
hériter **I,** p.p.inv. / **T** / **Ti** (de), p.p.inv.	12
herscher **I / p.p.inv.**	12
herser **T**	12
hésiter **I / p.p.inv.**	12
heurter **T / I,** p.p.inv. / **Pr** (à)	12
hiberner **I / p.p.inv.**	12
hiérarchiser **T**	12
hisser **T / Pr**	12
historier **T**	15
hiverner **I,** p.p.inv. / **T**	12
hocher **T**	12
homogénéiser **T**	12
homologuer **T** / -gu- partout	16
hongrer **T**	12
hongroyer **T**	31
honnir **T**	35
honorer **T / Pr**	12
hoqueter **I / p.p.inv.**	27
horrifier **T**	15
horripiler **T**	12
hospitaliser **T**	12
hotter **T**	12
houblonner **T**	12
houer **T**	13
houpper **T**	12
hourder **T**	12
houspiller **T**	12
housser **T**	12
houssiner **T**	12
hucher **T**	12
huer **T / I,** p.p.inv.	13
huiler **T**	12
hululer **I / p.p.inv.**	12
humaniser **T / Pr**	12
humecter **T**	12
humer **T**	12
humidifier **T**	15
humilier **T / Pr**	15
hurler **I,** p.p.inv. / **T**	12
hybrider **T**	12
hydrater **T**	12
hydrofuger **T**	17
hydrogéner **T**	20
hydrolyser **T**	12
hypertrophier **T / Pr**	15
hypnotiser **T / Pr**	12
hypostasier **T**	15
hypothéquer **T**	20

I

idéaliser **T**	12
identifier **T / Pr** (à, avec)	15
idolâtrer **T**	12
ignifuger **T**	17
ignorer **T**	12
illuminer **T**	12
illusionner **T / Pr**	12
illustrer **T / Pr**	12
imaginer **T / Pr**	12
imbiber **T / Pr** (de)	12
imbriquer **T / Pr**	16
imiter **T**	12
immatriculer **T**	12
immerger **T / Pr**	17
immigrer **I / p.p.inv.**	12
immiscer **-s'-** (dans) **+ être**	18
immobiliser **T**	12

Verbe	Modèle
immoler **T**	12
immortaliser **T**	12
immuniser **T**	12
impartir **T / Usité** surtout à l'inf., à l'ind. prés., au part. passé et aux temps composés	35
impatienter **T / Pr**	12
impatroniser **-s'- + être**	12
imperméabiliser **T**	12
impétrer **T**	20
implanter **T / Pr**	12
impliquer **T / Pr**	16
implorer **T**	12
imploser **I / p.p.inv.**	12
importer **I / Ti** (à) / **p.p.inv. / Déf :** usité seulement aux 3es pers. et à l'inf.	12
importer **T**	12
importuner **T**	12
imposer **T / Ti** (à), p.p.inv. / **Pr**	12
imprégner **T**	20
impressionner **T**	12
imprimer **T**	12
improviser **T**	12
impulser **T**	12
imputer **T**	12
inactiver **T**	12
inalper **-s'- + être**	12
inaugurer **T**	12
incarcérer **T**	20
incarner **T / Pr**	12
incendier **T**	15
incinérer **T**	20
inciser **T**	12
inciter **T**	12
incliner **T / Ti** (à), p.p.inv. / **Pr**	12
inclure **T**	94
incomber **Ti** (à) / **p.p.inv. / Déf :** usité à l'infinitif et aux 3es personnes	12
incommoder **T**	12
incorporer **T**	12
incrémenter **T**	12
incriminer **T**	12
incruster **T / Pr**	12
incuber **T**	12
inculper **T**	12
inculquer **T**	16
incurver **T / Pr**	12
indaguer **I / p.p.inv.** / Belgique / -gu- partout	16
indemniser **T**	12
indexer **T**	12
indifférer **T**	20
indigner **T / Pr** (de)	12
indiquer **T**	16
indisposer **T**	12
individualiser **T / Pr**	12
induire **T**	85
indulgencier **T**	15
indurer **T**	12
industrialiser **T / Pr**	12
infantiliser **T**	12
infatuer **-s'- + être**	13
infecter **T / Pr**	12
inféoder **T / Pr**	12
inférer **T**	20
inférioriser **T**	12
infester **T**	12
infiltrer **T / Pr**	12
infirmer **T**	12
infléchir **T / Pr**	35
infliger **T**	17
influencer **T**	18
influer **Ti** (sur) / **p.p.inv.**	13
informatiser **T**	12
informer **T / I,** p.p.inv. / **Pr** (de)	12
infuser **T / I,** p.p.inv.	12
ingénier **-s'-** (à) **+ être**	15
ingérer **T / Pr** (dans)	20
ingurgiter **T**	12
inhaler **T**	12
inhiber **T**	12
inhumer **T**	12
initialiser **T**	12
initier **T / Pr** (à)	15
injecter **T / Pr**	12
injurier **T**	15
innerver **T**	12
innocenter **T**	12
innover **I / p.p.inv.**	12
inoculer **T**	12
inonder **T**	12
inquiéter **T / Pr** (de)	20
inscrire **T / Pr**	81
insculper **T**	12
inséminer **T**	12

Verbe	N°
insensibiliser **T**	12
insérer **T / Pr** (dans)	20
insinuer **T / Pr** (dans)	13
insister **I / p.p.inv.**	12
insoler **T**	12
insolubiliser **T**	12
insonoriser **T**	12
inspecter **T**	12
inspirer **T / Pr** (de)	12
installer **T / Pr**	12
instaurer **T**	12
instiguer **T** / Belgique / -gu- partout	16
instiller **T**	12
instituer **T**	13
institutionnaliser **T**	12
instruire **T / Pr**	85
instrumenter **T / I,** p.p.inv.	12
insuffler **T**	12
insulter **T**	12
insupporter **T**	12
insurger **-s'-** (contre) **+ être**	17
intailler **T**	12
intégrer **T / Pr**	20
intellectualiser **T**	12
intensifier **T / Pr**	15
intenter **T**	12
interagir **I / p.p.inv.**	35
intercaler **T**	12
intercéder **I / p.p.inv.**	20
intercepter **T**	12
interclasser **T**	12
interconnecter **T**	12
interdire **T**	78
intéresser **T / Pr** (à)	12
interférer **I / p.p.inv.**	20
interfolier **T**	15
intérioriser **T**	12
interjeter **T**	27
interligner **T**	12
interloquer **T**	16
internationaliser **T**	12
interner **T**	12
interpeller T	**24**
interpénétrer **-s'- + être**	20
interpoler **T**	12
interposer **T / Pr**	12
interpréter **T / Pr**	20
interroger **T**	17
interrompre **T / Pr**	72
intervenir **I / + être**	4
intervertir **T**	35
interviewer **T**	12
intimer **T**	12
intimider **T**	12
intituler **T / Pr**	12
intoxiquer **T**	16
intriguer **T / I,** p.p.inv. / -gu- partout	16
intriquer **T / Pr**	16
introduire **T / Pr**	85
introniser **T**	12
intuber **T**	12
invaginer **-s'- + être**	12
invalider **T**	12
invectiver **I,** p.p.inv. / **T**	12
inventer **T**	12
inventorier **T**	15
inverser **T**	12
invertir **T**	35
investiguer **I / p.p.inv.** / -gu- partout	16
investir **T**	35
invétérer **-s'- + être**	20
inviter **T**	12
invoquer **T**	16
ioder **T**	12
iodler **I / p.p.inv.**	12
ioniser **T**	12
iouler **I / p.p.inv.**	12
iriser **T**	12
ironiser **I / p.p.inv.**	12
irradier **I,** p.p.inv. / **T / Pr**	35
irriguer **T** / -gu- partout	16
irriter **T**	12
islamiser **T / Pr**	12
isoler **T / Pr**	12
italianiser **T**	12

J, K

Verbe	N°
jabler **T**	12
jaboter **I / p.p.inv.**	12
jacasser **I / p.p.inv.**	12
jacter **I / p.p.inv.**	12
jaillir **I / p.p.inv.**	35
jalonner **T**	12
jalouser **T**	12
japper **I / p.p.inv.**	12
jardiner **I,** p.p.inv. / **T**	12

jargonner **I / p.p.inv.** 12
jarreter **I / p.p.inv.** 27
jaser **I / p.p.inv.** 12
jasper **T** 12
jaspiner **I / p.p.inv.** 12
jauger **T / I,** p.p.inv. 17
jaunir **T / I,** p.p.inv. 35
javeler T 23
javelliser T 12
jerker **I / p.p.inv.** 12
jeter T / Pr 27
jeûner **I / p.p.inv.** 12
jobarder **T** 12
jodler **I / p.p.inv.** 12
joindre T / I, p.p.inv. / **Pr** (à) **71**
jointoyer **T** 31
joncer **T** 18
joncher **T** 12
jongler **I / p.p.inv.** 12
jouailler **I / p.p.inv.** 12
jouer I, p.p.inv. / **T / Ti** (à, de, sur, avec), p.p.inv. / **Pr** (de) **13**
jouir **Ti** (de) / **I / p.p.inv.** 35
jouter **I / p.p.inv.** 12
jouxter **T** 12
jubiler **I / p.p.inv.** 12
jucher **T / I,** p.p.inv. / **Pr** 12
judaïser **T / Pr** 12
juger **T / Ti** (de), p.p.inv. / **Pr** 17
juguler **T** 12
jumeler **T** 23
juponner **T** 12
jurer **T / I,** p.p.inv. / **Ti** (avec), p.p.inv. / **Pr** 12
justifier **T / Ti** (de), p.p.inv. / **Pr** 15
juter **I / p.p.inv.** 12
juxtaposer **T** 12
kidnapper **T** 12
kilométrer **T** 20
klaxonner **I / p.p.inv.** 12

L

labéliser **T** 12
labelliser **T** 12
labialiser **T** 12
labourer **T** 12
lacer **T** 18
lacérer **T** 20
lâcher **T / I,** p.p.inv. 12
laïciser **T** 12
lainer **T** 12
laisser **T / Pr** 12
laitonner **T** 12
laïusser **I / p.p.inv.** 12
lambiner **I / p.p.inv.** 12
lambrisser **T** 12
lamenter **-se- + être** 12
lamer **T** 12
laminer **T** 12
lamper **T** 12
lancer **T / I,** p.p.inv. / **Pr** 18
lanciner **T / I,** p.p.inv. 12
langer **T** 17
langueyer **T / -y-** partout 30
languir **I,** p.p.inv. / **Ti** (après), p.p.inv. / **Pr** (de) 35
lanterner **I / p.p.inv.** 12
laper **I,** p.p.inv. / **T** 12
lapider **T** 12
lapiner **I / p.p.inv.** 12
laquer **T** 16
larder **T** 12
lardonner **T** 12
larguer **T / -gu-** partout 16
larmoyer **I / p.p.inv.** 31
lasser **T / Pr** (de) 12
latiniser **T** 12
latter **T** 12
laver **T / Pr** 12
layer **T** 29 ou 30
lécher **T** 20
légaliser **T** 12
légender **T** 12
légiférer **I / p.p.inv.** 20
légitimer **T** 12
léguer **T** / -gu- partout 20
lénifier **T** 15
léser **T** 20
lésiner **I / p.p.inv.** 12
lessiver **T** 12
lester **T** 12
leurrer **T / Pr** 12
lever **T / I,** p.p.inv. / **Pr** 25

léviger **T** 17
levretter **I / p.p.inv.** 12
lézarder **I,** p.p.inv. / **T / Pr** 12
liaisonner **T** 12
liarder **I / p.p.inv.** 12
libeller **T** 12
libéraliser **T** 12
libérer **T / Pr** 20
licencier **T** 15
licher **T** 12
liciter **T** 12
lier **T / Pr** 15
lifter **T / I,** p.p.inv. 12
ligaturer **T** 12
ligner **T** 12
lignifier **-se- + être** 15
ligoter **T** 12
liguer **T / Pr** (contre) / -gu- partout 16
limer **T / Pr** 12
limiter **T / Pr** (à, dans) 12
limoger **T** 17
liquéfier **T / Pr** 15
liquider **T** 12
lire T **82**
liserer **T** 25
lisérer **T** 20
lisser **T** 12
lister **T** 12
liter **T** 12
lithographier **T** 15
livrer **T / Pr** (à) 12
lixivier **T** 15

lober **T / I,** p.p.inv. 12
localiser **T** 12
locher **T** 12
lock-outer **T** 12
lofer **I / p.p.inv.** 12
loger **I,** p.p.inv. / **T** 17
longer **T** 17
lorgner **T** 12
lotionner **T** 12
lotir **T** 35
louanger **T** 17
loucher **I / Ti** (sur) / **p.p.inv.** 12
louer **T / Pr** (de) 13
louper **T / I,** p.p.inv. / **U,** p.p.inv. dans l'expression familière *ça n'a pas loupé* 12
lourder **T** 12
lourer **T** 12
louver **T** 12
louveter **I / p.p.inv.** 27
louvoyer **I / p.p.inv.** 31
lover **T / Pr** 12
lubrifier **T** 15
luger **I / p.p.inv.** 17
luire **I / p.p.inv.** 85
luncher **I / p.p.inv.** 12
lustrer **T** 12
luter **T** 12
lutiner **T** 12
lutter **I / p.p.inv.** 12
luxer **T / Pr** 12
lyncher **T** 12
lyophiliser **T** 12
lyser **T** 12

M

macadamiser **T** 12
macérer **T / I,** p.p.inv. 20
mâcher **T** 12
machiner **T** 12
mâchonner **T** 12
mâchouiller **T** 12
mâchurer **T** 12
macler **T** 12
maçonner **T** 12
maculer **T** 12
madériser **-se- + être** 12
maganer **T /** Québec 12
magasiner **I / p.p.inv.** / Québec 12
magner **-se- + être** 12
magnétiser **T** 12
magnétoscoper **T** 12
magnifier **T** 15
magouiller **T / I,** p.p.inv. 12
maigrir **I,** p.p.inv. / **T** 35
mailler **T / I,** p.p.inv. 12
maintenir **T / Pr** 4
maîtriser **T / Pr** 12
majorer **T** 12
malaxer **T** 12
malléabiliser **T** 12
malmener **T** 25
malter **T** 12
maltraiter **T** 12
manager **T** 17
mandater **T** 12
mander **T** 12

mandriner **T**	12
mangeotter **T / I,** p.p.inv.	12
manger T / I, p.p.inv.	**17**
manier **T / Pr**	15
manifester **T / I,** p.p.inv. / **Pr**	12
manigancer **T**	18
manipuler **T**	12
manœuvrer **T / I,** p.p.inv.	12
manquer **I,** p.p.inv. / **T / Ti** (à, de), p.p.inv.	16
manucurer **T**	12
manufacturer **T**	12
manutentionner **T**	12
maquer **T**	16
maquignonner **T**	12
maquiller **T / Pr**	12
marabouter **T /** Afrique	12
marauder **I / p.p.inv.**	12
marbrer **T**	12
marchander **T / I,** p.p.inv.	12
marcher **I / p.p.inv.**	12
marcotter **T**	12
margauder **I / p.p.inv.**	12
marger **T**	17
marginaliser **T**	12
marginer **T**	12
margoter **I / p.p.inv.**	12
margotter **I / p.p.inv.**	12
marier **T / Pr**	15
mariner **T / I,** p.p.inv.	12
marivauder **I / p.p.inv.**	12
marmiter **T**	12
marmonner **I,** p.p.inv. / **T**	12
marmotter **T / I,** p.p.inv.	12
marner **T / I,** p.p.inv.	12
maronner **I / p.p.inv.**	12
maroquiner **T**	12
maroufler **T**	12
marquer **T / I,** p.p.inv.	16
marqueter **T**	27
marrer **-se- + être**	12
marteler **T**	25
martyriser **T**	12
marxiser **T**	12
masculiniser **T**	12
masquer **T / I,** p.p.inv.	16
massacrer **T**	12
masser **T / I,** p.p.inv. / **Pr**	12
massicoter **T**	12
massifier **T**	15
mastiquer **T**	16
masturber **T / Pr**	12
matcher **I,** p.p.inv. / **T**	12
matelasser **T**	12
mater **T**	12
mâter **T**	12
matérialiser **T / Pr**	12
materner **T**	12
materniser **T**	12
mathématiser **T**	12
mâtiner **T**	12
matir **T**	35
matraquer **T**	16
matricer **T**	18
maudire T	**79**
maugréer **I,** p.p.inv. / **T /** -é- partout	14
maximaliser **T**	12
maximiser **T**	12
mazer **T**	12
mazouter **T / I,** p.p.inv.	12
mécaniser **T**	12
mécher **T**	20
méconduire **-se- + être /** Belgique ; Zaïre	85
méconnaître **T**	75
mécontenter **T**	12
médailler **T**	12
médiatiser **T**	12
médicaliser **T**	12
médire Ti (de) **/ p.p.inv.**	**78**
méditer **T / Ti** (sur), p.p.inv. **/ I,** p.p.inv.	12
méduser **T**	12
méfier **-se-** (de) **+ être**	15
mégir **T**	35
mégisser **T**	12
mégoter **I / p.p.inv.**	12
méjuger **T / Ti** (de), p.p.inv. / **Pr**	17
mélanger **T**	17
mêler **T / Pr**	12
mémérer **I / p.p.inv. /** Québec	12
mémoriser **T**	12
menacer **T**	18
ménager **T / Pr**	17
mendier **I,** p.p.inv. / **T**	15

mendigoter **T / I,** p.p.inv.	12	métrer **T**	20	mobiliser **T / Pr**	12
mener **T / I,** p.p.inv.	25	**mettre T / Pr** (à, en)	**6**	modeler **T / Pr** (sur)	25
mensualiser **T**	12	meubler **T / I,** p.p.inv.	12	modéliser **T**	12
mentaliser **T**	12	meugler **I / p.p.inv.**	12	modérer **T / Pr**	20
mentionner **T**	12	meuler **T**	12	moderniser **T / Pr**	12
mentir **I / p.p.inv.**	38	meurtrir **T**	35	modifier **T**	15
menuiser **T / I,** p.p.inv.	12	miauler **I / p.p.inv.**	12	moduler **T / I,** p.p.inv.	12
méprendre **-se-** (sur) **+ être**	68	microfilmer **T**	12	moffler **T** / Belgique	12
mépriser **T**	12	mignoter **T**	12	moirer **T**	12
merceriser **T**	12	migrer **I / p.p.inv.**	12	moiser **T**	12
merder **I,** p.p.inv. / **T**	12	mijoter **T / I,** p.p.inv.	12	moisir **I,** p.p.inv. / **T**	35
merdoyer **I / p.p.inv.**	31	militariser **T**	12	moissonner **T**	12
meringuer **T** / -gu- partout	16	militer **I / p.p.inv.**	12	moitir **T**	35
mériter **T / Ti** (de), p.p.inv.	12	millésimer **T**	12	molester **T**	12
mésallier **-se- + être**	15	mimer **T / I,** p.p.inv.	12	moleter **T**	27
mésestimer **T**	12	minauder **I / p.p.inv.**	12	molletonner **T**	12
messeoir **Ti** (à) / **p.p.inv. / Déf**	61	mincir **I,** p.p.inv. / **T**	35	mollir **I,** p.p.inv. / **T**	35
mesurer **T / Pr** (à, avec)	12	miner **T**	12	momifier **T / Pr**	15
mésuser **Ti** (de) / **p.p.inv.**	12	minéraliser **T**	12	monder **T**	12
métaboliser **T**	12	miniaturiser **T**	12	mondialiser **T**	12
métalliser **T**	12	minimaliser **T**	12	monétiser **T**	12
métamorphiser **T**	12	minimiser **T**	12	monnayer **T**	29 ou 30
métamorphoser **T / Pr**	12	minorer **T**	12	monologuer **I** / **p.p.inv.** / -gu- partout	16
métastaser **T / I,** p.p.inv.	12	minuter **T**	12	monopoliser **T**	12
météoriser **I** / **p.p.inv.**	12	mirer **T / Pr** (dans)	12	monter **I + être / T + avoir / Pr**	12
méthaniser **T**	12	miroiter **I / p.p.inv.**	12	montrer **T / Pr**	12
métisser **T**	12	miser **T / Ti** (sur), p.p.inv. / **I,** p.p.inv., Suisse	12	moquer **T / Pr** (de)	16
		miter **-se- + être**	12	moquetter **T**	12
		mithridatiser **T**	12	moraliser **T / I,** p.p.inv.	12
		mitiger **T**	17	morceler **T**	23
		mitonner **I,** p.p.inv. / **T**	12	mordancer **T**	18
		mitrailler **T**	12	mordiller **T**	12
		mixer **T**	12	mordorer **T**	12
		mixtionner **T**	12		

parodier **T** 15
parquer **T / I,** p.p.inv. 16
parqueter **T** 27
parrainer **T** 12
parsemer **T** 25
partager **T** 17
participer **Ti** (à) / **p.p.inv.** 12
particulariser **T** 12
partir I / + être **38**
parvenir **I / + être** 4
passementer **T** 12
passer **I / T / Pr** (de) / **+ être ou avoir** sauf à la voix pronominale : toujours *être* 12
passionner **T / Pr** (pour) 12
passiver **T** 12
pasteuriser **T** 12
pasticher **T** 12
patauger **I / p.p.inv.** 17
pateliner **I / p.p.inv.** 12
patenter **T** 12
patienter **I / p.p.inv.** 12
patiner **I,** p.p.inv. / **T / Pr** 12
pâtir **I / p.p.inv.** 35
pâtisser **I / p.p.inv.** 12
patoiser **I / p.p.inv.** 12
patouiller **I,** p.p.inv. / **T** 12
patronner **T** 12
patrouiller **I / p.p.inv.** 12
pâturer **T / I,** p.p.inv. 12
paumer **T / Pr** 12
paumoyer **T** 31
paupériser **T** 12
pauser **I / p.p.inv.** 12
pavaner **-se- + être** 12
paver **T** 12
pavoiser **T / I,** p.p.inv. 12
payer T / I, p.p.inv. / **Pr** **29 ou 30**
peaufiner **T** 12
pécher **I / p.p.inv.** 20
pêcher **T** 12
pécloter **I / p.p.inv.** / Suisse 12
pédaler **I / p.p.inv.** 12
peigner **T / Pr** 12
peindre T / Pr **70**
peiner **T / I,** p.p.inv. 12
peinturer **T** 12
peinturlurer **T** 12
peler **T / I,** p.p.inv. 25
peller **T** / Suisse 12
pelleter **T** 27
pelliculer **T** 12
peloter **T** 12
pelotonner **T / Pr** 12
pelucher **I / p.p.inv.** 12
pénaliser **T** 12
pencher **T / I,** p.p.inv. / **Pr** 12
pendiller **I / p.p.inv.** 12
pendouiller **I / p.p.inv.** 12
pendre **T / I,** p.p.inv. / **Pr** 66
penduler **I / p.p.inv.** 12
pénétrer **T / I,** p.p.inv. / **Pr** (de) 20
penser **I,** p.p.inv. / **Ti** (à), p.p.inv. / **T** 12
pensionner **T** 12
pépier **I / p.p.inv.** 15
percer **T / I,** p.p.inv. 18
percevoir **T** 51
percher **I,** p.p.inv. / **T / Pr** 12
percuter **T / I,** p.p.inv. 12
perdre **T / I,** p.p.inv. / **Pr** 66
perdurer **I / p.p.inv.** 12
pérenniser **T** 12
perfectionner **T / Pr** 12
perforer **T** 12
perfuser **T** 12
péricliter **I / p.p.inv.** 12
périmer **-se- + être** 12
périr **I / p.p.inv.** 35
perler **T / I,** p.p.inv. 12
permettre **T / Pr** 6
permuter **T / I,** p.p.inv. 12
pérorer **I / p.p.inv.** 12
peroxyder **T** 12
perpétrer **T** 20
perpétuer **T / Pr** 13
perquisitionner **I,** p.p.inv. / **T** 12
persécuter **T** 12
persévérer **I / p.p.inv.** 20
persifler **T** 12
persister **I** (dans, à + inf.) / **p.p.inv.** 12
personnaliser **T** 12
personnifier **T** 15

persuader **T / Pr** (de) 12
perturber **T** 12
pervertir **T / Pr** 35
pervibrer **T** 12
peser **T / I,** p.p.inv. 25
pester **I / p.p.inv.** 12
pétarader **I / p.p.inv.** 12
péter **I,** p.p.inv. / **T** 20
pétiller **I / p.p.inv.** 12
petit-déjeuner **I / p.p.inv.** 12
pétitionner **I / p.p.inv.** 12
pétouiller **I / p.p.inv.** / Suisse 12
pétrifier **T** 15
pétrir **T** 35
pétuner **I / p.p.inv.** 12
peupler **T / Pr** 12
phagocyter **T** 12
philosopher **I / p.p.inv.** 12
phosphater **T** 12
phosphorer **I / p.p.inv.** 12
photocomposer **T** 12
photocopier **T** 15
photographier **T** 15
phraser **T** 12
piaffer **I / p.p.inv.** 12
piailler **I / p.p.inv.** 12
pianoter **I / p.p.inv.** 12
piauler **I / p.p.inv.** 12
picoler **T** 12
picorer **T** 12
picoter **T** 12
piéger **T** 21
piéter **I / p.p.inv.** 20
piétiner **I,** p.p.inv. / **T** 12
pieuter **-se- + être** 12
pifer **T** 12
piffer **T** 12
pigeonner **T** 12
piger **T** 17
pigmenter **T** 12
pignocher **I / p.p.inv.** 12
piler **T / I,** p.p.inv. 12
piller **T** 12
pilonner **T** 12
piloter **T** 12
pimenter **T** 12
pinailler **I / p.p.inv.** 12
pincer **T** 18
pinter **I,** p.p.inv. / **T / Pr** 12
piocher **T** 12
pioncer **I / p.p.inv.** 18
piorner **I / p.p.inv.** / Suisse 12
piper **T** 12
pique-niquer **I / p.p.inv.** 16
piquer **T / I,** p.p.inv. / **Pr** 16
piqueter **T / I,** p.p.inv., Québec 27
pirater **T / I,** p.p.inv. 12
pirouetter **I / p.p.inv.** 12
pisser **T / I,** p.p.inv. 12
pister **T** 12
pistonner **T** 12
pitonner **T / I,** p.p.inv. 12
pivoter **I / p.p.inv.** 12
placarder **T** 12
placer T / Pr **18**
placoter **I / p.p.inv.** / Québec 12
plafonner **I,** p.p.inv. / **T** 12
plagier **T** 15
plaider **T / I,** p.p.inv. 12
plaindre **T / Pr** 69
plaire I (à) / **U** dans des expressions figées : *s'il vous/te plaît ; plaît-il*, etc. / **Pr / p.p.inv.** même à la voix pronominale **91**
plaisanter **I,** p.p.inv. / **T** 12
planchéier **T** / -é- partout 15
plancher **I / Ti** (sur) / **p.p.inv.** 12
planer **T / I,** p.p.inv. 12
planifier **T** 15
planquer **T / Pr** 16
planter **T / Pr** 12
plaquer **T** 16
plasmifier **T** 15
plastifier **T** 15
plastiquer **T** 16
plastronner **I / p.p.inv.** 12
platiner **T** 12
plâtrer **T** 12
plébisciter **T** 12
pleurer **I,** p.p.inv. / **T** 12
pleurnicher **I / p.p.inv.** 12
pleuvasser **U / p.p.inv.** 12
pleuviner **U / p.p.inv.** 12

pleuvoir U / I / p.p.inv. **62**
pleuvoter **U / p.p.inv.** 12
plier **T / I,** p.p.inv. / **Pr** (à) 15
plisser **T / I,** p.p.inv. 12
plomber **T** 12
plonger **T / I,** p.p.inv. / **Pr** 17
ployer **T / I,** p.p.inv. 31
plucher **I / p.p.inv.** 12
plumer **T** 12
pluviner **U / p.p.inv.** 12
pocharder **-se- + être** 12
pocher **T** 12
poêler **T** 12
poétiser **T** 12
poignarder **T** 12
poiler **-se- + être** 12
poinçonner **T** 12
poindre **I / Déf :** usité seulement à l'ind. prés., au part. prés. et à la 3e pers. du sing. des temps simples 71
pointer **T / I,** p.p.inv. / **Pr** 12
pointiller **I,** p.p.inv. / **T** 12
poireauter **I / p.p.inv.** 12
poiroter **I / p.p.inv.** 12
poisser **T** 12
poivrer **T / Pr** 12
polariser **T / Pr** (sur) 12
polémiquer **I / p.p.inv.** 16
policer **T** 18
polir **T** 35
polissonner **I / p.p.inv.** 12
politiser **T** 12
polluer **T** 13
polycopier **T** 15
polymériser **T** 12
pommader **T** 12
pommeler **-se- + être** 23
pommer **I / p.p.inv.** 12
pomper **T** 12
pomponner **T / Pr** 12
poncer **T** 18
ponctionner **T** 12
ponctuer **T** 13
pondérer **T** 20
pondre **T** 66
ponter **I,** p.p.inv. / **T** 12
pontifier **I / p.p.inv.** 15
populariser **T** 12
poquer **I / p.p.inv.** 16
porter **T / I,** p.p.inv. / **Pr** 12
portraiturer **T** 12
poser **T / I,** p.p.inv. / **Pr** 12
positionner **T / Pr** 12
posséder **T / Pr** 20
postdater **T** 12
poster **T / Pr** 12
postillonner **I / p.p.inv.** 12
postposer **T** 12
postsynchroniser **T** 12
postuler **T / I,** p.p.inv. 12
potasser **T** 12
potentialiser **T** 12
potiner **I / p.p.inv.** 12
poudrer **T** 12
poudroyer **I / p.p.inv.** 31
pouffer **I / p.p.inv.** 12
pouliner **I / p.p.inv.** 12
pouponner **I / p.p.inv.** 12
pourchasser **T** 12
pourfendre **T** 66
pourlécher **-se- + être** 20
pourrir **I,** p.p.inv. / **T** 35
poursuivre **T** 86
pourvoir Ti (à), p.p.inv. / **T / Pr** (de, en) **54**
pousser **T / I,** p.p.inv. / **Pr** 12
poutser **T /** Suisse 12
pouvoir T / U + être au pronominal : *il se peut que* (+ subj.) / **p.p.inv. / Déf :** pas d'impér. **7**
praliner **T** 12
pratiquer **T / Pr** 16
préaviser **T** 12
précariser **T** 12
précautionner **-se- + être** 12
précéder **T** 20
préchauffer **T** 12
prêcher **T / I,** p.p.inv. 12
précipiter **T / I,** p.p.inv. / **Pr** 12
préciser **T / Pr** 12
précompter **T** 12
préconiser **T** 12

prédestiner **T** 12
prédéterminer **T** 12
prédiquer **T** 16
prédire **T** 78
prédisposer **T** 12
prédominer **I / p.p.inv.** 12
préétablir **T** 35
préexister **I / p.p.inv.** 12
préfacer **T** 18
préférer **T** 20
préfigurer **T** 12
préfixer **T** 12
préformer **T** 12
préjuger **T / Ti** (de), p.p.inv. 17
prélasser **-se- + être** 12
prélever **T** 25
préluder **I / Ti** (à) **/ p.p.inv.** 12
préméditer **T** 12
prémunir **T / Pr** (contre) 35
prendre T / I, p.p.inv. **/ Pr** (à, de, pour) **68**
prénommer **T** 12
préoccuper **T / Pr** (de) 12
préparer **T / Pr** 12
prépayer **T** 29 ou 30
préposer **T** 12
prérégler **T** 20
présager **T** 17
prescrire **T / Pr** 81
présélectionner **T** 12
présenter **T / I,** p.p.inv. **/ Pr** 12
préserver **T** 12
présider **T / Ti** (à), p.p.inv. 12
pressentir **T** 38
presser **T / I,** p.p.inv. **/ Pr** 12
pressurer **T / Pr** 12
pressuriser **T** 12
prester **T /** Belgique ; Zaïre 12
présumer **T / Ti** (de), p.p.inv. 12
présupposer **T** 12
présurer **T** 12
prétendre **T / Ti** (à), p.p.inv. 66
prêter **T / Ti** (à), p.p.inv. / **Pr** (à) 12
prétériter **T /** Suisse 12
prétexter **T** 12
prévaloir I, p.p.inv. **/ Pr** (de) **57**
prévariquer **I / p.p.inv.** 16
prévenir **T** 4
prévoir T **53**
prier **T / I,** p.p.inv. 15
primer **T / Ti** (sur), p.p.inv. 12
priser **T** 12
privatiser **T** 12
priver **T / Pr** (de) 12
privilégier **T** 15
procéder **I / Ti** (à) **/ p.p.inv.** 20
proclamer **T** 12
procréer **T** / -é- partout 14
procurer **T** 12
prodiguer **T** / -gu- partout 16
produire **T / Pr** 85
profaner **T** 12
proférer **T** 20
professer **T** 12
professionnaliser **T / Pr** 12
profiler **T / Pr** 12
profiter **Ti** (de, à) **/ I / p.p.inv.** 12
programmer **T** 12
progresser **I / p.p.inv.** 12
prohiber **T** 12
projeter **T** 27
prolétariser **T / Pr** 12
proliférer **I / p.p.inv.** 20
prolonger **T** 17
promener **T / I,** p.p.inv. / **Pr** 25
promettre **T / I,** p.p.inv. / **Pr** 6
promouvoir **T /** Usité surtout à l'inf., au part. passé *(promu /ue/us/ues)*, aux temps composés et à la voix passive 55
promulguer **T** / -gu- partout 16
prôner **T** 12
prononcer **T / I,** p.p.inv. / **Pr** 18
pronostiquer **T** 16
propager **T / Pr** 17
prophétiser **T** 12

Q

R

Verbe	N°
radoter **I**, p.p.inv. / **T**	12
radouber **T**	12
radoucir **T / Pr**	35
raffermir **T / Pr**	35
raffiner **T / Ti** (sur), p.p.inv.	12
raffoler **Ti** (de) / **p.p.inv.**	12
raffûter **T**	12
rafistoler **T**	12
rafler **T**	12
rafraîchir **T / I,** p.p.inv. / **Pr**	35
ragaillardir **T**	35
rager **I / p.p.inv.**	17
ragréer **T** / -é- partout	14
raguer **I / p.p.inv.** / -gu- partout	16
raidir **T / Pr**	35
railler **T**	12
rainer **T**	12
rainurer **T**	12
raire **I / p.p.inv.** / **Déf :** pas de passé simple, pas de subj. imparf.	90
raisonner **I,** p.p.inv. / **T**	12
rajeunir **T / I,** p.p.inv. / **Pr**	35
rajouter **T**	12
rajuster **T**	12
ralentir **T / I,** p.p.inv.	35
râler **I / p.p.inv.**	12
ralinguer **T / I,** p.p.inv. / -gu- partout	16
raller **I / p. p. inv.**	12
rallier **T / Pr** (à)	15
rallonger **T / I,** p.p.inv.	17
rallumer **T / Pr**	12
ramager **T / I,** p.p.inv.	17
ramasser **T / Pr**	12
ramender **T**	12
ramener **T / Pr**	25
ramer **T / I,** p.p.inv.	12
rameuter **T**	12
ramifier **T / Pr**	15
ramollir **T / Pr**	35
ramoner **T**	12
ramper **I / p.p.inv.**	12
rancarder **T / Pr** (sur)	12
rancir **I,** p.p.inv. / **T**	35
rançonner **T**	12
randomiser **T**	12
randonner **I / p.p.inv.**	12
ranger **T / Pr**	17
ranimer **T / Pr**	12
rapatrier **T**	15
râper **T**	12
rapercher **T** / Suisse	12
rapetasser **T**	12
rapetisser **T / I,** p.p.inv.	12
rapiécer T	**22**
rapiner **T / I,** p.p.inv.	12
raplatir **T**	35
rapointir **T**	35
rappareiller **T**	12
rapparier **T**	15
rappeler **T / Pr**	23
rappliquer **I / p.p.inv.**	16
rappointir **T**	35
rapporter **T / Pr** (à)	12
rapprendre **T**	68
rapprêter **T**	12
rapprocher **T / Pr** (de)	12
raquer **T**	16
raréfier **T / Pr**	15
raser **T / Pr**	12
rassasier **T**	15
rassembler **T / Pr**	12
rasseoir **T / Pr**	58 ou 59
rasséréner **T / Pr**	20
rassir **I / + être ou avoir**	35
rassortir **T**	35
rassurer **T**	12
ratatiner **T / Pr**	12
râteler **T**	23
rater **I,** p.p.inv. / **T**	12
ratiboiser **T**	12
ratifier **T**	15
ratiner **T**	12
ratiociner **I / p.p.inv.**	12
rationaliser **T**	12
rationner **T**	12
ratisser **T / I,** p.p.inv.	12
rattacher **T / Pr** (à)	12
rattraper **T / Pr**	12
raturer **T**	12
raucher **T**	12
rauquer **I / p.p.inv.**	16
ravager **T**	17
ravaler **T / Pr**	12
ravauder **T**	12
ravigoter **T**	12

ravilir **T**	35	réassortir **T**	35	recentrer **T**	12
raviner **T**	12	réassurer **T**	12	receper **T**	25
ravir **T**	35	rebaisser **I,** p.p.inv. / **T**	12	recéper **T**	20
raviser **-se- + être**	12	rebaptiser **T**	12	réceptionner **T**	12
ravitailler **T**	12	rebâtir **T**	35	recercler **T**	12
raviver **T**	12	rebattre **T**	74	**recevoir T / Pr**	**51**
ravoir **T / Pr,** Belgique / **Déf :** usité seulement à l'inf. prés.	—	rebeller **-se- + être**	12	rechampir **T**	35
rayer **T**	30	rebiffer **-se- + être**	12	réchampir **T**	35
rayonner **I,** p.p.inv. / **T**	12	rebiquer **I / p.p.inv.**	16	rechanger **T**	17
razzier **T**	15	reblanchir **T**	35	rechanter **T**	12
réabonner **T**	12	reboire **T / I,** p.p.inv.	89	rechaper **T**	12
réabsorber **T**	12	reboiser **T**	12	réchapper **I / Ti** (à, de) / **+ être ou avoir**	12
réaccoutumer **T**	12	rebondir **I / p.p.inv.**	35	recharger **T**	17
réactiver **T**	12	reborder **T**	12	rechasser **T**	12
réactualiser **T**	12	reboucher **T**	12	réchauffer **T / Pr**	12
réadapter **T**	12	reboutonner **T**	12	rechausser **T / Pr**	12
réadmettre **T**	6	rebroder **T**	12	rechercher **T**	12
réaffirmer **T**	12	rebrousser **T**	12	rechigner **I / Ti** (à) / **p.p.inv.**	12
réagir **I / p.p.inv.**	35	rebrûler **T**	12	rechristianiser **T**	12
réajuster **T**	12	rebuter **T**	12	rechuter **I / p.p.inv.**	12
réaléser **T**	20	recacheter **T**	27	récidiver **I / p.p.inv.**	12
réaligner **T**	12	recadrer **T**	12	réciproquer **I,** p.p.inv. / **T /** Belgique ; Zaïre	16
réaliser **T / Pr**	12	recalcifier **T**	15	réciter **T**	12
réaménager **T**	17	recalculer **T**	12	réclamer **T / I,** p.p.inv. / **Pr** (de)	12
réamorcer **T**	18	recaler **T**	12	reclasser **T**	12
réanimer **T**	12	recapitaliser **T**	12	reclouer **T**	13
réapparaître **I** / **+ être ou avoir**	75	récapituler **T**	12	recoiffer **T / Pr**	12
réapprendre **T**	68	recarder **T**	12	récoler **T**	12
réapprovisionner **T**	12	recarreler **T**	23	recoller **T / Ti** (à), p.p.inv.	12
réargenter **T**	12	recaser **T**	12		
réarmer **T / I,** p.p.inv.	12	recauser **Ti** (de) / **p.p.inv.**	12		
réarranger **T**	17	recéder **T**	20		
réassigner **T**	12	receler **T**	25		
		recenser **T**	12		

récolter **T** 12
recommander **T / Pr** (de) 12
recommencer **T / I,** p.p.inv. 18
recomparaître **I / p.p.inv.** 75
récompenser **T** 12
recomposer **T** 12
recompter **T** 12
réconcilier **T / Pr** (avec) 15
recondamner **T** 12
reconduire **T** 85
réconforter **T** 12
reconnaître **T / Pr** 75
reconquérir **T** 44
reconsidérer **T** 20
reconstituer **T** 13
reconstruire **T** 85
reconvertir **T / Pr** 35
recopier **T** 15
recorder **T** 12
recorriger **T** 17
recoucher **T** 12
recoudre **T** 97
recouper **T / I,** p.p.inv. 12
recourber **T** 12
recourir **T / I,** p.p.inv. / **Ti** (à), p.p.inv. 42
recouvrer **T** 12
recouvrir **T** 45
recracher **T / I,** p.p.inv. 12
recréer **T** / -é- partout 14
récréer **T** / -é- partout 14
recrépir **T** 35
recreuser **T** 12
récrier **-se- + être** 15
récriminer **I / p.p.inv.** 12
récrire **T** 81
recristalliser **T / I,** p.p.inv. 12
recroître **I / p.p.inv.** 93
recroqueviller **-se- + être** 12
recruter **T / Pr** 12
rectifier **T** 15
recueillir **T / Pr** 46
recuire **T / I,** p.p.inv. 85
reculer **T / I,** p.p.inv. 12
reculotter **T** 12
récupérer **T / I,** p.p.inv. 20
récurer **T** 12
récuser **T / Pr** 12
recycler **T / Pr** 12
redécouvrir **T** 45
redéfaire **T** 5
redéfinir **T** 35
redemander **T** 12
redémarrer **I / p.p.inv.** 12
redéployer **T** 31
redescendre **I + être / T + avoir** 66
redevenir **I / + être** 4
redevoir **T** 10
rediffuser **T** 12
rédiger **T** 17
redimensionner **T** / Suisse 12
rédimer **T** 12
redire **T** 77
rediscuter **T** 12
redistribuer **T** 13
redonner **T** 12
redorer **T** 12
redoubler **T / Ti** (de), p.p.inv. / **I,** p.p.inv. 12
redouter **T** 12
redresser **T / I,** p.p.inv. / **Pr** 12
réduire **T / I,** p.p.inv. / **Pr** (à) 85
réécouter **T** 12
réécrire **T** 81
réédifier **T** 15
rééditer **T** 12
rééduquer **T** 16
réélire **T** 82
réembaucher **T** 12
réemployer **T** 31
réemprunter **T** 12
réengager **T / I,** p.p.inv. / **Pr** 17
réenregistrer **T** 12
réensemencer **T** 18
rééquilibrer **T** 12
réer **I / p.p.inv.** / -é- partout 14
réescompter **T** 12
réessayer **T** 29 ou 30
réétudier **T** 15
réévaluer **T** 13
réexaminer **T** 12
réexpédier **T** 15
réexporter **T** 12
refaçonner **T** 12

refaire **T / Pr** 5
refendre **T** 66
référencer **T** 18
référer **Ti** (à), p.p.inv. dans l'expression *en référer à* / **Pr** (à) 20
refermer **T** 12
refiler **T** 12
réfléchir **T / I,** p.p.inv. / **Ti** (à, sur), p.p.inv. / **Pr** (dans, sur) 35
refléter **T / Pr** (dans) 20
refleurir **I,** p.p.inv. / **T** 35
refluer **I / p.p.inv.** 13
refonder **T** 12
refondre **T** 66
reformer **T / Pr** 12
réformer **T** 12
reformuler **T** 12
refouiller **T** 12
refouler **T** 12
réfracter **T** 12
refréner **T** 20
réfréner **T** 20
réfrigérer **T** 20
refroidir **T / I,** p.p.inv. 35
réfugier **-se- + être** 15
refuser **T / I,** p.p.inv. / **Pr** 12
réfuter **T** 12
regagner **T** 12
régaler **T / Pr** 12
regarder **T / Ti** (à), p.p.inv. / **I,** p.p.inv. / **Pr** 12
regarnir **T** 35
régater **I / p.p.inv.** 12
regeler **T / U,** p.p.inv. 25
régénérer **T** 20
régenter **T** 12
regimber **I,** p.p.inv. / **Pr** 12
régionaliser **T** 12
régir **T** 35
registrer **T** 12
réglementer **T** 12
régler **T** 20
régner **I / p.p.inv.** 20
regonfler **T / I,** p.p.inv. 12
regorger **I / p.p.inv.** 17
regratter **T** 12
regréer **T** / -é- partout 14
regreffer **T** 12
régresser **I / p.p.inv.** 12
regretter **T** / -tt- partout 12
regrimper **I,** p.p.inv. / **T** 12
regrossir **I / p.p.inv.** 35
regrouper **T / Pr** 12
régulariser **T** 12
réguler **T** 12
régurgiter **T** 12
réhabiliter **T** 12
réhabituer **T** 13
rehausser **T** 12
réhydrater **T** 12
réifier **T** 15
réimperméabiliser **T** 12
réimplanter **T** 12
réimporter **T** 12
réimposer **T** 12
réimprimer **T** 12
réincarcérer **T** 20
réincarner **-se-** (dans) **+ être** 12
réincorporer **T** 12
réinscrire **T** 81
réinsérer **T** 20
réinstaller **T** 12
réintégrer **T** 20
réintroduire **T** 85
réinventer **T** 12
réinvestir **T / I,** p.p.inv. 35
réinviter **T** 12
réitérer **T / I,** p.p.inv. 20
rejaillir **I / p.p.inv.** 35
rejeter **T / I,** p.p.inv. / **Pr** 27
rejoindre **T / Pr** 71
rejointoyer **T** 31
rejouer **T / I,** p.p.inv. 13
réjouir **T / Pr** (de) 35
rejuger **T** 17
relâcher **T / I,** p.p.inv. / **Pr** 12
relaisser **-se- + être** 12
relancer **T / I,** p.p.inv. 18
rélargir **T** 35
relater **T** 12
relativiser **T** 12
relaver **T** 12
relaxer **T / Pr** 12
relayer **T / Pr** 29 ou 30
reléguer **T** / -gu- partout 20

relever **T / Ti** (de), p.p.inv. / **Pr** 25
relier **T** 15
relire **T / Pr** 82
reloger **T** 17
relouer **T** 13
reluire **I / p.p.inv.** 85
reluquer **T** 16
remâcher **T** 12
remailler **T** 12
remanger **T / I,** p.p.inv. 17
remanier **T** 15
remaquiller **T** 12
remarcher **I / p.p.inv.** 12
remarier **-se- + être** 15
remarquer **T** 16
remastiquer **T** 16
remballer **T** 12
rembarquer **T / I / Pr** (dans) 16
rembarrer **T** 12
rembaucher **T** 12
remblaver **T** 12
remblayer **T** 29 ou 30
rembobiner **T** 12
remboîter **T** 12
rembouger **T** 17
rembourrer **T** 12
rembourser **T** 12
rembrunir **-se- + être** 35
rembucher **T** 12
remédier **Ti** (à) / **p.p.inv.** 15
remembrer **T** 12
remémorer **T / Pr** 12
remercier **T** 15
remettre **T / Ti** (sur), p.p.inv., Belgique / **Pr** (à) 6
remeubler **T** 12
remilitariser **T** 12
remiser **T / Pr** 12
remmailler **T** 12
remmailloter **T** 12
remmancher **T** 12
remmener **T** 25
remmouler **T** 12
remodeler **T** 25
remonter **I + être / T + avoir / Pr** 12
remontrer **T** 12
remordre **T** 66
remorquer **T** 16
remoudre **T** 96
remouiller **T** 12
remouler **T** 12
rempailler **T** 12
rempaqueter **T** 27
rempiéter **T** 20
rempiler **T / I,** p.p.inv. 12
remplacer **T** 18
remplier **T** 15
remplir **T / Pr** 35
remployer **T / Pr** 31
remplumer **-se- + être** 12
rempocher **T** 12
rempoissonner **T** 12
remporter **T** 12
rempoter **T** 12
remprunter **T** 12
remuer **T / I,** p.p.inv. / **Pr** 13
rémunérer **T** 20
renâcler **I / p.p.inv.** 12
renaître **I / Ti** (à) **/ Déf :** pas de part. passé, donc pas de temps composés 76
renauder **I / p.p.inv.** 12
rencaisser **T** 12
rencarder **T / Pr** (sur) 12
renchérir **I / p.p.inv.** 35
rencogner **T / Pr** (dans) 12
rencontrer **T / Pr** 12
rendormir **T / Pr** 37
rendosser **T** 12
rendre T / I / Pr (attention : p.p.inv. seulement dans l'expression *se rendre compte de…*) **66**
renégocier **T** 15
reneiger **U / p.p.inv.** 17
renfaîter **T** 12
renfermer **T / Pr** 12
renfiler **T** 12
renfler **T** 12
renflouer **T** 13
renfoncer **T** 18
renforcer **T** 18
renformir **T** 35
renfrogner **-se- + être** 12
rengager **T / I,** p.p.inv. / **Pr** 17

rengainer **T** 12
rengorger **-se- + être** 17
rengraisser **I / p.p.inv.** 12
rengrener **T** 25
rengréner **T** 20
renier **T / Pr** 15
renifler **I,** p.p.inv. / **T** 12
renommer **T** 12
renoncer **Ti** (à), p.p.inv. / **I,** p.p.inv. / **T,** Belgique 18
renouer **T / I,** p.p.inv. 13
renouveler **T / Pr** 23
rénover **T** 12
renseigner **T / Pr** 12
rentabiliser **T** 12
rentamer **T** 12
renter **T** 12
rentoiler **T** 12
rentraire **T** 90
rentrayer **T** 29 ou 30
rentrer **I + être / T + avoir** 12
renverser **T / I,** p.p.inv. **/ Pr** 12
renvider **T** 12
renvoyer **T** 33
réoccuper **T** 12
réopérer **T** 20
réorchestrer **T** 12
réorganiser **T** 12
réorienter **T** 12
repairer **I / p.p.inv.** 12
repaître T / Pr (de) **99**
répandre T / Pr 67

reparaître **I / + être** ou **avoir** 75
réparer **T** 12
reparler **I / Ti** (de) **/ p.p.inv.** 12
repartager **T** 17
repartir **I + être / T** au sens de *répliquer* 38
répartir **T** 35
repasser **I,** p.p.inv. / **T** 12
repaver **T** 12
repayer **T** 29 ou 30
repêcher **T** 12
repeindre **T** 70
rependre **T** 66
repenser **Ti** (à), p.p.inv. / **T** 12
repentir **-se-** (de) **+ être** 38
repercer **T** 18
répercuter **T / Pr** (sur) 12
reperdre **T** 66
repérer **T** 20
répertorier **T** 15
répéter **T / Pr** 20
repeupler **T** 12
repiquer **T / Ti** (à), p.p.inv. / **Pr** 16
replacer **T** 18
replanter **T** 12
replâtrer **T** 12
repleuvoir **U / p.p.inv.** 62
replier **T / Pr** 15
répliquer **T / I,** p.p.inv. / **Pr** 16

replisser **T** 12
replonger **T / I,** p.p.inv. / **Pr** 17
reployer **T** 31
repolir **T** 35
répondre **T / I,** p.p.inv. / **Ti** (à, de), p.p.inv. 66
reporter **T / Pr** (à) 12
reposer **T / Ti** (sur), p.p.inv. / **I,** p.p.inv. / **Pr** 12
repositionner **T** 12
repourvoir **T** / Suisse 54
repousser **T / I,** p.p.inv. 12
reprendre **T / I,** p.p.inv. / **Pr** 68
représenter **T / I,** p.p.inv. / **Pr** 12
réprimander **T** 12
réprimer **T** 12
repriser **T** 12
reprocher **T / Pr** 12
reproduire **T / Pr** 85
reprogrammer **T** 12
reprographier **T** 15
réprouver **T** 12
répudier **T** 15
répugner **Ti** (à) **/ p.p.inv.** 12
réputer **T** 12
requérir **T** 44
requêter **T** 12
requinquer **T / Pr** 16
réquisitionner **T** 12
requitter **T** 12

rétroagir **Ti** (sur) **/ p.p.inv.** 35
rétrocéder **T** 20
rétrograder **I,** p.p.inv. **/ T** 12
retrousser **T** 12
retrouver **T / Pr** 12
retuber **T** 12
réunifier **T** 15
réunir **T / Pr** 35
réussir **I,** p.p.inv. **/ Ti** (à), p.p.inv. **/ T** 35
réutiliser **T** 12
revacciner **T** 12
revaloir **T / Déf :** usité surtout à l'inf. présent, au futur simple et au conditionnel présent 56
revaloriser **T** 12
revancher **-se- + être** 12
revasculariser **T** 12
rêvasser **I / p.p.inv.** 12
réveiller **T / Pr** 12
réveillonner **I / p.p.inv.** 12
révéler **T / Pr** 20
revendiquer **T** 16
revendre **T** 66
revenir **I / + être** 4
rêver **I,** p.p.inv. **/ T / Ti** (à, de), p.p.inv. 12
réverbérer **T** 20
revercher **T** 12
reverdir **T / I,** p.p.inv. 35
révérer **T** 20
revernir **T** 35
reverser **T** 12
revêtir **T** 41
revigorer **T** 12
réviser **T** 12
revisiter **T** 12
revisser **T** 12
revitaliser **T** 12
revivifier **T** 15
revivre **I,** p.p.inv. **/ T** 87
revoir **T / Pr** 52
revoler **I / p.p.inv.** 12
révolter **T / Pr** 12
révolutionner **T** 12
révoquer **T** 16
revoter **T / I,** p.p.inv. 12
revouloir **T** 8
révulser **T** 12
rewriter **T** 12
rhabiller **T / Pr** 12
rhumer **T** 12
ribler **T** 12
ribouler **I / p.p.inv.** 12
ricaner **I / p.p.inv.** 12
ricocher **I / p.p.inv.** 12
rider **T / Pr** 12
ridiculiser **T** 12
rifler **T** 12
rigidifier **T** 15
rigoler **I / p.p.inv.** 12
rimailler **T / I,** p.p.inv. 12
rimer **I,** p.p.inv. **/ T** 12
rincer **T / Pr** 18
ringarder **T** 12
ringardiser **T** 12
rioter **I / p.p.inv.** 12
ripailler **I / p.p.inv.** 12
riper **T / I,** p.p.inv. 12
ripoliner **T** 12
riposter **Ti** (à), p.p.inv. **/ I,** p. p.inv. **/ T** 12
rire I / Ti (de) **/ Pr** (de) **/ p.p.inv.** même à la voix pronominale **83**
risquer **T / Ti** (de), p.p.inv. **/ Pr** 16
rissoler **T / I,** p.p.inv. 12
ristourner **T** 12
ritualiser **T** 12
rivaliser **I / p.p.inv.** 12
river **T** 12
riveter **T** 27
rober **T** 12
robotiser **T** 12
rocher **I / p.p.inv.** 12
rocouer **T** 13
rôdailler **I / p.p.inv.** 12
roder **T** 12
rôder **I / p.p.inv.** 12
rogner **T / Ti,** p.p.inv. **/ I,** p.p.inv. 12
rognonner **I / p.p.inv.** 12
roidir **T** 35
roiller **U / p.p.inv. /** Suisse 12
romancer **T** 18
romaniser **T / I,** p.p.inv. 12
rompre T / Ti (avec), p.p.inv. **/ I,** p.p.inv. **/ Pr** **72**

Verbe	N°
saturer **T**	12
saucer **T**	18
saucissonner **I,** p.p.inv. / **T**	12
saumurer **T**	12
sauner **I / p.p.inv.**	12
saupoudrer **T**	12
saurer **T**	12
sauter **I,** p.p.inv. / **T**	12
sautiller **I / p.p.inv.**	12
sauvegarder **T**	12
sauver **T / Pr**	12
savoir T / Pr	**9**
savonner **T**	12
savourer **T**	12
scalper **T**	12
scandaliser **T / Pr** (de)	12
scander **T**	12
scanner **T**	12
scarifier **T**	15
sceller **T**	12
scénariser **T**	12
scheider **T**	12
schématiser **T**	12
schlinguer **I / p.p.inv.** / -gu- partout	16
schlitter **T**	12
scier **T**	15
scinder **T / Pr**	12
scintiller **I / p.p.inv.**	12
scléroser **T / Pr**	12
scolariser **T**	12
scotcher **T**	12
scotomiser **T**	12
scrabbler **I / p.p.inv.**	12
scratcher **T**	12
scruter **T**	12
sculpter **T / I,** p.p.inv.	12
sécher **T / I,** p.p.inv.	20
seconder **T**	12
secouer **T / Pr**	13
secourir **T**	42
secréter **T**	20
sécréter **T**	20
sectionner **T**	12
sectoriser **T**	12
séculariser **T**	12
sécuriser **T**	12
sédentariser **T**	12
sédimenter **I,** p.p.inv. / **Pr**	12
séduire **T**	85
segmenter **T**	12
séjourner **I / p.p.inv.**	12
sélecter **T**	12
sélectionner **T**	12
seller **T**	12
sembler **I / U / p.p.inv.**	12
semer **T**	25
semoncer **T**	18
sensibiliser **T**	12
sentir **T / I,** p.p.inv. / **Pr**	38
seoir Ti (à) / **U** : *il sied de…* / **Déf**	**61**
séparer **T / Pr** (de)	12
septupler **T / I,** p.p.inv.	12
séquestrer **T**	12
sérancer **T**	18
serfouir **T**	35
sérier **T**	15
seriner **T**	12
seringuer **T** / -gu- partout	16
sermonner **T**	12
serpenter **I / p.p.inv.**	12
serrer **T**	12
sertir **T**	35
servir **T / I,** p.p.inv. / **Ti** (à, de), p.p.inv. / **Pr** (de)	37
sévir **I / p.p.inv.**	35
sevrer **T**	25
sextupler **T / I,** p.p.inv.	12
sexualiser **T**	12
shampouiner **T**	12
shooter **I,** p.p.inv. / **Pr**	12
shunter **T**	12
sidérer **T**	20
siéger **I / p.p.inv.**	21
siffler **I,** p.p.inv. / **T**	12
siffloter **I,** p.p.inv. / **T**	12
signaler **T / Pr**	12
signaliser **T**	12
signer **T / Pr**	12
signifier **T**	15
silhouetter **T / Pr**	12
sillonner **T**	12
similiser **T**	12
simplifier **T**	15
simuler **T**	12
singer **T**	17
singulariser **T / Pr**	12
siniser **T**	12
sintériser **T**	12
sinuer **I / p.p.inv.**	13
siphonner **T**	12

siroter **T / I,** p.p.inv.	12
situer **T / Pr**	13
skier **I / p.p.inv.**	15
slalomer **I / p.p.inv.**	12
slaviser **T**	12
slicer **T**	18
smasher **I,** p.p.inv. / **T**	12
smiller **T**	12
sniffer **T**	12
snober **T**	12
sociabiliser **T**	12
socialiser **T**	12
sodomiser **T**	12
soigner **T**	12
solder **T / Pr** (par)	12
solenniser **T**	12
solfier **T**	15
solidariser **T / Pr** (avec)	12
solidifier **T / Pr**	15
soliloquer **I / p.p.inv.**	16
solliciter **T**	12
solubiliser **T**	12
solutionner **T**	12
somatiser **T**	12
sombrer **I / p.p.inv.**	12
sommeiller **I / p.p.inv.**	12
sommer **T**	12
somnoler **I / p.p.inv.**	12
sonder **T**	12
songer **Ti** (à) / **I / p.p.inv.**	17
sonnailler **I / p.p.inv.**	12
sonner **I,** p.p.inv. / **T**	12
sonoriser **T**	12
sophistiquer **T**	16
sortir **I + être / T + avoir**	38
sortir **T** / langage juridique	35
soucier **-se-** (de) **+ être**	15
souder **T / Pr**	12
soudoyer **T**	31
souffler **I,** p.p.inv. / **T**	12
souffleter **T**	27
souffrir **T / I,** p.p.inv. / **Ti** (de), p.p.inv. **/ Pr**	45
soufrer **T**	12
souhaiter **T**	12
souiller **T**	12
soulager **T / Pr**	17
soûler **T / Pr**	12
soulever **T / Pr**	25
souligner **T**	12
soumettre **T / Pr** (à)	6
soumissionner **T**	12
soupçonner **T**	12
souper **I / p.p.inv.**	12
soupeser **T**	25
soupirer **I,** p.p.inv. / **T / Ti** (après), p.p.inv.	12
souquer **T / I,** p.p.inv.	16
sourciller **I / p.p.inv.**	12
sourdre **I / Déf :** usité seulement à l'inf. prés. et aux 3es pers. de l'ind. prés. *(il/s sourd/ent)* et de l'imparf. *(elle/s sourdait/aient)*	66
sourire **I / Ti** (à) **/ Pr / p.p.inv.** même à la voix pronominale	83
sous-alimenter **T**	12
sous-assurer **T**	12
souscrire **T / I,** p.p.inv. / **Ti** (à), p.p.inv.	81
sous-déclarer **T**	12
sous-employer **T**	31
sous-entendre **T**	66
sous-estimer **T**	12
sous-évaluer **T**	13
sous-exploiter **T**	12
sous-exposer **T**	12
sous-louer **T**	13
sous-payer **T**	29 ou 30
sous-tendre **T**	66
sous-titrer **T**	12
soustraire **T / Déf :** pas de passé simple, pas de subj. imparf.	90
sous-traiter **T**	12
sous-utiliser **T**	12
sous-virer **I / p.p.inv.**	12
soutacher **T**	12
soutenir **T / Pr**	4
soutirer **T**	12
souvenir **-se-** (de) / **U,** p.p.inv. dans des expressions comme *il me souvient que…*	4
soviétiser **T**	12
spatialiser **T**	12
spécialiser **T / Pr**	12
spécifier **T**	15
spéculer **I / p.p.inv.**	12

speeder **I / p.p.inv.** 12
spiritualiser **T** 12
spolier **T** 15
sponsoriser **T** 12
sporuler **I / p.p.inv.** 12
sprinter **I / p.p.inv.** 12
squatter **T** 12
squattériser **T** 12
squeezer **T** 12
stabiliser **T** 12
staffer **T** 12
stagner **I / p.p.inv.** 12
standardiser **T** 12
starifier **T** 15
stariser **T** 12
stationner **I / p.p.inv.** 12
statuer **I / p.p.inv.** 13
statufier **T** 15
sténographier **T** 15
stérer **T** 20
stériliser **T** 12
stigmatiser **T** 12
stimuler **T** 12
stipendier **T** 15
stipuler **T** 12
stocker **T** 12
stopper **T / I,** p.p.inv. 12
stratifier **T** 15
stresser **T** 12
striduler **I / p.p.inv.** 12
strier **T** 15
structurer **T** 12
stupéfaire **T / Déf :** usité seulement à la 3e pers. du sing. de l'ind. prés. et des temps composés ; remplacé par *stupéfier* aux autres temps 5
stupéfier **T** 15
stuquer **T** 16
styler **T** 12
styliser **T** 12
subdéléguer **T** / -gu- partout 20
subdiviser **T** 12
subir **T** 35
subjuguer **T** / -gu- partout 16
sublimer **T / I,** p.p.inv. 12
submerger **T** 17
subodorer **T** 12
subordonner **T** 12
suborner **T** 12
subroger **T** 17
subsidier **T** / Belgique 15
subsister **I / p.p.inv.** 12
substantiver **T** 12
substituer **T / Pr** (à) 13
subsumer **T** 12
subtiliser **T / I,** p.p.inv. 12
subvenir **Ti** (à) / **p.p.inv.** 4
subventionner **T** 12
subvertir **T** 35
succéder **Ti** (à) / **Pr / p.p.inv.** même à la voix pronominale 20
succomber **I / Ti** (à) / **p.p.inv.** 12
sucer **T** 18
suçoter **T** 12
sucrer **T / Pr** 12
suer **I,** p.p.inv. / **T** 13
suffire Ti (à) **/ Pr / p.p.inv.** même à la voix pronominale **84**
suffixer **T** 12
suffoquer **T / I,** p.p.inv. 16
suggérer **T** 20
suggestionner **T** 12
suicider **-se- + être** 12
suiffer **T** 12
suinter **I / p.p.inv.** 12
suivre T / I, p.p.inv. / **U,** p.p.inv. / **Pr** **86**
sulfater **T** 12
sulfurer **T** 12
superposer **T / Pr** (à) 12
superviser **T** 12
supplanter **T** 12
suppléer **T / Ti** (à), p.p.inv. / -é- partout 14
supplicier **T** 15
supplier **T** 15
supporter **T / Pr** 12
supposer **T** 12
supprimer **T / Pr** 12
suppurer **I / p.p.inv.** 12
supputer **T** 12
surabonder **I / p.p.inv.** 12
surajouter **T** 12
suralimenter **T** 12
surbaisser **T** 12
surcharger **T** 17

surchauffer **T**	12
surclasser **T**	12
surcomprimer **T**	12
surcontrer **T**	12
surcouper **T**	12
surdéterminer **T**	12
surdorer **T**	12
surélever **T**	25
surenchérir **I** **/ p.p.inv.**	35
surentraîner **T**	12
suréquiper **T**	12
surestimer **T**	12
surévaluer **T**	13
surexciter **T**	12
surexploiter **T**	12
surexposer **T**	12
surfacer **T / I,** p.p.inv.	18
surfaire **T /** Usité surtout à l'inf. prés., à l'ind. prés. et au part. passé	5
surfer **I / p.p.inv.**	12
surfiler **T**	12
surgeler **T**	25
surgir **I / p.p.inv.**	35
surhausser **T**	12
surimposer **T**	12
suriner **T**	12
surinformer **T**	12
surir **I / p.p.inv.**	35
surjaler **I / p.p.inv.**	12
surjeter **T**	27
surligner **T**	12
surlouer **T**	13
surmédicaliser **T**	12
surmener **T**	25
surmonter **T**	12
surmouler **T**	12
surnager **I / p.p.inv.**	17
surnommer **T**	12
suroxyder **T**	12
surpasser **T / Pr**	12
surpayer **T**	29 ou 30
surpiquer **T**	16
surplomber **T / I,** p.p.inv.	12
surprendre **T**	68
surproduire **T**	85
surprotéger **T**	21
sursaturer **T**	12
sursauter **I / p.p.inv.**	12
sursemer **T**	25
surseoir Ti (à) **/ p.p.inv.**	**60**
surtaxer **T**	12
surtitrer **T**	12
surveiller **T**	12
survendre **T**	66
survenir **I / + être**	4
survirer **I / p.p.inv.**	12
survivre **I / Ti** (à) **/ p.p.inv.**	87
survoler **T**	12
survolter **T**	12
susciter **T**	12
suspecter **T**	12
suspendre **T**	66
sustenter **T / Pr**	12
susurrer **I,** p.p.inv. **/ T**	12
suturer **T**	12
swinguer **I / p.p.inv.** **/** -gu- partout	16
symboliser **T**	12
sympathiser **I** (avec) **/ p.p.inv.**	12
synchroniser **T**	12
syncoper **T / I,** p.p.inv.	12
syndicaliser **T**	12
syndiquer **T / Pr**	16
synthétiser **T**	12
systématiser **T**	12

T

tabasser **T**	12
tabler **Ti** (sur) **/ p.p.inv.**	12
tabouer **T**	13
tabouiser **T**	12
tacher **T**	12
tâcher **Ti** (de + inf.), p.p.inv. **/ T**	12
tacheter **T**	27
tacler **I,** p.p.inv. **/ T**	12
taillader **T**	12
tailler **T / Pr**	12
taire **T / Pr**	91
taler **T**	12
taller **I / p.p.inv.**	12
talocher **T**	12
talonner **T / I,** p.p.inv.	12
talquer **T**	16
tambouriner **I,** p.p.inv. **/ T**	12

tamiser **T** 12
tamponner **T / Pr** 12
tancer **T** 18
tanguer **I / p.p.inv.** / -gu- partout 16
taniser **T** 12
tanner **T** 12
tanniser **T** 12
tapager **I / p.p.inv.** 17
taper **Ti** (sur), p.p.inv. **/ T / I / Pr** 12
tapiner **I / p.p.inv.** 12
tapir **-se- + être** 35
tapisser **T** 12
tapoter **T** 12
taquer **T** 16
taquiner **T** 12
tarabuster **T** 12
tarauder **T** 12
tarder **I / Ti** (à) **/ p.p.inv.** 12
tarer **T** 12
targuer **-se-** (de) **+ être** / -gu- partout 16
tarifer **T** 12
tarir **T / I,** p.p.inv. **/ Pr** 35
tartiner **T** 12
tartir **I / p.p.inv.** 35
tasser **T / Pr** 12
tâter **T / Ti** (de, à), p.p.inv. / **Pr** 12
tâtonner **I / p.p.inv.** 12
tatouer **T** 13
taveler **T** 23
taxer **T** 12
tayloriser **T** 12
tchatcher **I / p.p.inv.** 12
techniciser **T** 12
techniser **T** 12
technocratiser **T** 12
teiller **T** 12
teindre **T / Pr** 70
teinter **T** 12
télécharger **T** 12
télécommander **T** 12
télédiffuser **T** 12
télégraphier **T / I,** p.p.inv. 15
téléguider **T** 12
télématiser **T** 12
téléphoner **I,** p.p.inv. **/ T** 12
télescoper **T / Pr** 12
téléviser **T** 12
télexer **T** 12
témoigner **T / I,** p.p.inv. / **Ti** (de), p.p.inv. 12
tempérer **T** 20
tempêter **I / p.p.inv.** 12
temporiser **I / p.p.inv.** 12
tenailler **T** 12
tendre **T / Ti** (à, vers) / p.p.inv. 66
tenir **T / I,** p.p.inv. / **Ti** (à, de), p.p.inv. / **Pr / U,** p.p.inv. dans des expressions comme *qu'à cela ne tienne* ou *il ne tient qu'à toi de…* 4
tenonner **T** 12
ténoriser **I / p.p.inv.** 12
tenter **T** 12
tercer **T** 18
tergiverser **I / p.p.inv.** 12
terminer **T / Pr** 12
ternir **T** 35
terrasser **T** 12
terreauter **T** 12
terrer **T / Pr** 12
terrifier **T** 15
terrir **I / p.p.inv.** 35
terroriser **T** 12
terser **T** 12
tester **I,** p.p.inv. / **T** 12
tétaniser **T** 12
téter **T / I,** p.p.inv. 20
texturer **T** 12
théâtraliser **T** 12
théoriser **T / I,** p.p.inv. 12
thésauriser **T** 12
tiédir **I,** p.p.inv. / **T** 35
tiercer **T** 18
tiller **T** 12
timbrer **T** 12
tinter **T / I,** p.p.inv. 12
tintinnabuler **I / p.p.inv.** 12
tiper **T** / Suisse 12
tipper **T** / Suisse 12
tiquer **I / p.p.inv.** 16
tirailler **T / I,** p.p.inv. 12
tire-bouchonner **T** 12
tirer **T / I,** p.p.inv. **/ Pr** 12
tisonner **T** 12

tisser **T**	12
titiller **T**	12
titrer **T**	12
tituber **I / p.p.inv.**	12
titulariser **T**	12
toiletter **T**	12
toiser **T**	12
tolérer **T**	20
tomber **I + être / T + avoir**	12
tomer **T**	12
tondre **T**	66
tonifier **T**	15
tonitruer **I / p.p.inv.**	13
tonner **I / U / p.p.inv.**	12
tonsurer **T**	12
tontiner **T**	12
toper **I / p.p.inv.**	12
toquer **-se-** (de) **+ être**	16
torcher **T / Pr**	12
torchonner **T**	12
tordre **T / Pr**	66
toréer **I / p.p.inv.** / -é- partout	14
torpiller **T**	12
torréfier **T**	15
torsader **T**	12
tortiller **T / I,** p.p.inv. / **Pr**	12
tortorer **T**	12
torturer **T / Pr**	12
tosser **I / p.p.inv.**	12
totaliser **T**	12
toucher **T / Ti** (à), p.p.inv. / **Pr**	12
touer **T**	13
touiller **T**	12
toupiller **T**	12
toupiner **I / p.p.inv.**	12
tourber **I / p.p.inv.**	12
tourbillonner **I / p.p.inv.**	12
tourillonner **T / I,** p.p.inv.	12
tourmenter **T / Pr**	12
tournailler **I / p.p.inv.**	12
tourneboulet **T**	12
tourner **T / I,** p.p.inv. / **Pr**	12
tournicoter **I / p.p.inv.**	12
tourniquer **I / p.p.inv.**	16
tournoyer **I / p.p.inv.**	31
tousser **I / p.p.inv.**	12
toussoter **I / p.p.inv.**	12
trabouler **I / p.p.inv.**	12
tracasser **T**	12
tracer **T / I,** p.p.inv.	18
tracter **T**	12
traduire **T / Pr**	85
traficoter **I,** p.p.inv. / **T**	12
trafiquer **I,** p.p.inv. / **T / Ti** (de), p.p.inv.	16
trahir **T / Pr**	35
traînailler **I / p.p.inv.**	12
traînasser **I / p.p.inv.**	12
traîner **T / I,** p.p.inv. / **Pr**	12
traire **T / Déf :** pas de passé simple, pas de subj. imparf.	90
traiter **T / I,** p.p.inv. / **Ti** (de), p.p.inv.	12
tramer **T / Pr**	12
trancher **T / I,** p.p.inv.	12
tranquilliser **T / Pr**	12
transbahuter **T**	12
transborder **T**	12
transcender **T**	12
transcoder **T**	12
transcrire **T**	81
transférer **T**	20
transfigurer **T**	12
transfiler **T**	12
transformer **T / Pr**	12
transfuser **T**	12
transgresser **T**	12
transhumer **I,** p.p.inv. / **T**	12
transiger **I / p.p.inv.**	17
transir **T /** Usité surtout à l'inf., à l'ind. et au part. passé	35
transistoriser **T**	12
transiter **T / I,** p.p.inv.	12
transmettre **T / Pr**	6
transmigrer **I / p.p.inv.**	12
transmuer **T**	13
transmuter **T**	12
transparaître **I / p.p.inv.**	75
transpercer **T**	18
transpirer **I / p.p.inv.**	12
transplanter **T**	12
transporter **T / Pr**	12
transposer **T**	12

transsuder **I / p.p.inv.** 12
transvaser **T** 12
transvider **T** 12
trapper **T** / Québec 12
traquer **T** 16
traumatiser **T** 12
travailler **I,** p.p.inv. / **T** 12
travailloter **I / p.p.inv.** 12
traverser **T** 12
travestir **T / Pr** 35
trébucher **I,** p.p.inv. / **T** 12
tréfiler **T** 12
treillager **T** 17
treillisser **T** 12
trémater **T** 12
trembler **I / p.p.inv.** 12
trembloter **I / p.p.inv.** 12
trémousser **-se- + être** 12
tremper **T / I,** p.p.inv. 12
trémuler **I / p.p.inv.** 12
trépaner **T** 12
trépasser **I / p.p.inv.** 12
trépider **I / p.p.inv.** 12
trépigner **I / p.p.inv.** 12
tressaillir **I / p.p.inv.** 47
tressauter **I / p.p.inv** 12
tresser **T** 12
treuiller **T** 12
trévirer **T** 12
trianguler **T** 12
triballer **T** 12

tricher **I / Ti** (sur) / **p.p.inv.** 12
tricoter **T / I,** p.p.inv. 12
trier **T** 15
trifouiller **I / p.p.inv.** 12
triller **I / p.p.inv.** 12
trimarder **I / p.p.inv.** 12
trimbaler **T / Pr** 12
trimballer **T** 12
trimer **I / p.p.inv.** 12
tringler **T** 12
trinquer **I / p.p.inv.** 16
triompher **I / Ti** (de) / **p.p.inv.** 12
tripatouiller **T** 12
tripler **T / I,** p.p.inv. 12
tripoter **T / I,** p.p.inv. 12
triquer **T** 16
trisser **T / I,** p.p.inv. / **Pr** 12
triturer **T / Pr** 12
tromper **T / Pr** 12
trompeter **I,** p.p.inv. / **T** 27
tronçonner **T** 12
trôner **I / p.p.inv.** 12
tronquer **T** 16
tropicaliser **T** 12
troquer **T** 16
trotter **I,** p.p.inv. / **Pr** 12
trottiner **I / p.p.inv.** 12
troubler **T / Pr** 12
trouer **T** 13
trousser **T / Pr** 12
trouver **T / Pr / U,** p.p.inv. : *il se trouve que…* 12

truander **I,** p.p.inv. / **T** 12
trucider **T** 12
truffer **T** 12
truquer **T** 16
trusquiner **T** 12
truster **T** 12
tuber **T** 12
tuer **T / Pr** 13
tuiler **T** 12
tuméfier **T** 15
turbiner **I,** p.p.inv. / **T** 12
turlupiner **T** 12
tuteurer **T** 12
tutoyer **T** 31
tuyauter **T** 12
twister **I / p.p.inv.** 12
typer **T** 12
tyranniser **T** 12

U

ulcérer **T** 20
ululer **I / p.p.inv.** 12
unifier **T / Pr** 15
uniformiser **T** 12
unir **T / Pr** 35
universaliser **T** 12
upériser **T** 12
urbaniser **T / Pr** 12
urger **U / p.p.inv.** / Usité surtout avec le pronom démonstratif fam. : *ça urge* 17
uriner **I,** p.p.inv. / **T** 12

user **Ti** (de), p.p.inv. **/ T / Pr** 12
usiner **T** 12
usurper **T** 12
utiliser **T** 12

V

vacciner **T** 12
vaciller **I / p.p.inv.** 12
vadrouiller **I / p.p.inv.** 12
vagabonder **I / p.p.inv.** 12
vagir **I / p.p.inv.** 35
vaguer **I / p.p.inv.** / -gu- partout 16
vaincre T **73**
valdinguer **I / p.p.inv.** / -gu- partout 16
valider **T** 12
valoir I, p.p.inv. **/ T / Pr / U,** p.p.inv. : *il vaut mieux…* **56**
valoriser **T** 12
valser **I,** p.p.inv. **/ T** 12
vamper **T** 12
vampiriser **T** 12
vandaliser **T** 12
vanner **T** 12
vanter **T / Pr** (de) 12
vaporiser **T** 12
vaquer **I / Ti** (à) **/ p.p.inv.** 16
varapper **I / p.p.inv.** 12
varier **T / I,** p.p.inv. 15
varloper **T** 12
vasectomiser **T** 12
vaseliner **T** 12
vasouiller **I / p.p.inv.** 12
vassaliser **T** 12
vaticiner **I / p.p.inv.** 12
vautrer **-se- + être** 12
vedettiser **T** 12
végéter **I / p.p.inv.** 20
véhiculer **T** 12
veiller **I,** p.p.inv. **/ T / Ti** (à, sur), p.p.inv. **/ Pr,** Suisse 12
veiner **T** 12
vêler **I / p.p.inv.** 12
velouter **T** 12
vendanger **T / I,** p.p.inv. 17
vendre **T / Pr** 66
vénérer **T** 20
venger **T / Pr** (de) 17
venir I / + être **4**
venter **U / p.p.inv.** 12
ventiler **T** 12
verbaliser **I,** p.p.inv. **/ T** 12
verdir **T / I,** p.p.inv. 35
verdoyer **I / p.p.inv.** 31
verduniser **T** 12
verglacer **U / p.p.inv.** 18
vérifier **T** 15
vermiller **I / p.p.inv.** 12
vermillonner **I / p.p.inv.** 12
vermouler **-se- + être** 12
vernir **T** 35
vernisser **T** 12
verrouiller **T / Pr** 12
verser **T / I,** p.p.inv. 12
versifier **I,** p.p.inv. **/ T** 15
vesser **I / p.p.inv.** 12
vétiller **I / p.p.inv.** 12
vêtir T / Pr **41**
vexer **T / Pr** 12
viabiliser **T** 12
viander **I,** p.p.inv. **/ Pr** 12
vibrer **I,** p.p.inv. **/ T** 12
vibrionner **I / p.p.inv.** 12
vicier **T** 15
vidanger **T** 17
vider **T** 12
vidimer **T** 12
vieillir **I,** p.p.inv. **/ T / Pr** 35
vieller **I / p.p.inv.** 12
vigneter **I / p.p.inv.** 27
vilipender **T** 12
villégiaturer **I / p.p.inv.** 12
vinaigrer **T** 12
viner **T** 12
vinifier **T** 15
violacer **-se- + être** 18
violenter **T** 12
violer **T** 12
violeter **T** 27
violoner **I / p.p.inv.** 12
virer **I,** p.p.inv. **/ Ti** (à), p.p.inv. **/ T** 12
virevolter **I / p.p.inv.** 12
virguler **T** 12
viriliser **T** 12

viroler **T**	12
viser **T / I,** p.p.inv. / **Ti** (à), p.p.inv.	12
visionner **T**	12
visiter **T**	12
visser **T**	12
visualiser **T**	12
vitrer **T**	12
vitrifier **T**	15
vitrioler **T**	12
vitupérer **T / Ti** (contre), p.p.inv.	20
vivifier **T**	15
vivoter **I / p.p.inv.**	12
vivre I, p.p.inv. / **T**	**87**
vocaliser **I,** p.p.inv. / **T**	12
vociférer **I,** p.p.inv / **Ti** (contre), p.p.inv. / **T**	20
voguer **I / p.p.inv.** / -gu- partout	16
voiler **T / Pr**	12
voir T / Ti (à), p.p.inv. / **Pr**	**52**
voisiner **Ti** (avec) / **p.p.inv.**	12
voiturer **T**	12
volatiliser **T / Pr**	12
volcaniser **T**	12
voler **I,** p.p.inv. / **T**	12
voleter **I / p.p.inv.**	27
voliger **T**	17
volleyer **I,** p.p.inv. / **T** / -y- partout	30
volter **I / p.p.inv.**	12
voltiger **I / p.p.inv.**	17
vomir **T**	35
voter **T,** p.p.inv. / **T**	12
vouer **T / Pr** (à)	13
vouloir T / Ti (de), p.p.inv. / **Pr** (p.p.inv. uniquement dans l'expression *s'en vouloir de…*)	**8**
vousoyer **T**	31
voussoyer **T**	31
voûter **T / Pr**	12
vouvoyer **T**	31
voyager **I / p.p.inv.**	17
vriller **T / I,** p.p.inv.	12
vrombir **I / p.p.inv.**	35
vulcaniser **T**	12
vulgariser **T**	12
vulnérabiliser **T**	12

W, Y, Z

warranter **T**	12
yodler **I / p.p.inv.**	12
zapper **I / p.p.inv.**	12
zébrer **T**	20
zester **T**	12
zézayer **I** / **p.p.inv.**	29 ou 30
zieuter **T**	12
zigouiller **T**	12
zigzaguer **I / p.p.inv.** / -gu- partout	16
zinguer **T** / -gu- partout	16
zipper **T**	12
zoner **T / I,** p.p.inv.	12
zoomer **I / p.p.inv.**	12
zozoter **I / p.p.inv.**	12
zwanzer **I / p.p.inv.** / Belgique	12
zyeuter **T**	12

Imprimé en Italie par
L.E.G.O. S.p.A.

Composition : I.G.S.-C.P. (16)
Dépôt légal : mai 2008-306200/01
N° projet : 11013527
Mai 2013